GUIA COMPLETO DE
AROMATERAPIA
E CURA VIBRACIONAL

Margaret Ann Lembo

GUIA COMPLETO DE
AROMATERAPIA
E CURA VIBRACIONAL

60 Óleos Essenciais e seus
Elementos Vibracionais Correspondentes

Tradução
Gilson César Cardoso de Sousa

Editora
Pensamento
SÃO PAULO

Título do original: *The Essential Guide to Aromatherapy and Vibrational Healing.*
Copyright © 2016 Margaret Ann Lembo.
Publicado originalmente por Llewellyn Publications, Woodbury, MN 55125 – USA – www.llewellyn.com.
Copyright da edição brasileira © 2020 Editora Pensamento-Cultrix Ltda.
1ª edição 2020. / 2ª reimpressão 2024.

Todos os direitos reservados. Nenhuma parte deste livro pode ser reproduzida ou usada de qualquer forma ou por qualquer meio, eletrônico ou mecânico, inclusive fotocópias, gravações ou sistema de armazenamento em banco de dados, sem permissão por escrito, exceto nos casos de trechos curtos citados em resenhas críticas ou artigos de revista.

A Editora Pensamento não se responsabiliza por eventuais mudanças ocorridas nos endereços convencionais ou eletrônicos citados neste livro.

Editor: Adilson Silva Ramachandra
Gerente editorial: Roseli de S. Ferraz
Preparação de originais: Alessandra Miranda de Sá
Gerente de produção editorial: Indiara Faria Kayo
Editoração eletrônica: S2 Books
Revisão: Adriane Gozzo

Dados Internacionais de Catalogação na Publicação (CIP)
(Câmara Brasileira do Livro, SP, Brasil)

Lembo, Margaret Ann

  Guia completo de aromaterapia e cura vibracional : 60 óleos essenciais e seus elementos vibracionais correspondentes / Margaret Ann Lembo ; tradução Gilson César Cardoso de Sousa. -- São Paulo : Editora Pensamento Cultrix, 2020.

  Título original: The essential guide to aromatherapy and vibrational healing
  Bibliografia.
  ISBN 978-65-87236-10-0

  1. Aromaterapia 2. Essências e óleos essenciais 3. Vibração - Uso terapêutico I. Título.

20-39549   CDD-615.3219

Índices para catálogo sistemático:

1. Aromaterapia : Terapia alternativa 615.3219

Cibele Maria Dias - Bibliotecária - CRB-8/9427

Direitos de tradução para o Brasil adquiridos com exclusividade pela
EDITORA PENSAMENTO-CULTRIX LTDA., que se reserva a propriedade literária desta tradução.
Rua Dr. Mário Vicente, 368 – 04270-000 – São Paulo – SP
Fone: (11) 2066-9000
http://www.editorapensamento.com.br
E-mail: atendimento@editorapensamento.com.br
Foi feito o depósito legal.

Este livro não tem por objetivo oferecer conselho especializado ou substituir as instruções terapêuticas e o tratamento de seus médicos. Os leitores devem consultá-los, e a outros profissionais qualificados da área da saúde, para o tratamento de seus problemas clínicos. Nem o editor nem a autora se responsabilizam por quaisquer consequências possíveis de tratamentos, atos ou aplicações de remédios, suplementos, ervas ou preparações causados a pessoas que lerem ou seguirem as informações contidas neste livro.

À minha mãe, Antoinette Lembo.
Obrigada por me ensinar a me identificar com flores e jardins.
Obrigada por me ensinar a me comunicar telepaticamente com a natureza.
Obrigada por você ser minha mãe!

Sumário

Lista de Óleos Essenciais..15
Agradecimentos...17
Introdução..21
Segurança em Aromaterapia..27
Parte Um - Para Entender os Elementos Básicos das Práticas de Aromaterapia e da Cura Vibracional..31

Capítulo Um - Como Trabalhar com os Óleos Essenciais................... 33
    Uso histórico dos óleos essenciais 33
    O valor físico e energético dos óleos essenciais 35
    Como usar os óleos essenciais... 36
    Precauções: Regras específicas de segurança para usos comuns 37
    Óleos carreadores comuns para uso tópico 37
    Graus dos óleos essenciais 40
    Validade dos óleos essenciais.. 42
    Métodos de extração dos óleos essenciais 42
    Notas aromáticas dos óleos essenciais.. 44
    Recomendação para uso do principiante...................................... 46

Capítulo Dois - Assistência Vibracional para suas Práticas Aromático-Energéticas 47

    Essências florais 49
    Essências de pedras preciosas... 52
    Água-benta... 54
    Aromas espirituais sagrados para harmonização divina 59
    Mensageiros divinos 61
    Sistema de chakras.. 62
    Zodíaco, planetas, números e animais.. 65

Parte Dois - Guia Essencial de A a Z 67

    Óleo essencial 69
    Abeto 73
    Alecrim... 76
    Angélica... 80
    Baga de zimbro... 83
    Benjoim.. 86
    Bergamota 90
    Bétula 93
    Camomila.. 96
    Canela... 100
    Capim-limão 103
    Cardamomo... 106
    Cedro.. 109
    Cipreste azul.. 112
    Coentro 115
    Cravo-da-índia 118
    Elemi... 122
    Eucalipto.. 125
    Funcho.. 129
    Gengibre 133
    Gerânio... 137
    Grapefruit 141
    Gualtéria.. 145
    Hissopo 148
    Hortelã-pimenta.. 151
    Ilangue-ilangue... 155

Immortelle	158
Jacinto	161
Jasmim	164
Laranja	168
Lavanda	172
Limão-galego (lima ácida)	176
Limão-siciliano	179
Manjericão	183
Manjerona	187
Melissa	191
Mirra	195
Nardo	199
Néroli	203
Niaouli	206
Olíbano	210
Orégano	214
Palmarosa	217
Palo santo	220
Patchouli	223
Pau-rosa	226
Petitgrain	229
Pimenta-da-jamaica	232
Pimenta-do-reino	235
Pinho	238
Ravensara	242
Rosa	245
Sálvia	248
Sálvia escareia	252
Sândalo	256
Semente de aipo	259
Semente de anis (erva-doce)	263
Tangerina	266
Tea tree	269
Tomilho, vermelho	272
Vetiver	276

Parte Três - Apêndices **281**

Apêndice A - Receitas de Aromaterapia para Usos Específicos 283

    Fórmula do cuidador 284
    Redução do estresse e alívio do desconforto muscular 285
    Melhores experiências de meditação 285
    Para integrar mente, corpo e espírito no trabalho 286
    Mudança radical e emprego novo 286
    Estabilidade, recuperação da saúde física e capacidade intuitiva 286
    Sintonização 287
    Alegria na meia-idade 287
    Paz e serenidade 287
    Relaxamento 288
    Espaço sagrado 288
    Durma bem, fique positivo 288
    Limpar o chão 289
    Limpar a casa 289
    Desinfetante para o ar e o corpo 290
    Para eliminar o ácaro do pó 291

Apêndice B - Guia de Remédios Florais de Bach Selecionados 292

    Medo 294
    Incerteza 296
    Solidão 300
    Pouco interesse pelas circunstâncias atuais 301
    Supersensibilidade a influências e ideias 304
    Desânimo e desespero 307
    Preocupação excessiva com o bem-estar dos outros 311

Apêndice C - Essências de Pedras Preciosas 315

    Amor 315
    Proteção 316
    Tudo está bem 317
    Desenvolva a sua intuição 317
    Comunicação angélica 318
    Sono profundo 319
    Criatividade e fertilidade 319
    Limpeza da aura 320

Peso ideal e alimentação saudável 321
Boa saúde e cura 321
Mantenha-me seguro 322
Sobriedade 323

Apêndice D - Guia de Referência Fácil para Óleos Associados 324
Arcanjos e Mestres Ascensionados 324
Signos astrológicos 327
Asteroides e planetas 328
Carreiras e profissões 330
Chakras 336
Usos físicos, mentais/emocionais e espirituais 338
    Usos Físicos 338
    Uso Mental/Emocional 345
    Usos Espirituais 348
Animais Totêmicos 349

Glossário de Qualidades Terapêuticas e Óleos Associados 353
Leituras Recomendadas 377
Bibliografia 379
Índice Remissivo 383

Lista de Óleos Essenciais

1. Abeto
2. Alecrim
3. Angélica
4. Baga de zimbro
5. Benjoim
6. Bergamota
7. Bétula
8. Camomila
9. Canela
10. Capim-limão
11. Cardamomo
12. Cedro
13. Cipreste azul
14. Coentro
15. Cravo-da-índia
16. Elemi
17. *Immortelle*
18. Eucalipto
19. Funcho
20. Gengibre
21. Gerânio
22. *Grapefruit*
23. Gualtéria
24. Hissopo
25. Hortelã-pimenta
26. Ilangue-ilangue
27. Jacinto
28. Jasmim
29. Laranja
30. Lavanda
31. Limão-galego (lima ácida)
32. Limão-siciliano
33. Manjericão
34. Manjerona

35. Melissa
36. Mirra
37. Nardo
38. Néroli
39. *Niaouli*
40. Olíbano
41. Orégano
42. *Palmarosa*
43. Palo santo
44. *Patchouli*
45. Pau-rosa
46. *Petitgrain*
47. Pimenta-da-jamaica
48. Pimenta-do-reino
49. Pinho
50. *Ravensara*
51. Rosa
52. Sálvia
53. Sálvia esclareia
54. Sândalo
55. Semente de aipo
56. Semente de anis (erva-doce)
57. Tangerina
58. *Tea Tree*
59. Tomilho vermelho
60. *Vetiver*

Agradecimentos

Este livro foi feito com amor. Um processo que eu não queria ver terminado. Muitas pessoas sábias contribuíram para ele durante os anos em que foi elaborado em minha consciência.

Meu primeiro agradecimento vai, naturalmente, para minha mãe. Seu amor à jardinagem e sua reverência pelos antigos costumes deram-me os alicerces para compreender e trabalhar as plantas, e criar receitas de aromaterapia. As receitas, ou fórmulas, são parte integrante da compreensão e do trabalho com os óleos. Experimentar plenamente seus benefícios também gera uma conexão sólida com as plantas, as árvores e os arbustos deste glorioso planeta.

Obrigada a todos da Llewellyn Worldwide, em especial a Bill Krause, que teve a visão e a fé de publicar meu primeiro livro e continua pedindo mais do meu trabalho. Obrigada a todos os editores da Llewellyn que me ajudaram a crescer como escritora e autora. Minha gratidão a Angela Wix, Elysia Gallo e Carrie Obry.

Um agradecimento muito especial à minha professora e mentora de aromaterapia, dra. Annie Farrell. Como naturopata, Annie me transmitiu um entendimento mais profundo dos óleos e do modo de me relacionar com eles em um nível que eu não conhecia antes de ouvir suas lições. Foi graças à sua inspiração que criei uma linha própria de óleos em minha loja, The Crystal Garden. Quando preciso criar um aroma para determinado propósito, mas estou sem ideias, Annie é a pessoa a quem recorro em busca de instrução. Ela me ensinou também a verdadeira diferença entre as qualidades dos óleos essenciais.

Geraldine Whidden foi minha primeira professora de aromaterapia. Conheci sua linha de óleos no início dos anos 1980, quando eu ainda era bancária. Sou grata por esses primeiros ensinamentos. Obrigada a Shellie Enteen, que me apresentou os florais de Bach no início da década de 1990. Obrigada a Joan Ranquet, amiga de verdade e colega escritora. É muito reconfortante ter uma boa amiga escritora enquanto escrevo meus livros. Sou grata por essa amizade e esse apoio em minha vida!

Um agradecimento muito especial a Carol Killman Rosenberg, minha editora pessoal. Ela sabe polir meus manuscritos, acertar meu tom e me fazer parecer bem aos olhos dos editores. Obrigada, Kim Weiss, por me apresentar a Carol. Ela é uma pedra preciosa que guardo com carinho.

Obrigada a todos da equipe do The Crystal Garden. Seu ótimo trabalho, sua confiabilidade e dedicação possibilitam que eu trabalhe em meu *home office* para escrever meus livros, criando baralhos de afirmação e produtos de áudio. Posso ficar tranquila sabendo que tudo vai bem. Agradecimentos especiais a Pam Moore, Caitlin Ten Eyck, Dawn Seiler, Chrissy Clark e Judy Waters, bem como a Carmen Leidel, Marcie Hayunga e Angelina Kessler. Essa equipe fantástica também me apoia como escritora nas mídias sociais e em viagens de promoção de meus livros, em conjunto com Deanna Estes e Brandon Ellis no *design* gráfico e em desenvolvimentos na internet.

Obrigada a meus amigos e familiares que acreditam em mim e no meu trabalho. Obrigada a Mary Ann Garofala, Melissa Applegate e Vickie Mitchell.

Acima de tudo, sou grata a meu marido, Vincent. Ele é uma inspiração e abre espaço para que eu faça meu trabalho. Obrigada, querido, por percorrer este planeta comigo em viagens de promoção de meus livros, venda de minha linha de aromaterapia, feiras e exposições. Sou realmente grata por você carregar caixas e bagagens, pregar cartazes, levar-me de cá para lá em minhas apresentações. Obrigada por me encorajar a escrever o próximo livro antes mesmo de eu terminar o que estou escrevendo. Sinto-me abençoada e grata por você ser o amor da minha vida.

Obrigada a todos os aromaterapeutas cujos livros usei como referência por muitos anos. Minha sincera gratidão a Susan Worwood, Valerie Worwood, Wanda Sellar, Jennifer Peace Rhind, Julia Lawless e Patricia Davis. Robert Tisserand, sou grata por sua dedicação e conhecimento. Seu livro *Essential Oil Safety, Second Edition* foi uma importante referência, além de suas postagens na internet quando eu pesquisava o material para este livro. Esses autores não me conhecem, mas me sinto como se os conhecesse. Obrigada por seu excelente trabalho.

Introdução

———⚭———

Este livro trata do uso de partes aromáticas das plantas sob a forma de óleos, vapores, incensos e *sprays* para a cura física, mental e/ou de problemas emocionais, assim como para a melhoria geral do bem-estar. Os usos descritos aqui se baseiam em princípios metafísicos (aquilo que transcende o físico) e nos benefícios psicológicos proporcionados pelos constituintes químicos de cada óleo essencial. São sessenta os óleos essenciais descritos nestas páginas. Todos eles e os instrumentos vibracionais complementares discutidos oferecem opções para ajudar você a alcançar o equilíbrio espiritual, mental e emocional. Isolados ou em combinação, eles podem agir como aliados para nos ajudar a manter a atenção nas intenções de aumentar a autoconsciência, conseguir um estado de equilíbrio e bem-estar, provocar e preservar uma mudança positiva na vida.

Firmar a intenção e ter acesso ao ilimitado potencial fornecido pela imaginação são componentes importantes do trabalho com esses grupos vibracionais. Aqui, você aprenderá a estreitar um relacionamento pessoal com essas ferramentas. São muitas as camadas de compreensão da cura vibracional. Em se tratando da aromaterapia e do núcleo energético dos óleos essenciais, tudo começa pela compreensão de como o sentido do olfato molda poderosamente nosso humor e nosso comportamento. Os aromas afetam nossos modos, nossas decisões e até nossa capacidade de entender, recordar e processar sentimentos ou emoções. O sistema límbico do cérebro é responsável por interpretar sinais e influenciar o humor e a emoção, bem como por funcionar como área de armazenamento.

Quando um odor evoca emoções, evoca também lembranças. Com efeito, o sentido do olfato é o que mais prontamente desencadeia recordações da infância. Você, por exemplo, já abriu um baú – que contém talvez um brinquedo velho, decorações natalinas ou uma toalha de mesa de festa – e um cheiro qualquer se evolou dali, enchendo sua consciência de lembranças de uma experiência ou de um dia específicos? O sentido do olfato (nossa capacidade de processar um cheiro) foi o gatilho primário dessa lembrança. Quando aspiro certos perfumes florais, sou imediatamente transportada para o jardim de minha infância. Sinto-me sempre grata por esse lembrete, pois minhas primeiras e mais felizes lembranças se prendem ao tempo que passava com minha mãe naquele lugar maravilhoso.

Tínhamos um jardim e um quintal pequenos em nossa casa geminada no Brooklyn. Na vizinhança, árvores ladeavam as ruas, e os quintais contíguos ao nosso eram jardins florescentes. O nosso estava repleto de tesouros – de salgueiros-chorões e forsítias a berinjelas e tomates, de azaleias a açafrão, íris, lírio-do-vale e ervilha-de-cheiro. Minha mãe e eu conversávamos com as plantas, limpávamos o jardim e nutríamos o solo com pó de café e cascas de ovo.

A experiência do jardim ia conosco para nossa residência de verão na praia, em Breezy Point, Nova York. Jamais me ocorreu, antes da idade adulta, que minha mãe – da qual eu era a fada do jardim –, na verdade, havia cultivado um jardim impressionante na areia da praia! Todos os anos, no fim de semana do Memorial Day [Dia da Memória], deixávamos o Brooklyn e abríamos a casa de verão para cultivar o jardim. No caminho, pegávamos turfa, esterco de vaca e mudas. Uma vez lá, preparávamos o solo para a estação seguinte. Enterrávamos cabeças de peixes, restos de vegetais da cozinha e algas que eu colhia na praia para nutrir e fortalecer as plantas. Eu não sabia, mas aquilo era compostagem. Só fazíamos isso e sou muito grata pelo fato de essas experiências de jardinagem terem me ensinado a me conectar com a energia das plantas em tenra idade e a compreender seu valor hoje.

Eu gostava de capinar e regar. De mangueira em punho, imaginava as plantas carregadas de flores ou vegetais maduros. Fingia que estava derramando nutrientes e energia boa nas raízes com a água da mangueira. Fantasiava que era personagem do livro *O Jardim Secreto* trabalhando com meus amigos imaginários para dar vida ao jardim. *O Jardim Secreto* conduz o leitor a uma jornada na qual a fé restaura a saúde e as flores renovam o espírito. Este livro e os muitos anos de crescimento no jardim me inspiraram a seguir o caminho do espírito e a criar minha loja e meu centro espiritual, The Crystal Garden.

Acredito na magia do jardim e da natureza – plantas, animais, fadas e energias elementares – como dons da terra que lembram o pacto que nossa alma fez com ela e recuperam nosso corpo, nossa mente e nosso espírito.

O emprego da aromaterapia é parte considerável dessa litania de dons da terra. A extração do óleo essencial de uma flor, planta, casca ou raiz constitui apenas outro nível de recepção da magia do jardim e da natureza. Uso óleos essenciais desde o início da década de 1980 para viver uma vida mais feliz. Usei essas essências fragrantes quando me recuperava da dor do falecimento de minha mãe. Foi grande alívio ter óleo essencial de jacinto, além de muitos outros como lavanda, limão e bergamota, para recuperar a alegria e ser capaz de continuar levando a vida, mesmo sem minha mãe. Para mim, esse foi um grande rito de passagem e sou grata pela oportunidade de me redescobrir graças aos óleos essenciais.

Os óleos essenciais têm efeito real na ativação da memória e na cura com vistas à paz interior e à restauração. Você pode utilizar um óleo essencial em muitos níveis – por exemplo, para aliviar males físicos como problemas respiratórios, intensificar a acuidade mental, curar distúrbios emocionais como tristeza ou timidez e/ou aprofundar uma prática espiritual. Utilize esses aromas como tesouros oferecidos pela Mãe Terra para ajudá-lo em sua jornada aqui.

Um dos objetivos deste livro é ensiná-lo a transformar influências inconscientes em intenções conscientes. Acessar seu banco de memórias e sistemas de crença pelo uso da aromaterapia e recursos afins é uma ferramenta importante para conseguir a autoconsciência. Isso pode ajudar você a liberar emoções e sentimentos reprimidos, presos em seu corpo, mente ou espírito numa época de sua vida em que se sentir bloqueado ou desconfortável sem saber o motivo. Recuperar a lembrança de um incidente emocional da infância pode ser possível graças ao aroma de bétula, baunilha ou canela, por exemplo. Um aroma pode encher sua consciência com sentimentos de afeto e segurança, enquanto outro pode evocar ansiedade e medo. O segredo consiste em identificar a fonte, o incidente ou a série de incidentes associados a esse gatilho, para acioná-lo, curá-lo ou ignorá-lo a fim de se livrar dos laços que o prendiam.

Durante anos, dei aulas de aromaterapia. Meu momento favorito das lições era preparar fórmulas baseadas nos objetivos e nas intenções dos participantes. Este livro vai lhe fornecer a informação necessária para iniciar sua jornada de aprendizado e criar as próprias fórmulas.

Por meio dos sessenta óleos essenciais listados na seção de A a Z do livro, você descobrirá quais óleos essenciais e recursos complementares poderão ajudá-lo a curar, transformar e evoluir em todos os níveis – espiritual, mental, emocional e físico. Mas primeiro, na seção seguinte, examinaremos o papel de destaque que os aromas desempenham em nossas jornadas espirituais. Depois, você aprenderá mais sobre como manipular os óleos essenciais e os outros recursos que poderão ajudá-lo em sua caminhada.

Segurança em Aromaterapia

Há muitas opiniões e diversos pontos de vista sobre o uso seguro dos óleos essenciais. Graças à minha pesquisa, descobri que os temas mais controversos são: o uso de alguns óleos essenciais durante a gravidez, o uso interno de óleos essenciais e o uso de óleos essenciais em crianças. Organizações profissionais como a Associação Nacional de Aromaterapia Holística (National Association of Holistic Aromatherapy – NAHA) e a Federal Internacional de Aromaterapeutas Profissionais (International Federation of Professional Aromatherapists – IFPA) postam dicas de segurança e orientações para o uso dos óleos essenciais em todas as circunstâncias.

A inalação, como método de aplicação, é de baixo risco para a maioria das pessoas. Qualquer risco associado a esse método advém do uso prolongado ou da exposição excessiva aos vapores do óleo.

A idade da pessoa desempenha sua parte na determinação do uso seguro dos óleos essenciais. Por exemplo, bebês e crianças pequenas têm mais sensibilidade aos óleos essenciais que os adultos. As diluições seguras, segundo a NAHA, são "0,5% a 2,5%, conforme a condição". É melhor evitar o uso de bétula, gaultéria e hortelã-pimenta nas crianças. Do mesmo modo, a sensibilidade da pele é maior na população idosa, sendo necessário, nesses casos, aumentar a diluição para aplicações tópicas.

Para as finalidades do uso da aromaterapia tal qual apresentada neste livro, minhas recomendações são:

- Evite o uso de óleos essenciais durante a gravidez, sobretudo no primeiro trimestre. Sabe-se que a toxicidade durante a gravidez aumenta quando os óleos essenciais são empregados em altas doses. Convém, então, usá-los adequadamente, conforme as instruções de um terapeuta habilitado. O uso cauteloso dos óleos essenciais por um profissional qualificado pode proporcionar bem-estar e nutrição a uma mulher grávida. Segundo Robert Tisserand e Tony Balacs, os seguintes óleos não devem ser usados durante a gravidez: absinto, arruda, cânfora, hissopo, *Lavandula stoechas*, musgo-de-carvalho, sálvia e semente de salsa.

- Mantenha todos os óleos essenciais longe do alcance das crianças.

- Não use óleos essenciais em gatos e cachorros com canais nasais curtos, como *pugs*, Boston Terriers e vários buldogues. Segundo Joan Ranquet em *Energy Healing for Animals*, não há quase distância entre o canal nasal e o cérebro, de modo que o trânsito do aroma é extremamente rápido. Um uso mais seletivo é possível colocando-se um pouquinho de óleo em uma toalha perto da cama ou da tigela de comida.

- Não use óleos essenciais em pássaros.

- Mantenha os óleos essenciais longe dos olhos.

- Não use o mesmo óleo essencial por períodos prolongados.

- Evite o uso de óleos essenciais não diluídos na pele.

- Não faça uso interno de óleos essenciais.
- Alguns óleos essenciais corroem plásticos e outros materiais sintéticos. Evite o contato com esses materiais.

PARTE UM

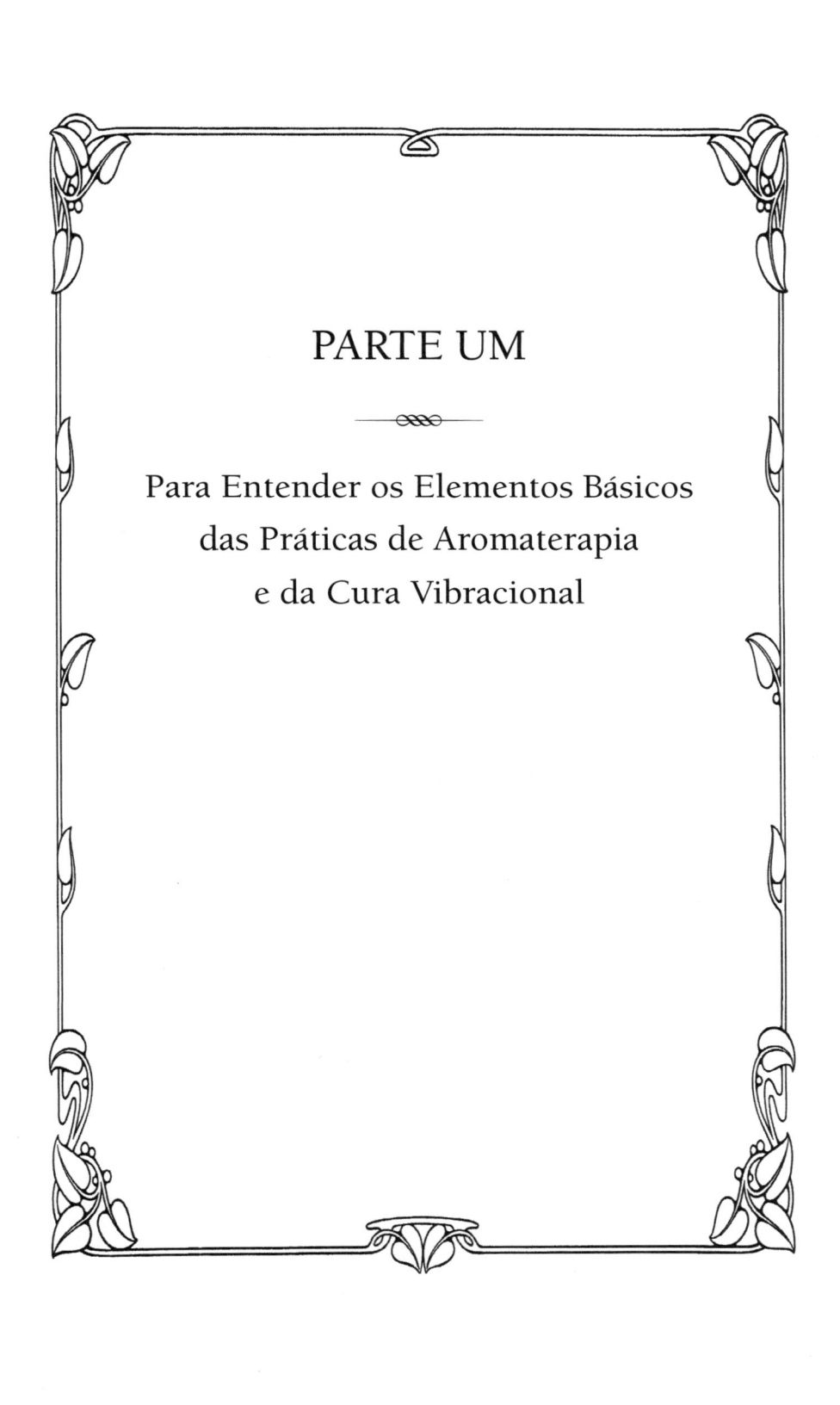

Para Entender os Elementos Básicos
das Práticas de Aromaterapia
e da Cura Vibracional

Capítulo Um

Como Trabalhar com os Óleos Essenciais

Os óleos essenciais possuem atributos poderosos nos níveis físico, mental, emocional e espiritual. Graças à minha experiência com aromaterapia, encontrei alívio para incômodos mentais, emocionais e espirituais, testemunhando o mesmo em meus clientes. Nesta seção, mostrarei, de passagem, como o uso dos óleos essenciais e da aromaterapia evoluiu, e depois darei algumas informações úteis para seu emprego quando você desejar mudanças na vida.

Uso histórico dos óleos essenciais

Durante milênios, as plantas aromáticas desempenharam importante papel na saúde, na beleza, na conservação de alimentos e na cura em todos os níveis: os registros escritos remontam a cerca de 3500 a.C. Os antigos egípcios usavam a aromaterapia nos processos de embalsamamento e mumificação (2650-2575 a.C.), mas também no cotidiano. Reconhecidos ainda hoje como mestres perfumistas, eles foram, na verdade, os primeiros a extrair óleos voláteis das plantas, utilizando, para isso, o calor.

O médico grego mais antigo de que se tem notícia, Asclépio, que clinicou por volta de 1200 a.C., combinava o uso de ervas com procedimentos cirúrgicos. Segundo Patricia Davis, em *Aromatherapy: An A-Z*, os gregos foram aperfeiçoando os processos de extração e acabaram por descobrir um modo de destilar essências voláteis para uso tanto em práticas espirituais quanto na saúde e no bem-estar. O filósofo persa Avicena (*c.* 980-1035), conhecido como o pai da medicina moderna e pioneiro na aromaterapia, ao que tudo indica aperfeiçoou ainda mais o processo de extração com o emprego de sistemas de resfriamento no processo de destilação.

As propriedades antissépticas, antibactericidas e antivirais dos óleos essenciais foram aproveitadas para evitar doenças ao longo dos séculos. Diz-se que, durante a Grande Peste na Europa, eles eram usados para impedir a disseminação da peste. Várias dessas epidemias assolaram Sevilha (1647), Londres (1665-1666), Viena (1679) e Marselha (1720). Relatos históricos dão a entender que os perfumistas ficavam imunes a essas terríveis doenças porque manipulavam constantemente substâncias aromáticas para fazer perfumes.

René-Maurice Gattefossé (1881-1950), químico de cosméticos francês, é bem conhecido por sua descoberta do uso da lavanda para queimaduras. Gattefossé queimou a mão enquanto trabalhava em seu laboratório e mergulhou-a no recipiente mais próximo que continha líquido, e este era óleo de lavanda. Percebeu que a queimadura sarou depressa, deixando pouca cicatriz. Por causa dessa experiência, dedicou sua vida a estudar as qualidades terapêuticas dos componentes químicos dos óleos essenciais. Foi Gattefossé, com seu trabalho, que cunhou o termo "aromaterapia" por volta de 1928.

Outro médico francês, Jean Valnet (1920-1995), se inspirou no trabalho de Gattefossé. Como médico clínico durante a Segunda Guerra Mundial, Valnet usou óleos essenciais no tratamento de ferimentos de guerra. Seu livro *The Practice of Aromatherapy* foi fruto de experiências diretas e tornou-se um verdadeiro clássico para todos os aromaterapeutas.

O valor físico e energético dos óleos essenciais

Esses profissionais históricos sabiam o que sabemos hoje: os óleos essenciais contêm poderosos componentes químicos. Temos uma enorme quantidade de estudos científicos em apoio à capacidade dos óleos essenciais de combater um amplo espectro de microrganismos causadores de doenças bacterianas, fúngicas, virais etc., por sua difusão na atmosfera e aplicação na pele mediante o uso de óleo carreador. Quando difundidas, as partículas de aroma dos óleos ajudam também a remover odores do ar, purificando a atmosfera circundante no caso de contaminantes ambientais.

Os óleos essenciais funcionam, ainda, no nível energético, para nos equilibrar espiritual, mental e emocionalmente, além de oferecer inúmeros benefícios fisiológicos. O reequilíbrio emocional e mental implica levantar o ânimo quando ele está abatido e eliminar as formas-pensamento negativas, bem como os resíduos psíquicos. Aqui, é importante observar que os pensamentos criam (ou formam) nossa realidade, daí o termo "formas-pensamento". Ao longo deste livro, emprego-o para deixar claro o poder enorme dos pensamentos e das intenções, pois criam o mundo à nossa volta. "Resíduos psíquicos", outra expressão que você vai encontrar, estão intimamente associados ao primeiro termo e podem ser descritos como os detritos energéticos de pensamentos, experiências, emoções e sentimentos indesejados e negativos.

O valor energético, ou vibração, de um óleo essencial é estabilizado pelas forças dévicas associadas à planta-mãe, flor, raiz ou casca. Essas forças dévicas são energias elementares ou espíritos de uma planta responsáveis por preservar o modelo, ou desenho, daquilo para o qual será usada. Nesse modelo estão registrados a cor das folhas, a altura, os componentes químicos, as flores (se houver), o conhecimento íntimo sobre se a parte principal ficará acima ou abaixo da superfície do solo, e muito mais. Portanto, além dos efeitos fisiológicos, a energia da planta oferece multiplicidade de dons que você conhecerá neste livro. As forças dévicas do reino vegetal são múltiplas e variadas. A personalidade e os traços de cada planta, flor, arbusto, videira, árvore etc. são únicos. Na verdade, são individuais como em cada um de nós.

A energia mantida pela força dévica da planta dá energia e assistência aos humanos. Não importam a cor, a forma, o tamanho ou a composição química, esses aliados nos assistem no nível energético. Seguramente, a alegria e a delícia da experiência olfatória são parte da mudança de consciência para melhor, mas sua assinatura energética vai além da extração do óleo e nos equilibra em todos os níveis.

Como usar os óleos essenciais

Os óleos essenciais, de muitas maneiras, têm efeitos positivos no corpo, na mente e no espírito. Neste livro, você descobrirá óleos para quase todos os usos imagináveis. Recomendo o uso dos óleos essenciais de três maneiras, quer em notas únicas ou como parte de uma mistura:

1. Difusão – vapor de água fria de um difusor ou vaporizador no ar.
2. Inalação – cheirar o óleo ou a mistura diretamente do frasco ou como vapor.
3. Topicamente – aplicar na pele (em geral, na sola dos pés) usando-se um óleo carreador ou uma loção.

Precauções: Regras específicas de segurança para usos comuns

Não recomendo nem endosso o uso interno de óleos essenciais. Aqui, só descrevo a inalação e o uso tópico. Muitos óleos não devem ser usados durante a gravidez ou na amamentação; todos, de modo geral, são contraindicados para o primeiro trimestre de amamentação; e vários não devem ser usados em crianças com menos de 6 anos de idade. Para crianças com 6 anos ou menos, a porcentagem de diluição é de 0,25%; acima de 6 anos, a diluição típica é de 1%. Por exemplo, se você usar 6 gotas de óleo essencial em 20 ml de óleo carreador para um adulto, para uma criança de mais de 6 anos usará 1 gota em 100 ml de óleo carreador.

Sempre leve em consideração a segurança do óleo essencial e lembre-se de usá-lo em um carreador quando for aplicá-lo na pele. Óleos rançosos devem ser jogados fora. Consulte as contraindicações na seção "Para sua segurança" referente a cada óleo essencial, a fim de garantir uma experiência agradável. Por exemplo, alguns óleos baixam a pressão sanguínea – como manjerona doce, ilangue-ilangue e sálvia esclareia –, o que pode ser benéfico para quem tem pressão alta, mas prejudicial para quem tem pressão baixa.

Óleos carreadores comuns para uso tópico

É altamente recomendável que você use um óleo carreador caso esteja planejando usar um óleo essencial topicamente. Como o próprio nome implica, o óleo "carreador" transporta ou dilui o óleo essencial altamente concentrado para fins de aplicação no corpo. Os óleos carreadores são extraídos de nozes, sementes ou vegetais. Quando você acrescenta um óleo essencial a um óleo carreador, sua durabilidade é significativa e imediatamente alterada, pois os óleos extraídos de nozes, sementes ou vegetais duram menos que os óleos essenciais. Fato digno de nota, os óleos cítricos se conservam mais sob refrigeração; quanto aos outros óleos essenciais, devem ser guardados em lugar fresco e escuro. Muitos fatores afetam a durabilidade dos óleos essenciais. Veja as informações sobre Validade dos Óleos Essenciais mais adiante, neste capítulo.

Escolha um desses óleos carreadores para a aplicação tópica de um óleo essencial ou de uma mistura de óleos essenciais:

- **Óleo de amêndoa doce:** Derivado de uma amêndoa doce, rica em antioxidantes e vitamina E. É muito usado como óleo carreador e bem tolerado pela maioria dos tipos de pele. Melhora a textura, suaviza irritações, hidrata e nutre a pele, deixando-a macia e suave. Tem cor amarelo-clara e aroma ligeiramente doce de amêndoa.

- **Óleo de coco:** Extraído da polpa do coco, é um excelente hidratante. Penetra facilmente a pele e é o veículo de óleos essenciais favorito da maioria dos massoterapeutas e profissionais da medicina. O óleo de coco fracionado, ao que se diz, nunca se torna rançoso. Outras vantagens do óleo de coco fracionado são: é inodoro, incolor e pode ser lavado, não deixando manchas nos tecidos. Permanece líquido e claro, ao passo que os tipos não fracionados se solidificam à temperatura ambiente.

- **Óleo de semente de *grapefruit*:** É prensado das sementes de *grapefruit*. Não deve ser confundido com o óleo essencial de *grapefruit* ou com o extrato de sementes de *grapefruit*. Sua consistência é similar à do óleo de canola. Não tem perfume. Graças ao alto teor de vitamina C, esse óleo carreador ajuda na cura da acne e tonifica a pele. Devidos às propriedades adstringentes, elimina a congestão epidérmica. O óleo carreador de semente de *grapefruit* é praticamente incolor e possui pouco ou nenhum cheiro.

- **Óleo de jojoba:** Extraído das sementes de jojoba. É rico em vitamina E e dá brilho à pele. Penetra-a rapidamente; seu efeito suavizante e amaciante faz dele uma ótima base para maquiagem. Descobriu-se que reduz a abertura dos poros com o uso continuado. Tem cheiro leve e cor que vai do amarelo-claro ao laranja.

- **Óleo de oliva:** Vem sendo utilizado há séculos como hidratante da pele. Esse benefício se deve ao alto teor de ácido linoleico (ácido graxo poli-insaturado) e à elevada proporção de minerais e vitaminas. Amacia e cura a pele. Sua cor vai do amarelo ao marrom e ao verde. Tem odor característico. Qualquer tipo de óleo de oliva se presta à finalidade desejada.

- **Loção orgânica inodora:** Feita comumente de óleo orgânico e um agente espessante natural. Para aplicações tópicas dos óleos essenciais, prefiro o frasco dosador. Uma loção orgânica de boa qualidade contém pelo menos 80% de ingredientes orgânicos e pode ser usada em qualquer tipo de pele. Pode conter vários óleos, como de coco, semente de girassol, manteiga de karité e semente de damasco.

O uso do óleo carreador ou da loção inodora exige que o óleo essencial seja acrescentado ao próprio frasco ou a um recipiente de vidro separado para mistura. Pode-se também colocar o óleo carreador na palma da mão com algumas gotas do óleo (ou óleos) essencial desejado.

Cada um dos óleos carreadores citados é ótimo para uso dos massoterapeutas, mas, para meu uso pessoal, prefiro a loção inodora. Simplesmente pingo algumas gotas de loção na palma da mão, acrescento algumas poucas gotas de óleo essencial, misturo-as entre as palmas e aplico-as na sola dos pés.

O óleo essencial com um veículo, seja ele óleo ou loção, pode também ser aplicado a uma área afetada. No entanto, é preciso considerar todas as contraindicações. Por exemplo, os óleos cítricos são fototóxicos e, se você usar um deles em uma área exposta do corpo, cuide para ficar longe da luz solar direta durante algumas horas após a aplicação. Consulte as seções "Para sua segurança" no guia de A a Z para contraindicações gerais de cada óleo. O melhor é, sempre, conversar com seu profissional de saúde caso tenha alguma condição médica ou preocupação, além de pesquisar mais sobre quaisquer contradições em torno do problema.

Graus dos óleos essenciais

Certos produtos de aromaterapia entraram à viva força no mercado comercial. Alguns, comercializados como "aromaterapia", não são feitos de óleos essenciais de qualidade ou contêm fragrâncias sintéticas e outras impurezas. Saiba que alguns óleos essenciais com propriedades benéficas têm cheiro um tanto desagradável. (Estes, é claro, não encontram espaço nas prateleiras perfumadas das lojas!) Se você planeja usar óleos essenciais de modo terapêutico, deve conhecer e entender as diferenças entre seus vários graus.

Os óleos que são, de fato, medicinais dão resultados terapêuticos concretos. Provocam imediatamente uma resposta fisiológica, mental, emocional ou espiritual.

Com exceção de uns poucos óleos resinosos, como benjoim e *patchouli*, eles não deixam a pele gordurosa. Os óleos essenciais verdadeiramente medicinais duram mais quando armazenados em lugares frescos e escuros. Quanto aos cítricos, o melhor é guardá-los na geladeira. Não deixe nenhum óleo exposto ao calor ou frio extremos.

Segue uma visão geral dos vários graus de óleos que você encontrará no mercado:

- **Óleos essenciais medicinais/terapêuticos puros.** São 100% puros e naturais. Isso significa que não contêm adulterações sintéticas ou artificiais. São puros graças ao controle de qualidade desde o plantio até o processamento e a análise laboratorial.

- **Óleos essenciais orgânicos puros.** Extraídos de flores, plantas e árvores orgânicas, certificados pelos padrões e normas de inspeção norte-americanos. São considerados óleos medicinais de grau puro.

- **Óleos essenciais de aromaterapia.** São adulterados com componentes e aditivos, naturais ou artificiais.

- **Óleos essenciais comerciais.** São destilados duas vezes, tornando-se um óleo de baixo grau, ou possuem componentes acrescentados ou removidos para melhorar o aroma ou a segurança.

Eu uso óleos de grau medicinal por motivos terapêuticos. Maior órgão do corpo, a pele é o melhor lugar para a absorção dos óleos essenciais, que passam diretamente para a corrente sanguínea. Com fins terapêuticos, acrescente o óleo ou a sinergia escolhida ao veículo, conforme descrito antes, e aplique a mistura na sola dos pés, a fim de maximizar a integração dos benefícios fisiológicos do óleo. A aplicação nos pés evita problemas a quem tem pele sensível; essa área é menos sujeita à irritação, pois ali a pele é geralmente mais grossa que a do restante do corpo.

Validade dos óleos essenciais

É difícil calcular a validade dos óleos essenciais. Inúmeros fatores externos podem influenciar sua integridade. Na verdade, qualquer coisa que interfira na estabilidade química dos óleos pode provocar um processo de oxidação ou deterioração. Temperatura, luz e ar afetam os componentes químicos. De modo geral, os óleos essenciais medicinais ou terapêuticos duram mais, dependendo da especificidade de cada um e das condições de armazenamento. Mesmo sob condições ideais, não é fácil prever a taxa de deterioração.

Para preservar a integridade dos óleos, convém mantê-los em local fresco e escuro, longe da luz solar direta e das variações de temperatura. Não os deixe no carro nem no peitoril de uma janela, onde serão afetados pela luz e pelas variações de temperatura. Garrafas de vidro escuro oferecem alguma proteção, mas ainda assim expô-las ao calor ou à luz solar acarretará a oxidação e deterioração do óleo.

Segundo o especialista em aromaterapia Robert Tisserand, o processo se inicia quando abrimos o frasco; já o óleo de um frasco cheio e intacto permanecerá fresco por muito tempo. Eis os prazos fornecidos por Tisserand para óleos essenciais refrigerados a 35-38º:

- 1 a 2 anos: abeto, capim-limão, cítricos, néroli, olíbano, pinho, *tea tree*
- 2 a 3 anos: quase todos os outros óleos essenciais
- 4 a 8: anos *patchouli*, sândalo, *vetiver*

Métodos de extração dos óleos essenciais

Os óleos essenciais derivam de várias partes das plantas, como cascas, bulbos, brotos de flores secos, flores, frutos, grama, goma, folhas, rizomas, sementes, flores de árvore e madeira. Alguns são extraídos por destilação a vapor, versão moderna da hidrodestilação. O método de extração é geralmente escolhido levando-se em conta os melhores resultados a obter da parte da planta usada.

Na seção de A a Z deste livro, temos uma lista das partes da planta usadas para a extração. Por exemplo, a mirra vem da casca; o capim-limão, das folhas de grama; o *vetiver*, da raiz; o aipo, da semente; o cedro, da madeira. Essa informação ajuda a entender melhor a vibração energética do óleo essencial. Por exemplo, no trabalho de cura vibracional, um óleo essencial derivado da raiz ou da madeira proporciona energia estável e duradoura, ao passo que um óleo essencial derivado da flor proporciona energia estimulante, alegre. Outro exemplo é um óleo essencial derivado da casca de uma fruta cítrica, que promove maior integração das circunstâncias da vida.

Segue uma visão geral dos métodos de extração que obtêm o óleo essencial com os componentes químicos intactos.

- **Destilação a vapor.** É o uso do vapor de água fervente para extrair o óleo essencial da planta. A extração é feita em um alambique igual ao usado outrora pelos fabricantes de bebidas alcoólicas, permitindo que a água passe através da planta e produza um vapor que viaja por uma serpentina. A essência volátil sobe até a superfície da água e é removida.

- *Enfleurage.* É um método tradicional de extração usado principalmente para absorver a essência aromática de flores da mais alta qualidade e delicadeza, como a rosa e o jasmim. O produto final é chamado de "absoluto". Como o processo é extremamente trabalhoso e concentrado, os absolutos são muito caros. Usando-se centenas de pétalas da flor escolhida, a essência é absorvida por banha, gordura ou óleo de oliva sobre placas de vidro. A placa é besuntada com o óleo ou a gordura, as pétalas são acomodadas por cima e a essência contida nelas é absorvida. A pasta resultante (uma substância espessa, que lembra um unguento) é diluída em álcool e agitada por 24 horas, para que a gordura se separe do óleo essencial.

- **Extração por solvente.** Processo no qual líquidos imiscíveis (isto é, que não podem ser misturados) são vigorosamente agitados para que os componentes se separem em dois líquidos diferentes e os solutos (a substância dissolvida) passem de um solvente a outro. O álcool e outros solventes podem ser usados para algumas partes de plantas, usualmente flores, em um processo de várias etapas que termina com a liberação do óleo essencial.

- **Prensagem a frio.** É o método mais comum usado para extrair óleos cítricos da casca da fruta. Indicado especialmente para laranja, limão e bergamota, pois esses óleos voláteis se oxidam com o calor e perdem as qualidades medicinais. (Conforme mencionado, convém guardá-los na geladeira, para preservar sua integridade.)

Notas aromáticas dos óleos essenciais

Juntar óleos essenciais para criar uma mistura aromática é, ao mesmo tempo, uma arte e uma ciência. Os óleos essenciais são geralmente classificados em grupos básicos, como canforados, cítricos, terrosos, florais, herbáceos, medicinais, especiarias, amadeirados etc. Quando você se familiarizar com esses grupos básicos e os óleos essenciais associados, achará essa informação útil para criar misturas. Por exemplo, se quiser tornar a mistura mais doce, acrescentará aroma floral; se quiser tornar o aroma mais estável, acrescentará óleo terroso.

Os óleos essenciais também podem ser classificados recorrendo-se à analogia com a escala musical, que corresponde, até certo ponto, aos grupos citados. Por exemplo, os óleos florais são geralmente as notas de cabeça; os terrosos e amadeirados, as notas de base; os herbáceos, as notas entre de coração e de cabeça; e os canforados, cítricos e medicinais são, muitas vezes, as notas de coração. De modo geral, as notas de cabeça se evaporam em 1 ou 2 horas; as de coração duram de 2 a 4 horas; e as notas de base podem levar dias para evaporar. As notas de base também podem ser usadas para estabilizar a volatilidade da mistura.

- **Notas de cabeça:** São as de ação mais rápida e as que se evaporam mais depressa. Estimulam e dão ânimo à mente e ao corpo. Possuem, muitas vezes, propriedades antivirais. Esses óleos incluem os de bergamota, canela, capim-limão, eucalipto, *grapefruit*, hortelã-pimenta, laranja, limão, limão-galego, manjericão, néroli, *niaouli*, *petitgrain*, *ravensara*, sálvia, sálvia esclareia, *tea tree* e tomilho.

- **Notas de coração:** Afetam principalmente o metabolismo geral e as funções físicas do corpo, possuindo efeito de equilíbrio. A maioria dos óleos essenciais são notas de coração. Esses óleos incluem os de baga de zimbro, camomila, cardamomo, cipreste, funcho, gerânio, lavanda, melissa, nardo e pinho.

- **Notas de base:** São óleos mais pesados e, quase sempre, mais densos que as notas de cabeça e de coração. Assim, um frasco de 200 g de *vetiver*, que é uma nota de base, *parece* ter menos óleo que um de 200 g de lavanda, que é um óleo mais fino. Esses óleos são os mais lentos a evaporar. São também os que possuem mais propriedades sedativas e relaxantes. Os óleos de nota de base são considerados fixadores, que retardam a evaporação (equilibram a volatilidade) de outros óleos da mistura. Incluem os de canela, cedro, cravo-da-índia, gengibre, ilangue-ilangue, jasmim, mirra, *patchouli*, olíbano, pau-rosa, rosa, sândalo e *vetiver*.

Quando começar a trabalhar com óleos essenciais, procure conhecer notas separadas, isto é, um óleo essencial de cada vez. Assim como conhece seus amigos, você passará a conhecer cada um dos óleos essenciais, o que eles podem fazer e como o fazem se sentir em todos os níveis – espiritual, mental, emocional e fisicamente. Por fim, saberá e sentirá quais óleos essenciais funcionarão bem juntos para diversos propósitos. Usando a analogia dos amigos, quando você passa a conhecê-los intimamente, sabe como cada um se comportará e quando deve juntá-los para melhores resultados.

Recomendação para uso do principiante

Recomendo a inalação e a difusão como métodos preferidos de uso até que você conheça melhor seus óleos essenciais. Lembre-se sempre de que os óleos essenciais possuem constituintes químicos com efeitos reais no corpo. Óleos essenciais de grau medicinal são muito mais potentes que o óleo desodorizante perfumado; portanto, use-os em pequena quantidade, pois um pouquinho já é suficiente por um bom tempo. Depois de conhecer bem determinado óleo, você pode passar para o nível seguinte, que é associá-lo a um óleo carreador e aplicá-lo à sola dos pés. Não aplique óleos diretamente no corpo nem faça deles uso interno. Em vez disso, explore a fundo os inúmeros usos dos dons aromáticos da natureza e apele para os incontáveis recursos vibracionais disponíveis enquanto cria misturas aromático-energéticas com efeitos benéficos bem mais poderosos.

Capítulo Dois

Assistência Vibracional para suas Práticas Aromático-Energéticas

Tudo vibra, tudo tem sua assinatura vibracional, tudo emana energia. Vibração é a frequência energética, ou atmosfera, associada a uma pessoa, animal, lugar ou coisa. É aquilo que pode ser sentido e comunicado energeticamente. Essa é uma verdade estabelecida para a energia de pessoas, lugares, situações, flores, alimentos, animais, jardins, casas etc.; e, conforme discuto em meu livro *The Essential Guide to Crystals, Minerals and Stones*, é verdade também para esses preciosos dons da natureza. Os elementos encontrados na seção de A a Z das páginas seguintes incluem óleos essenciais, essências florais, essências das pedras preciosas, água-benta, mensageiros divinos, o sistema de chakras, o zodíaco, planetas, números e animais.

Tudo que foi criado, inclusive nossa vida individual, se manifesta por intermédio da intenção de nossos pensamentos, ações, palavras e iniciativas. Nossas intenções vibram no mundo e voltam para nós sob a forma de nossa realidade pessoal. Assim, para você ter a vida com a qual sonha, deve concentrar-se naquilo que quer, não naquilo que não quer. Aquilo em que se concentra torna-se sua realidade. Ou seja, todos os seus pensamentos e sentimentos conscientes – mas também os subconscientes e inconscientes – criam a vida que você agora está vivendo. O princípio básico está no âmago da maioria das leis universais, inclusive a da atração e as leis da física.

Nesta seção, você tomará conhecimento de diversas fontes de apoio vibracional para operar as mudanças que deseja em sua vida. Por exemplo, as essências florais – "remédio vibracional" – podem ser usadas para promover o equilíbrio dos corpos emocional e mental. Quando usadas com óleos essenciais, funcionam como componente superior e mais profundo para equilibrar o corpo, a mente e o espírito no nível energético. Outro instrumento para esse fim é a consciência dos chakras por meio da compreensão das qualidades associadas a cada um desses centros energéticos. O reequilíbrio dos chakras fica mais completo quando o nervo olfativo age como incentivador da concentração no objetivo pretendido.

As essências de pedras preciosas são adições excelentes às misturas aromático-energéticas, pois aumentam a vibração da sinergia. O reino das pedras preciosas traz cor e cura vibracional geométrica à mistura. Você pode acrescentar essas essências, que aprenderá a criar mais adiante no livro, a uma mistura tal qual faria com essências florais, para ajudar a manter e ampliar sua concentração nos resultados positivos pretendidos.

Cada uma das abordagens a seguir fornece mais detalhes sobre esses instrumentos vibracionais para você se familiarizar com o modo como eles podem ajudar em sua cura e transformação, como parte de suas práticas aromático-terapêuticas.

Essências florais

No guia de A a Z, para cada óleo essencial você encontrará referências a essências florais e conexões energéticas associadas para promover equilíbrio no nível mental e emocional. As essências florais são preparações vibracionais usadas para fins específicos. Ao contrário dos óleos essenciais, elas não contêm os componentes químicos extraídos da planta, casca, raiz etc. as essências florais provêm da vibração energética da planta, do tronco ou da flor. A cura ocorre pelo uso da intenção de recuperar os corpos emocional e mental. Embora eu não recomende a ingestão de óleos essenciais, as essências florais podem ser de uso interno. Há inúmeros produtores de grupos de essências florais, mas as citadas neste livro são os Remédios Florais do Dr. Bach. Você poderá adquiri-las em lojas de produtos naturais (como alimentos e vitaminas) ou em alguns centros metafísicos e holísticos.

O criador dos Remédios Florais do Dr. Bach, dr. Edward Bach, foi um bacteriologista e médico homeopata bem-sucedido. Jovem ainda, sonhou com a cura de todas as doenças. Sabia que as condições de desequilíbrio do corpo provinham de desafios emocionais e mentais – pensamentos e sentimentos negativos. Desistiu da carreira lucrativa para buscar um método de cura mais suave que reequilibrasse o corpo emocional, pois isso corrige naturalmente os problemas do corpo físico. Nos anos 1930, o dr. Bach descobriu as essências vibracionais energéticas que hoje são usadas no mundo inteiro. Escreveu no livro *Os Remédios Florais do Dr. Bach*[*]: "A doença do corpo, em si, nada mais é que o resultado da desarmonia entre a alma e a mente. Se remover-

---

[*] Publicado pela Editora Pensamento, São Paulo, 1990.

mos a desarmonia, harmonizaremos a alma e a mente, e o corpo ficará de novo perfeito em todas as suas partes".

A finalidade dos Remédios Florais do Dr. Bach é tornar positivas as atitudes ou crenças negativas, permitindo, assim, ao próprio sistema físico do corpo combater a doença e o estresse associados a uma condição em desequilíbrio.

O uso dos Remédios Florais do Dr. Bach não exige treinamento; só se requer a capacidade de entender a si mesmo ou à outra pessoa no nível mental e emocional. Aconselho as pessoas a descobrirem por si mesmas qual essência é melhor para elas, em vez de pedir que alguém lhes diga quais são suas necessidades. Folhetos, livros e outros guias podem ajudar você a determinar a essência ou grupo de essências que lhe convêm no momento. Há 38 Remédios Florais do Dr. Bach, cada qual associado a diversos sentimentos. Use essências florais em períodos de desafio, quando surgem sentimentos negativos ou quando você está exausto, para restaurar o equilíbrio antes que sintomas físicos se manifestem.

Eu mesma venho usando os Remédios Florais do Dr. Bach há vinte anos, com ótimos resultados. Esses tesouros energéticos me ajudaram no abandono do vício do fumo, nos altos e baixos dos relacionamentos, na alta ansiedade após a tragédia do 11 de Setembro, na morte de meus pais, na tensão pré-menstrual, na menopausa, nas mudanças e nos ciclos da bolsa de valores.

As indicações de uso variam conforme as bulas da empresa que você esteja examinando, mas todas fornecem orientações apropriadas. Uma diz para colocar 2 gotas diretamente na língua e diluir 4 em água pelo menos quatro vezes ao dia. Outra recomenda diluir 2 gotas em água ou suco. Outra, ainda, instrui a criar uma mistura em um frasco conta-gotas com três quartos de água mineral, acrescentando 2 gotas de cada essência; você, então, tomará 4 gotas quatro vezes ao dia, sobretudo ao se levantar e se deitar.

Em geral, é ponto pacífico que você deva continuar usando as essências escolhidas para determinado problema até perceber que uma mudança se operou em seu íntimo e que o problema foi superado.

Há diferentes opiniões sobre o uso correto das Essências Florais do Dr. Bach. Eu as uso, com êxito, da seguinte maneira:

Examino a lista de sentimentos/situações associados às 38 essências e atribuo um número de 1 a 10 a cada uma. O 10 indica que, a meu ver, determinada essência me descreve melhor, bem como ao que estou sentindo. Dependendo de minhas necessidades, escolho de duas a seis essências para obter equilíbrio.

Pingo uma gota de cada essência a um primeiro copo com mais ou menos 470-600 ml de água pela manhã e, quando me lembro, aos outros copos que bebo durante o dia. Se meus níveis de estresse estão muito altos, faço isso sempre que encho um copo ou uma garrafa.

Às vezes, coloco essências na água do banho, além dos óleos essenciais complementares. Bastam 1 ou 2 gotas para as essências florais realmente mudarem a energia dessa água. Também acrescento essências à combinação de essências das pedras preciosas, água-benta, e essências de lugares sagrados para criar as misturas aromático-energéticas The Crystal Garden. Para isso, utilizo um recipiente esterilizado com tampa. Acrescento os seguintes ingredientes: água destilada, álcool de cereais, pedras preciosas específicas para a finalidade, Remédios Florais do Dr. Bach também específicos para a finalidade, água-benta, essências de lugares sagrados e outras águas sagradas colhidas em rios, regatos e fontes. Essas combinações são utilizadas em quantidades menores que 1 ml para 470 ml de água destilada. A combinação de águas sagradas energizadas é acrescentada a misturas de óleos essenciais para uso externo. Após cerca de 24 horas, a sinergia vibracional está pronta para ser acrescentada a uma mistura de aromaterapia e borrifada no corpo. Essa energia vibracional e esses óleos essenciais são apenas para uso externo. Não ingira a combinação porque não há meio de determinar a pureza da água coletada em rios, regatos ou fontes.

Veja o Apêndice B para escolher os melhores Remédios Florais do Dr. Bach a fim de preparar misturas sinergéticas, bem como remédios isolados para uso tradicional.

Essências de pedras preciosas

No guia de A a Z, com cada óleo essencial, você encontrará a pedra preciosa, o mineral ou o cristal correspondente. Como tudo em nosso mundo, pedras preciosas, minerais e cristais possuem assinatura vibracional que pode nos ajudar a recuperar o equilíbrio e o alinhamento energético e físico. Quando você acrescenta as essências vibracionais de pedras preciosas à sua mistura sinergética, amplifica a vibração e o potencial de cura, concentração e equilíbrio.

Em meu trabalho com perfumes, cores e cristais durante os últimos trinta anos, descobri que, para aproveitar com mais eficiência qualquer recurso vibracional, é melhor associar a ele uma intenção. Quanto mais informação você tiver sobre as qualidades ligadas a certas pedras e o modo como elas correspondem aos óleos, às cores, às essências etc., mais criativo você será ao usar essas valiosas ferramentas para gerar intenções e melhorar sua vida.

Neste livro, apresento o uso de cristais ou pedras preciosas como essências vibracionais. Assim como Edward Bach e outros especialistas em essências florais criaram essências usando a vibração que emana de uma flor, faço o mesmo com as pedras preciosas – e você também pode fazer com facilidade. (Veja adiante as instruções para fabricar essências de pedras preciosas.) Uma boa maneira de usar a essência de pedras preciosas é combiná-la com os óleos essenciais e outras essências que escolher para amplificar e acentuar a intenção de sua mistura aromático-energética.

Criar *sprays* e vapores aromático-energéticos é uma maneira inteligente de realinhar seus corpos mental, físico, espiritual e emocional. Não há limites para criar e usar combinações de vibrações energéticas que ajudarão você a manter a concentração naquilo que quer e não naquilo que não quer. Ao usar essas essências de pedras preciosas em associação com uma mistura de aromaterapia e essências florais, recorra à afirmação combinada com a intenção para transformar sua realidade.

Precaução: NÃO ingira essências de pedras preciosas. Não beba água tirada de correntes que tenham pedras ou cristais no leito, pois minerais desconhecidos e potencialmente venenosos podem se desprender da pedra e passar para a água.

Como fazer uma essência de pedras preciosas

Para fabricar uma essência de pedras preciosas, decida qual será o propósito da essência. Para determinar a fórmula da essência de pedras preciosas, consulte o guia de A a Z e os apêndices para orientação e inspiração. Comece com perguntas deste tipo: "Quais são os meus objetivos? Como desejo que a combinação me ajude?". Uma vez identificada a intenção, escolha as pedras preciosas adequadas a ela. O guia de A a Z e as instruções sobre combinação de pedras preciosas para objetivos e intenções comuns, no Apêndice C, ajudarão você a começar.

Depois de juntar as pedras escolhidas, você precisará também dos seguintes suprimentos:

- Jarra de vidro com tampa
- Álcool de cereais a 75% ou outro líquido alcoólico de sua escolha
- Água destilada
- Concentração e intenção plenas
- Rótulo

Coloque cuidadosamente as pedras na jarra, concentrando-se no motivo pelo qual fez essa combinação. Cubra-as com água destilada. Encha cerca de três quartos da jarra. Acrescente aproximadamente de 30 ml a 60 ml de álcool de cereais para estabilizar a energia, ou essência vibracional, da combinação. Tampe a jarra. Enxugue-a com uma toalha para eliminar impurezas. Escreva um rótulo onde constem não apenas os componentes (pedras e líquidos), mas também, e sobretudo, sua intenção para a essência de pedras preciosas. Cole o rótulo na jarra.

O número de combinações das pedras preciosas é praticamente ilimitado. No Apêndice C, você encontrará exemplos de algumas combinações de pedras e sugestões de afirmações para criar suas essências de pedras preciosas lado a lado com o arcanjo correspondente. (Ver a seção "Mensageiros Divinos" adiante, neste capítulo, para mais informações sobre os arcanjos.)

Água-benta

A água purifica e nutre, sendo, por natureza, parte integral da vida neste planeta. Ao longo da história, ela tem sido associada à purificação espiritual e às bênçãos. O termo *água-benta* indica geralmente aquela que foi abençoada por um clérigo ou figura religiosa para uso em bênçãos ou purificação. Depois de aprender com um curandeiro e viajar para vários lugares sagrados, cheguei à minha própria definição de água-benta, que é um pouco mais ampla e inclusiva. A água-benta é uma água sobre a qual se orou ou foi transformada por meio da intenção, contemplação e meditação. Acrescentar água-benta a misturas de óleos essenciais transpõe as misturas sinergéticas a outro nível de energia e assistência vibracional, criando, assim, um importante instrumento aromático-energético.

Cresci abençoada por uma mãe maravilhosa, cuja intuição espiritual e metafísica tinha alcance extraordinário. Demorei anos, após seu falecimento, para reconhecer a magnitude de sua profunda conexão espiritual e sabedoria. Em nossa casa, era costume nos abençoarmos com água ou óleo bento. Isso acontecia, às vezes, para nos ajudar na cura de uma doença, mas, outras, conforme percebo agora, para manter um círculo de proteção em torno de nossa família.

Viajei para muitas partes do mundo. Em quase toda igreja que visitei, recolhi água-benta. Quando a igreja era antiga e pouco frequentada, a fonte da água tinha, às vezes, secado. Por isso, veio-me a ideia de criar minha própria água-benta. A primeira vez que fiz isso foi durante uma aventura espiritual na Chapelle Saint-Germain de Cesseras, localizada no Languedoc-Roussillon, no sul da França.

Enchi uma garrafa de vidro de água filtrada e coloquei dentro alguns fragmentos de cristais de quartzo. Deixei-a destampada durante uma sessão de meditação e tonificação. (A tonificação é uma vocalização cantada de notas sustentadas, para nos reequilibrarmos em todos os níveis.) Concentrei minha atenção para que a boa energia da experiência naquela bela capela fosse captada energeticamente pela água da garrafa.

Quando a sessão terminou, eu soube que a essência vibracional do espaço sagrado tinha sido transmitida à água por meio da intenção e das ondas sonoras. Tampei a garrafa e agora uso essas águas-bentas, em pequenas quantidades, para fórmulas de essência vibracional. Uma única gota da água-benta em água destilada com álcool de cereais aumenta seu poder e efeito. A frequência vibracional, combinada com a intenção de captar a energia do espaço, muda a estrutura e a vibração da água originalmente colocada na garrafa. Masaru Emoto, pesquisador japonês, mostrou que a consciência humana afeta a estrutura molecular da água. Segundo essa mesma linha, a combinação da vibração energética do espaço sagrado e da intenção que exprimi quando preparei a essência do local santo gerou a essência vibracional.

Criei também água-benta simplesmente exprimindo a intenção de purificar e santificar a água, com minhas mãos sobre o recipiente ou a jarra. (Para esse fim, uso água destilada.) Às vezes, oro sobre a água em voz alta. Quando crio água-benta, concentro-me sempre na transferência da energia do amor e do bem-estar para a água, onde ficará preservada. Outras, sinto a energia passando pela palma das minhas mãos e infundindo a água com bênçãos e afeto. Qualquer pessoa pode fazer isso exprimindo uma intenção positiva.

A água é um meio maravilhoso que limpa não só nosso corpo, mas também nossa mente e nosso coração. Se houver a intenção certa, mesmo uma piscina pode se tornar um recipiente de água-benta. Muitas vezes, rezo enquanto nado e me exercito na piscina do meu quintal. Concentro-me em pessoas, situações ou lugares específicos que precisam de cura, amor ou apoio. Acho agradável, igualmente, me concentrar nas muitas bênçãos de minha vida, de modo que também na piscina faço boa parte de minhas meditações de agradecimento. Quando saio dela, percebo que a piscina inteira – toda aquela água – se tornou água-benta. Há pouco, fiquei encantada ao descobrir que o banho em água-benta é uma prática corriqueira no hinduísmo e que o Ganges é considerado um rio sagrado pelos hindus. A piscina do meu quintal não é, certamente, o Ganges, mas ainda assim me sinto abençoada por transformar o que faço ali em uma experiência sagrada.

Conhecendo meu apreço pela energia que a água-benta oferece, muitos amigos, colegas e conhecidos me presenteiam com água-benta de rios, lugares santos, catedrais etc. Água-benta de diversas fontes se tornou um ingrediente insubstituível de minha própria linha de *sprays* aromático-energéticos. Você também pode usar água-benta com esse fim e criar suas próprias misturas.

Muitas pessoas conhecem o conceito de batismo com água ou, ao entrar em uma igreja católica, molham os dedos na pia de água-benta para se benzer. A água em si não contém propriedades mágicas: seu poder está nas preces e na fé da pessoa que a usa. A intenção posta no nível vibracional santifica essa água. Em geral, os templos budistas têm, dentro, um vaso de água. Vi pessoalmente Sua Santidade, o Dalai Lama, borrifando água de um recipiente com uma pena de pavão, durante uma cerimônia de iniciação Kalachakra. Acredita-se que tanques com água, nos santuários hindus, sejam sagrados e possuam propriedades purificadoras. A integração da água, em diversos rituais hindus, é usada para purificação espiritual.

Santa Teresa de Ávila, padroeira dos escritores e ela própria escritora, foi uma famosa mística espanhola que acreditava profundamente na água-benta para repelir o mal e a negatividade. O uso dessa água para afugentar más influências é comum na literatura, onde aparecem criaturas míticas e vampiros. Até Dorothy, de *O Mágico de Oz*, usou água para derrotar a Bruxa Malvada. E, como todos sabem, sempre há alguma verdade na ficção.

A água-benta pode ser usada para romper qualquer vínculo real ou imaginário com uma entidade e aliviar a pessoa de sintomas perturbadores associados a essa ligação. O vínculo com uma entidade é uma energia baseada no temor, criada por meio dos medos ou de crenças da pessoa na influência de uma energia ruim, como uma emanação das trevas ou um espírito desencarnado. Tais energias podem esgotar nosso campo energético e comprometer nossa capacidade de enfrentar a vida de maneira positiva. Não se esqueça de que o vínculo com uma entidade pode ser real ou imaginário, conforme mencionei no início deste parágrafo. A pessoa pode simplesmente acreditar que foi amaldiçoada ou que há um vínculo sobrenatural em seu campo energético. Vários casos que presenciei não passavam, na verdade, do acúmulo de vibrações negativas armazenadas no campo energético da pessoa, em resultado de crenças pessoais errôneas, ideias negativas, dúvidas persistentes e medos. Alguns vínculos com entidades, porém, às vezes se devem a outras pessoas, que se aproveitam da vulnerabilidade da vítima.

Neste livro, a água-benta é um ingrediente usado para acelerar a vibração ou essência energética de sua prática em aromaterapia. Ela acrescenta bênçãos e amor para modificar seu campo energético e, por fim, equilibrar seu corpo espiritual, mental, emocional e físico. O emprego de água-benta com óleos essenciais e outros instrumentos vibracionais complementares citados neste livro ajudará você a restaurar o equilíbrio e preservar o fluxo de energia positiva e bênçãos em sua vida.

Um modo excelente de expulsar a negatividade e substituí-la por intenções positivas é ungir-se com água-benta, espalhando-a pelo corpo após um banho de chuveiro. Use uma combinação de água destilada, água-benta, óleo essencial, um floral de Bach, essências de pedras preciosas e uma intenção positiva para criar sua mistura sagrada. Será mais benéfico ainda se você se ungir de sete a dez dias consecutivos, logo depois do banho matinal. Convém, nessas ocasiões, usar apenas roupas, toalhas e lençóis limpos. A combinação de limpeza, prece e mistura sagrada aromático-energética produz uma vibração de energia que informa o Universo e seu Eu Superior de que você rejeita qualquer coisa que já não atenda a seu bem maior.

Para executar esse ritual, use uma vasilha de metal ou vidro ou um copo medidor grande cheio de água morna. Coloque sua seleção de essências aromáticas na água. Um copo de cada vez, despeje a água-benta em seu corpo na seguinte ordem, enquanto faz uma oração: 1) cabeça; 2) coração/lado esquerdo do corpo; 3) fígado/lado direito do corpo e 4) nuca. Faça a seguinte oração ou componha a sua própria com sentimentos parecidos:

Como filho de Deus e do Universo, desato toda negatividade que haja sido atada à minha alma e ao meu espírito. Em nome do Divino Criador, a quem amo de todo o coração, alma e sentidos, ordeno que os espíritos e as energias negativas que não me pertencem deixem meu corpo agora. Invoco os espíritos superiores de Adonai, Eloim e Jeová, a quem peço estejam comigo neste momento. Invoco a proteção e o Amor do Arcanjo Miguel. Grato por todas as bênçãos que tenho em minha vida.

Adonai, Eloim e Jeová são nomes hebraicos para Deus e encerram forte vibração quando pedimos assistência ao reino divino.

Aromas espirituais sagrados para harmonização divina

O aroma é invisível, mas perceptível. Desempenha importante papel em nossas práticas espirituais, cerimônias religiosas e conexão com o Divino ou com a parte de nós que permanece oculta. Fragrância e aroma acrescentam variados níveis e dimensões aos nossos estados espirituais de consciência. Aromas de flores, fragrâncias, óleos de unção, resinas e incensos estimulam experiências transcendentais por meio do nervo olfativo (que leva a informação sensorial ao sentido do olfato) e do sistema límbico do cérebro (responsável por várias funções, inclusive as emoções). Os aromas espirituais sagrados nos dotam de maior potencial para a autorrealização e a harmonização com anjos, santos, Mestres Ascensionados e entes queridos do outro lado. (Os Mestres Ascensionados são almas altamente evoluídas que servem à humanidade nas esferas do cumprimento de objetivos da alma e seu desenvolvimento, além do bem-estar do planeta.)

Alguns aromas estão associados a diversos arquétipos espirituais. Por exemplo, o aroma de rosas está associado à Mãe Maria ou ao Divino Feminino. Santa Teresa de Lisieux, conhecida como A Pequena Flor, está associada a lírios, raiz de íris, jasmins, violetas e rosas. A assinatura dessa santa é a rosa, meio que ela utiliza para enviar uma mensagem a quem precisa saber se sua prece foi ouvida. Em 1531, Nossa Senhora de Guadalupe se revelou a Juan Diego, indígena asteca, fazendo com que rosas-de-castela crescessem na colina desértica onde ela havia aparecido. Esses são apenas alguns exemplos dos sinais enviados pelo reino espiritual por intermédio dos aromas.

Diz-se que o santo moderno Sathya Sai Baba (1926-2011), guru e mestre espiritual indiano, era a reencarnação de Sai Baba de Shirdi, falecido em 1918. Você reconhecerá o aroma associado a Sai Baba no cheiro encontrado em muitas lojas metafísicas e de Nova Era. O incenso e o óleo Nag Champa são apreciados por milhões. Seu aroma primário vem da flor de *champaca*, da árvore *champaca* da magnólia, do *halmaddi*, da árvore *Ailanthus malabarica* e do sândalo, além de outras resinas e ervas. A *champaca* é, muitas vezes, encontrada nos locais sagrados dos templos hindus ou *ashrams* e está associada ao deus hindu Vishnu. É usada como subsídio para a conexão espiritual e a meditação.

A fumaça aromática tem sido parte das cerimônias espirituais há séculos. Alguns incensos ou resinas ativam uma sensação de percepção aumentada. São queimados a fim de estimular uma região de nossa consciência para propósitos de divinação e busca de sabedoria e conhecimento superiores. Queimar sálvia e outras ervas, pelo processo de defumação ou purificação de uma área, elimin as energias negativas. De fato, a sálvia branca é muito conhecida atualmente em comunidades metafísicas por eliminar a negatividade e as más influências, substituindo-as por amor e bem-estar. A goma copal e outras resinas são usadas em cerimônias do fogo pelos nativos mexicanos a fim de ativar a conexão com o Grande Espírito, enquanto o olíbano e a mirra estreitam a conexão espiritual e purificam o espaço nos rituais católicos.

O uso da fumaça e da defumação nos trabalhos xamânicos tem sido comum para as culturas nativas do mundo inteiro. Ele proporciona ao praticante conexão divina mais estreita para que empreenda sua obra como curador, mestre e guia divinatório. A fumaça aromática também desperta vibração sagrada nos participantes de um círculo xamânico presentes em uma sessão de cura ou cerimônia. Os índios norte-americanos empregavam solidônia, casca de sabugueiro e bagas de zimbro em suas fórmulas de defumações. Os kiowa, da América do Norte, usavam grama aromática como incenso; os cheyenne usavam-na para purificar e evitar o mal; os pés-pretos e sioux usavam-na para purificar. E todos esses, além de outros nativos norte-americanos, usavam-na para proteção e bênçãos.

Durante muitos anos, queimei minha própria mistura de ervas, incluindo sálvia, cedro, olíbano, copal, sangue-de-dragão, palo santo, sahumerio, raiz osha, brotos de lavanda e pó de sândalo, no início de cada reunião de círculo sagrado, a fim de chamar e invocar a sabedoria dos ancestrais, anjos, guias espirituais e Mestres Ascensionados. Depois, substituí a versão em fumaça pelo Defumatório em *Spray* aromático-energético, para o bem-estar respiratório de todos os participantes. O vapor ou *spray* aromático-energético é uma alternativa líquida para as ervas queimadas. Em minhas misturas aromático-energéticas, incluo também essências de pedras preciosas, florais de Bach, essências de lugares sagrados e água-benta – itens sobre os quais você aprenderá muito neste livro. Esse acréscimo vibracional dá às misturas grau energético ainda mais elevado.

Mensageiros divinos

O guia de A a Z e outras seções deste livro trazem referências aos arcanjos, Mestres Ascensionados e santos. Invoque esse grupo de guias e guardiães espirituais quando estiver criando e usando suas misturas. Como os humanos têm livre-arbítrio, os anjos precisam ser chamados para nos ajudar ou intervir em nosso favor.

Quer tenha ou não consciência da presença deles, você conta com *muitos* ajudantes invisíveis à sua volta a cada momento de sua vida. Imagine-os ou apenas saiba que há inúmeros ajudantes invisíveis prontos a correr em seu auxílio. Eles velam por você, inspiram-no e orientam-no em seu caminho. Ficam a seu lado o tempo todo, esteja você acordado ou dormindo. E ficam a uma distância mínima quando você está pronto para tomar consciência deles. Anjos, Mestres Ascensionados e santos de diversas tradições espirituais nos dão assistência energética com sua vibração quando pedimos.

A personalidade e qualidades desses seres espirituais enriquecem sua espiritualidade de vibrações positivas. As legiões de anjos e arcanjos proporcionam conexão mística referente aos óleos essenciais constantes do guia de A a Z. Arcanjos ou Mestres Ascensionados, saiba que esses seres de amor, luz e bem-estar podem facilmente se tornar parte de seu círculo espiritual enquanto você viver neste planeta.

Arcanjos são anjos mensageiros de alta linhagem, seres de amor e luz responsáveis por nos guiar e nos assistir na Terra. A despeito dos nomes masculinos ou femininos, são seres de luz andróginos, sem sexo, prontos a nos ajudar quando invocados ou solicitados para um objetivo específico em harmonia com o plano divino. Você deve estar com o Arcanjo Miguel todos os dias e noites, até que isso se torne um hábito. Visualize, imagine o Arcanjo Miguel à sua frente, o Arcanjo Rafael às suas costas, o Arcanjo Gabriel à sua esquerda, o Arcanjo Uriel à sua direita e seu anjo da guarda planando acima de você. Não se preocupe muito em saber onde cada qual está, mas convide todos os cinco para ajudá-lo a transformar sua realidade em paz interior, harmonia e amor. Imagine uma forte conexão de raízes de luz branca se projetando da sola de seus pés e se entranhando na amorosa Mãe Terra. Tenha a convicção de que está sendo divinamente protegido.

Você encontrará informações adicionais sobre anjos, Mestres Ascensionados e santos no Apêndice D.

Sistema de chakras

No guia de A a Z, você encontrará o chakra ou chakras correspondentes a cada óleo essencial. A palavra *chakra* significa "roda" ou "vórtice" em sânscrito. Compreender os chakras é apenas um dos muitos modos de aumentar a consciência e o poder pessoal, bem como de estimular a vibração das misturas aromático-energéticas por intermédio da intenção e da visualização.

Temos sete chakras, todos interconectados dentro dos corpos sutis, que compreendem os pensamentos (corpo mental), os sentimentos (corpo emocional) e a ligação com o espírito (corpo espiritual). Dentro dos quatro corpos, existem sete chakras – da coroa (coronário), do terceiro olho (frontal), da garganta (laríngeo), do coração (cardíaco), do plexo solar (esplênico), do umbigo (umbilical) e da raiz (básico) –, cada qual associado a uma cor específica.

O primeiro chakra é o chakra básico, cuja cor primordial é o vermelho. Esse centro de energia está situado na base da espinha e é responsável por nossas necessidades básicas. Ali armazenamos nossa energia vital para conseguir alimento, abrigo e água. É a base da pirâmide de Maslow. São as nossas necessidades mais importantes, e o dinheiro está intimamente associado a esse centro.

O segundo chakra é o umbilical ou chakra sagrado. Sua cor primordial é o laranja e ele se localiza no umbigo. É o centro da reprodução e da criatividade. Muitas vezes, armazenamos lembranças nesse centro, que nos permite criar e agir no mundo.

O terceiro chakra é o esplênico, localizado no plexo solar (a área do corpo entre a porção baixa do ventre e o centro do peito). A cor primordial associada a esse chakra é o amarelo. É o centro da alegria, do poder pessoal, da autoconfiança, da clareza mental e da capacidade de emitir luz. Muitas vezes, é aí que armazenamos as agressões verbais, que reduzem nossa autoestima, mas também os aplausos e elogios, que aumentam nossa autoconfiança.

O quarto chakra é o cardíaco. Ele é verde e/ou rosa e se localiza no centro do peito. Esse centro funciona como ponte entre os três chakras inferiores do mundo físico, mundano, e os chakras superiores do mundo espiritual. É nessa parte que reside nosso verdadeiro eu... o

Amor Que Realmente Somos. É onde e como percebemos que somos seres espirituais passando por uma experiência física.

O quinto chakra é o laríngeo. Tem a cor azul (a cor do céu) ou turquesa. Esse centro está localizado na garganta e é responsável por nossa capacidade de comunicação e expressão. Não se trata apenas da comunicação verbal, mas também de um meio de nos expressarmos no mundo, inclusive por meio da escrita, da fala, do canto, da arte culinária ou fazendo qualquer outra coisa para exprimir quem e o que somos.

O sexto chakra é o frontal ou do terceiro olho. É azul-índigo e se localiza no centro da testa, onde reside nossa capacidade de ver o que não é mostrado, conhecer o que não é ensinado e ouvir o que não é dito. É a sede da intuição, do conhecimento e do sonho.

O sétimo chakra é o coronário. A cor a ele associada vai do branco-dourado ao ruivo-violeta. É o local da intuição, da canalização e da conexão com a consciência divina. Ali, ocorre nossa conexão com os milagres.

Quando um ou mais chakras ficam bloqueados ou desalinhados, a condição mental ou o equilíbrio emocional da pessoa são afetados. Um chakra bloqueado também pode afetá-la espiritualmente. Por fim, o bloqueio, às vezes, ocorre no nível físico, sob a forma de doenças ou problemas de saúde que parecem surgir do nada. Mas não são do nada, realmente, que surgem os problemas de saúde e as doenças. Cada pensamento, ação e intenção criam as condições para isso. A autoconsciência e a plena atenção aos pensamentos, sentimentos e ações podem mudar nossa realidade e nos proporcionar uma experiência de vida profundamente positiva.

Você encontrará informações adicionais no Apêndice D relacionadas aos chakras e aos óleos essenciais que podem equilibrar um chakra específico.

Zodíaco, planetas, números e animais

No guia de A a Z, você encontrará, para os óleos essenciais, as correspondências com o zodíaco, os corpos planetários, os números e os animais.

Cada signo do zodíaco e cada corpo planetário apresentam certas qualidades e características. Existem designações astrológicas associadas a cada pedra preciosa, que incluí em *The Essential Guide to Crystals, Minerals and Stones*, pois essas associações se aplicam igualmente a tipos de relva, flores, plantas, árvores e arbustos, bem como aos óleos essenciais deles extraídos. Com um pouco de conhecimento dos asteroides, planetas e signos do zodíaco, você entenderá cada óleo essencial em nível mais profundo.

Como tudo, os números também têm vibração. A numerologia é uma ferramenta metafísica que explica o significado dos números e das sequências numéricas. O simbolismo e a sincronia enriquecem nossa vida fornecendo informações sobre nossa personalidade e características. Se você compreender a energia associada aos números, compreenderá também, mais profundamente, a força, o talento e a natureza de uma pessoa, o lugar ou uma situação, com base em associações numerológicas. A compreensão do significado dos números e das vibrações a eles associadas também lhe proporcionará outro nível de percepção da vibração de determinado óleo essencial. Procure investigar o significado de cada número e use essa informação para se familiarizar com a vibração energética ao empregá-la em suas misturas aromático-energéticas.

Animais, pássaros, insetos, répteis e vida marinha possuem certas qualidades e comportamentos que também podem ser associados à vibração de um óleo essencial. O modo como essas criaturas exibem atitudes e modos de ser neste planeta nos passa ensinamentos e mensagens para o aprimoramento da autopercepção e ajuda no despertar da consciência. A aparência dos animais e de outras criaturas oferece outra possibilidade de auto-observação. Assim como os cristais, as plantas, o zodíaco e os números possuem vibração, também os animais são cercados por um campo vibracional, auxiliando-nos como guias e aliados. Se entender as mensagens e os comportamentos dos vários animais cuja energia penetra em sua vida, quer física ou mentalmente, você conseguirá fazer os ajustes necessários em sua percepção de si mesmo e da realidade. Esse conceito está associado à espiritualidade não só dos nativos americanos, mas também de muitas tribos indígenas do mundo inteiro.

No guia de A a Z, você encontrará um ou mais animais, pássaros, insetos, répteis e/ou vida marinha associados a cada óleo essencial. Isso lhe permitirá mergulhar ainda mais fundo na natureza de determinado óleo essencial.

Em desenhos, as pessoas têm personificado a natureza há séculos. A personificação da natureza consiste na atribuição de uma característica (geralmente associada a uma qualidade humana) a algo que não é humano, como uma planta ou um animal. O antropomorfismo, outra palavra para personificação, pinta as forças da natureza, com animais e plantas, como um recurso literário narrativo. É utilizado tradicionalmente em fábulas e tem raízes antigas na literatura.

De muitos modos, as associações simples ou cruzadas entre plantas, animais, anjos, pedras preciosas, flores e óleos essenciais que você encontrará neste livro fornecem personificações ou identidades que vão além do mundo físico. Trata-se de uma associação metafísica para estabelecer uma relação mais íntima com Tudo Aquilo Que Existe. Tudo está conectado, toda forma de vida nos proporciona sabedoria e conhecimento. Plantas e animais têm espíritos e lições a nos dar.

PARTE DOIS

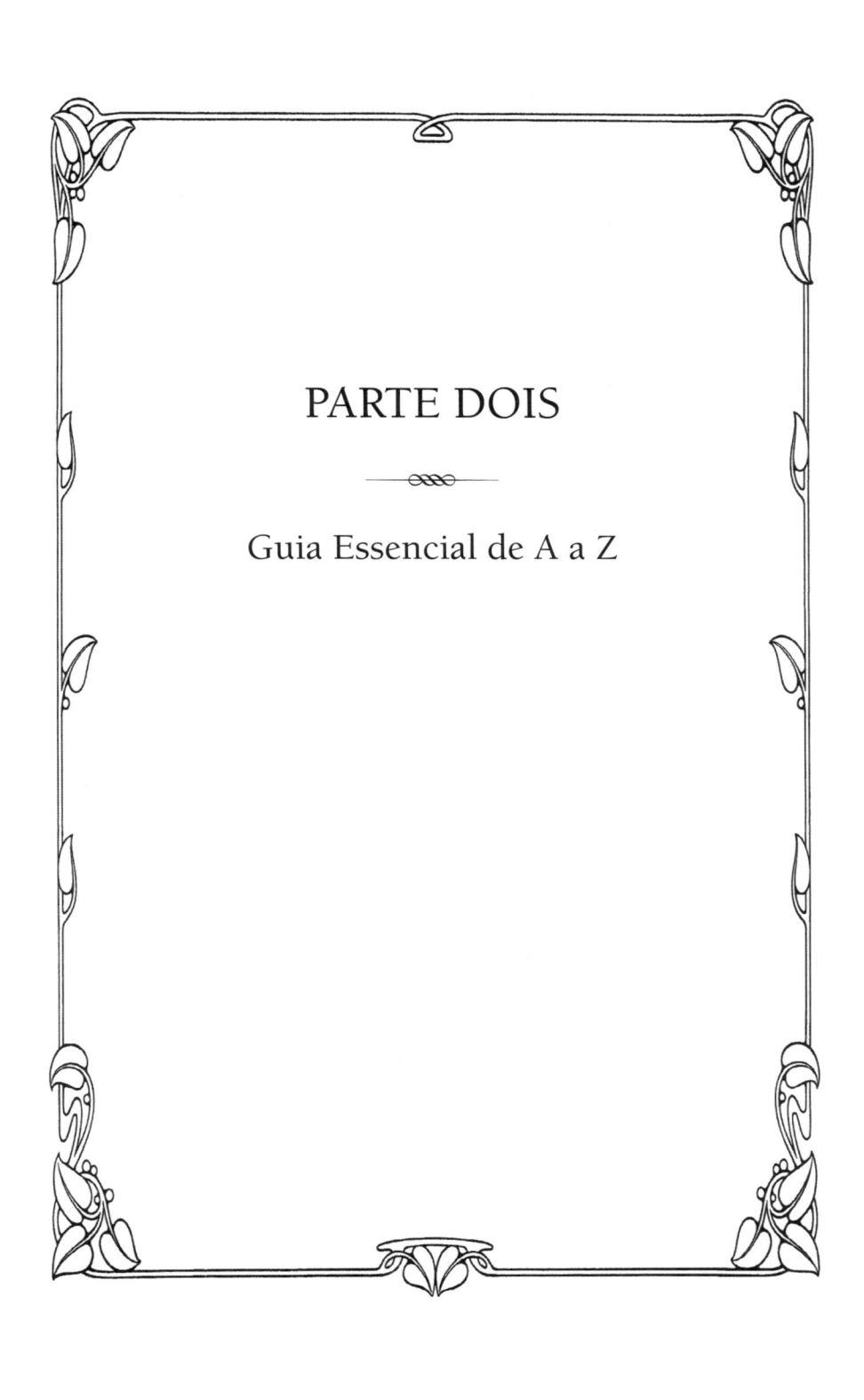

Guia Essencial de A a Z

Nas páginas que se seguem, você encontrará uma lista de óleos essenciais em ordem alfabética. Cada verbete inclui as seguintes categorias:

Óleo essencial

Frase-chave: Algumas palavras que fornecem uma rápida visão da vibração específica do óleo essencial.

Nome botânico: Nome científico formal da planta da qual o óleo deriva.

Nota: Classificação do óleo essencial, originalmente baseada na escala musical. Notas altas (cabeça), médias (coração) e baixas (base) são usadas em sinergias para criar uma mistura equilibrada.

Método de extração: Processo utilizado para extrair o óleo da planta.

Partes usadas: A parte da planta usada (por exemplo, flor, casca, raiz, ramo ou folha).

Fragrância: A descrição do aroma ou odor do óleo essencial.

Cor: A frequência energética associada às cores do sistema de chakras nos níveis espiritual, mental, emocional e físico. Essa cor se relaciona com a cor associada à planta da qual o óleo foi extraído. Em alguns casos, a cor se relaciona com a cor do óleo ou com a cor vibracional energética que ajudarão a restaurar o equilíbrio graças ao uso do óleo essencial.

Chakra(s): O(s) chakra(s) que mais se beneficia(m) do óleo essencial.

Signo(s) astrológico(s): O(s) signo(s) do zodíaco a que o óleo está associado, com base em meus trinta anos de estudo com vários mestres. (Isso varia de fonte para fonte.)

Planeta(s): Corpo planetário, incluindo asteroides, com que o óleo está associado. Isso pode ou não ter relação com o signo astrológico correspondente.

Número(s): Vibração numerológica correspondente, com base em meu conhecimento de numerologia e/ou no resultado da inspiração divina. Em alguns casos, dígitos duplos, seguidos por um dígito único e separados por uma barra, fornecem uma descrição numerológica mais completa do óleo.

Animal(ais): Força animal com que o óleo está associado. Isso proporciona compreensão mais profunda da energia vibracional do óleo.

Elemento(s): Elemento – Ar, Fogo, Água, Metal ou Terra – associado ao óleo essencial. A escolha do elemento incluído nesse verbete foi determinada pelo modo como a planta cresce ou pela interação humana (isto é, pelo modo como afeta os quatro corpos sutis).

Afirmação: Declaração positiva ou afirmação associada ao óleo essencial. Isso ajuda a concentrar a intenção.

Essências florais complementares: Florais de Bach que fortalecem a intenção e os efeitos do óleo essencial.

Pedras complementares: Pedras preciosas que fortalecem a intenção e os usos do óleo essencial.

Sobre a planta: Descrição básica da planta.

Componentes químicos: Os constituintes químicos individuais que identificam as propriedades medicinais do óleo essencial.

Usos espirituais: Informações sobre como usar o óleo para desenvolver ainda mais sua conexão espiritual. O uso espiritual do óleo é a maneira pela qual ele pode ajudá-lo a aperfeiçoar sua natureza ou prática espiritual. Sugestões simples são oferecidas relativamente à conexão com o Divino, terapia de regressão para melhor compreensão das lições espirituais, prática de meditação e contato de várias maneiras com guias, anjos e outros grandes mestres.

Usos mentais: Informações sobre como usar o óleo para a concentração ou a clareza mental, bem como para as situações nas quais ele pode ser útil. Em certos casos, o óleo literalmente afeta o sistema nervoso central; em outros, a energia do óleo essencial é que reequilibra a mente. O corpo sutil mental contém todas as formas-pensamento da consciência que criam a realidade. Controlar e equilibrar as formas-pensamento é essencial para ter uma vida feliz, saudável e produtiva. Use o óleo com a intenção de manter a mente concentrada em coisas positivas: aquilo que você quer, não aquilo que não quer.

Usos emocionais: Informações sobre como usar o óleo a fim de lidar com os sentimentos e enfrentar os desafios ocultos. O corpo emocional é tão real quanto o físico. Você não precisa ser convencido de que tem sentimentos. Esse verbete trata de como o óleo pode ajudá-lo a contatar, acatar, transformar e transmutar seus sentimentos. O objetivo é sempre o equilíbrio, que começa pela compreensão e pelo reconhecimento de como você se sente.

Usos físicos: Informações sobre como usar o óleo para dar apoio ao corpo físico e à existência cotidiana, inclusive segurança financeira e profissional. Refere-se aos aspectos tanto do corpo físico quanto de sua maneira de existir. Incluem-se aqui os aspectos conexos à aromaterapia e referentes às profissões. (Advertência: Jamais faça uso interno dos óleos essenciais. Não os coloque em água que pretenda beber.)

Propriedades terapêuticas: Lista de todos os usos terapêuticos do óleo.

Orientação divina: Orientação para obter o autoconhecimento e a autorrealização com vistas ao progresso pessoal e ao despertar espiritual.

Para sua segurança: Contraindicações, riscos potenciais ou advertências.

Dicas úteis: Informação sobre história, folclore ou o uso dos óleos essenciais em perfumaria.

ABETO
Vida Serena

Nome botânico	*Tsuga canadensis*
Nota	coração
Método de extração	destilação a vapor
Partes usadas	casca e galhos
Fragrância	amadeirada, balsâmica, doce, lembrando o pinho, revigorante, verde
Cores	azul, branca, verde, verde-azulada
Chakras	cardíaco, coronário, frontal
Signos astrológicos	Gêmeos, Sagitário
Planetas	Marte, Mercúrio
Número	888
Animais	alce, búfalo, elefante
Elemento	Ar

Afirmação   Sou calmo. Estou em paz e descontraído. Tudo vai bem. Vivo uma vida espiritual e serena. Sou um veículo para a bondade, a prosperidade e o amor. Com facilidade, transformo a raiva e a frustração em tranquilidade e paz interior, graças à liberação consciente e à percepção. Gosto de relaxar no seio da natureza para regenerar e rejuvenescer meu campo energético.

Essências florais complementares   *Oak* para se recuperar do cansaço. *Red Chestnut* para afastar preocupações. *Wild Oat* para obter clareza de propósito.

Pedras complementares   Azurita-malaquita, crisocola, crisoprásio, lápis-lazúli, serafinita, sodalita.

Sobre a planta   O abeto é uma árvore perene, com agulhas verde-azuladas, que atinge altura de até 60 metros.

Componentes químicos   Acetato de bornila, borneol, canfeno, cânfora, careno, limoneno, mirceno, pineno.

Usos espirituais   O abeto o ajudará a canalizar a sabedoria e o conhecimento superiores do Universo, não o impedindo que preserve firme conexão com o mundo físico. Você ligará sua consciência à Consciência Crística e ao retorno da luz ao planeta. Use-o nos chakras frontal e coronário durante a meditação. Faça desse óleo um aliado em jornadas xamânicas ou em práticas meditativas profundas. Sua energia vibracional e simbólica aproxima seu coração e sua mente da esfera espiritual. Use-o para invocar o Arcanjo Camael e pedir-lhe que substitua a cólera e os sentimentos agressivos por seus opostos, positivos.

Usos mentais   O abeto o ajudará a obter perspectiva mais ampla, pois você perceberá como as palavras que diz afetam sua saúde; assim, você "policiará" as fontes do desequilíbrio e da doença. Recorra à auto-observação para transformar seu pensamento. O abeto estimula o pensamento lúcido, a criatividade, as grandes ideias. Assim como as cores azul e verde acalmam o pensamento exaltado, esse óleo essencial ameniza e alivia o estresse.

Usos emocionais   O óleo de abeto o ajudará a acompanhar a evolução de suas emoções e de seu espírito ao longo do tempo e da experiência. Encontre o caminho para a euforia e a bênção com o aroma verde e puro do óleo de abeto. Ele inspira o contato com os sentimentos por meio da clareza e das vibrações de força e segurança. Vai sintonizar você, energeticamente, com a tranquilidade e a alegria. Use-o como conector do coração e da mente, pois isso ajuda a equilibrar as emoções.

Usos físicos   O abeto proporciona sensação de vigor e resistência. Inale esse óleo profundamente para arejar o sistema respiratório, desobstruir os seios da face e todas as vias respiratórias. Suas vibrações anti-inflamatórias equilibram o corpo físico, restaurando a saúde e o bem-estar graças à eliminação do estresse. É um bom aliado, em aromaterapia, para *coaching* de vida, donas de casa, conselheiros de saúde mental, bibliotecários, líderes visionários, místicos, otorrinolaringologistas, pneumologistas e praticantes de xamanismo.

Propriedades terapêuticas   Adstringente, antiespasmódico, anti-inflamatório, antiparasitário, antisséptico, antitussígeno, calorífico, diaforético, diurético, hemostático, nervino, rubefaciente, sedativo, tônico, vulnerário.

Orientação divina   Você está às voltas com uma situação de descontrole ou desequilíbrio – física, mental, espiritual ou emocionalmente? Tem sido afetado por desequilíbrios do corpo? Procure, então, equilibrar suas emoções praticando caminhadas, exercícios e comunicação saudável. Recupere-se descansando e cuidando bem do corpo, da mente e do espírito. O yoga e a meditação são benéficos. Observe os signos e símbolos à sua volta e procure descobrir seu significado.

Para sua segurança   O abeto pode irritar a pele, dependendo da espécie da planta.

> *Dicas úteis:*
> As pinhas do abeto eram usadas como incenso no inverno e para promover a felicidade. Sua resina era queimada com outras ervas durante o natal nórdico. Os ramos de abeto, em conjunto com outros ramos verdes, funcionam como ótima peça central na mesa de refeições durante as férias de inverno.

ALECRIM
Atividade Mental

Nome botânico	*Rosmarinus officinalis*
Nota	coração
Método de extração	destilação a vapor
Partes usadas	flores e folhas
Fragrância	forte, herbácea, penetrante, pura, fresca, resinosa
Cor	verde-azulada
Chakras	coronário, frontal
Signo astrológico	Virgem
Planetas	Marte, Mercúrio, Urano
Números	1, 11
Animais	cachorro, coruja, elefante, falcão, raposa
Elementos	Ar, Fogo

Afirmação   Sou lúcido, organizado e conectado. Sou grato por todas as minhas habilidades criativas e empresariais. Ganho bem fazendo aquilo de que gosto. Tenho muita clareza mental. Acho fácil despertar minha consciência para estar plenamente presente em minhas atividades diárias. Sou atento e tenho os pés no chão.

Essências florais complementares   *Chestnut Bud* para identificar padrões e equívocos passados e aprender com eles. *Crab Apple* para autoaceitação. *Mustard* para remover vibrações negativas e substituí-las por luz.

Pedras complementares   Citrino, cristal de quartzo *time link*, escolecita, esmeralda, fóssil de *Orthoceras*, malaquita, quartzo transparente, quartzo tabular, obsidiana arco-íris.

Sobre a planta   O alecrim é um arbusto perene, resistente, com folhas lineares e pequenas flores azul-claras. Atinge altura de 50 centímetros a 2 metros.

Componentes químicos   Acetato de bornila, borneol, canfeno, cânfora, cariofileno, cimeno, cineol, curcumeno, linalol, nonanol, pineno, terpineno, terpineol, verbenona.

Usos espirituais   O alecrim ajudará você a ter melhor concentração e memória espiritual. Use-o para despertar sua consciência espiritual. A antiga energia do alecrim proporciona compreensão melhor graças à recordação de encarnações anteriores. Use-o durante a terapia de regressão para capitalizar lembranças do passado e lições aprendidas. Acrescente-o a uma mistura sinergética para afastar energias negativas em geral e antes das práticas espirituais. Com ele, você poderá se conectar com o Arcanjo Sabrael para combater o ciúme.

Usos mentais   O alecrim traz lucidez e acuidade mental. Use-o ao estudar, para reter informação. Cheire-o para rememorar informações durante provas. Esse óleo aromático o ajudará a ter acuidade mental nas transações comerciais. O alecrim é bom para os idosos porque estimula a atenção, a memória e a presença nas atividades diárias.

Usos emocionais   O alecrim combate a negatividade e o ciúme. Use-o para dominar emoções negativas e paranoia. Ele o ajudará a atrair amigos leais, autênticos, e relacionamentos românticos, afastando aqueles que não são confiáveis. É útil para curar emoções trazendo-as à superfície. Afugenta crenças superadas, equilibra o karma e apaga a memória molecular para que você se torne saudável, integral e completo. Esse óleo pode ajudar no processo de luto, evocando lembranças positivas para que você compreenda que a memória dos entes queridos nunca morre.

Usos físicos   O alecrim mata germes e é um bom desinfetante, protegendo contra doenças infecciosas. Use esse óleo para abrir suas vias respiratórias e aprofundar sua respiração. O alecrim é conhecido pelos benefícios que traz à pele e à saúde em geral. Estimula o couro cabeludo e pode ser usado como tratamento auxiliar contra a calvície. Acrescente-o a uma mistura sinergética para repelir insetos. O alecrim é um bom aliado, em aromaterapia, para ambientalistas, bibliotecários, cabeleireiros, *chefs*, conselheiros matrimoniais, contadores, epidemiologistas, otorrinolaringologistas, profissionais da lei, neurologistas e planejadores matrimoniais.

Propriedades terapêuticas   Adstringente, afrodisíaco, analgésico, antibactericida, antidepressivo, antiespasmódico, antifúngico, antineurálgico, antioxidante, antiparasitário, antirreumático, antisséptico, antitóxico, antitussígeno, antiviral, calorífico, carminativo, cefálico, cicatrizante, citofilático, colagogo, colerético, descongestionante, desintoxicante, diaforético, digestivo, diurético, emenagogo, estimulante (glândulas adrenais e nervos), estomáquico, hepático, hipertensor, inseticida (forte), laxante, nervino, rejuvenescedor (células da pele), revigorante, rubefaciente, sudorífico, tônico, vulnerário.

Orientação divina   Você precisa de mais clareza mental? Tem perguntado: "O que está acontecendo comigo?". Sente-se preso a um padrão no qual vivencia a mesma situação repetidamente? Esse é um bom momento para fazer regressão e descobrir as fontes originais dos problemas que agora o afligem. Ative seu empreendedor interior por meio do estudo concentrado. Use o conhecimento adquirido para alcançar seus objetivos.

Para sua segurança   Evite em caso de hipertensão ou se tem ataques epilépticos.

Dicas úteis:
Na Espanha e na Itália, o alecrim é usado como proteção contra a bruxaria. Essa erva é associada à musa Mnemósine, cujo nome significa "memória", e a Minerva, a deusa romana da sabedoria e do conhecimento. O alecrim se tornou símbolo de lealdade e fidelidade. Historicamente, é usado para atar buquês de noiva. Essa erva mediterrânea é usada há milhares de anos como tempero.

ANGÉLICA
Ouça o Canto dos Anjos

Nome botânico	*Angelica archangelica, Angelica officinalis*
Nota	cabeça
Método de extração	destilação a vapor
Partes usadas	sementes
Fragrância	especiarias, fresca
Cor	branca
Chakras	coronário, frontal, laríngeo
Signos astrológicos	Aquário, Peixes
Planetas	Júpiter, Netuno, Urano
Números	11, 22
Animais	morcego, unicórnio
Elemento	Ar

Afirmação Orientação e inspiração vindas de meus anjos e outros guias espirituais me chegam a todo momento. Sou um veículo do Divino. Paz, calma e serenidade me pertencem, agora e sempre. Estou satisfeito. De boa vontade e alegremente, sigo o sempre mutável fluxo da vida.

Essências florais complementares **Aspen** para dar segurança e aliviar a ansiedade. *Mimulus* para dar coragem e combater a timidez. *Rock Rose* para dar coragem.

Pedras complementares Ágata *blue lace*, angelida, calcita azul, calcita cobáltica, celestita, quartzo canalizador, quartzo elestial, quartzo esfumaçado, turmalina rosa, unaquita.

Sobre a planta A angélica é um arbusto frondoso com folhas pontudas e hastes ásperas, ocas, vermelhas na base e verde-claras nas pontas.

Componentes químicos Cariofileno, felandreno, limoneno, pineno.

Usos espirituais A angélica aumenta a capacidade da mente e do espírito de recordar e perceber a existência de mensageiros celestiais que nos assistem em nossas atividades cotidianas. Use esse óleo para atrair a intervenção divina graças à comunicação com os anjos. Use-o também em sinergias ou misturas para se abrir à comunicação com a esfera angélica e a dos auxiliares invisíveis. Use-o, enfim, para fazer contato com os Mestres Ascensionados, sobretudo com São Germano, e seus anjos da guarda, além dos Arcanjos Auriel, Gabriel, Miguel e Raziel. Esse óleo o ajudará a concentrar-se nas buscas astrológicas ou metafísicas, além de outras de natureza visionária. A angélica pode, igualmente, ser usada para afastar energias negativas e espíritos indesejáveis.

Usos mentais A angélica pode ser usada para acalmar a mente irrequieta. Proporcionando sensação de serenidade, esse óleo é benéfico nas ocasiões em que muitas coisas estão acontecendo ao mesmo tempo e precisamos recuperar a concentração. É ótimo para acrescentar a uma mistura sinergética, com a intenção de promover a paz interior e um sono tranquilo.

Usos emocionais A angélica ajuda a aliviar feridas emocionais. Promove o alívio por meio de sonhos, diários, choro, emotividade e/ou processamento de emoções. Use esse óleo para obter ajuda dos anjos, eliminar bagagem emocional desnecessária e evitar influências externas negativas. A angélica é estimulante e intensifica suas vibrações.

Usos físicos A angélica aumenta a produção de suor, que é o método natural para remover toxinas e detritos do corpo. Isso reduz a pressão sanguínea e inibe o acúmulo de gordura corporal. A remoção de ácido úrico e outras toxinas pode proporcionar alívio do reumatismo e da artrite. A angélica ajuda muito no alívio da ansiedade, do cansaço nervoso, da bronquite, da asma, do ciático, da cefaleia, de infecções, da anorexia e da psoríase. É um bom aliado, em aromaterapia, para leitores intuitivos, praticantes de meditação, profissionais de saúde mental, metafísicos, músicos, místicos, neurologistas e locutores.

Propriedades terapêuticas Afrodisíaco, analgésico, antibacteriano, antiespasmódico, antifebril, antifúngico, anti-inflamatório, antirreumático, antisséptico, antitussígeno, antiviral, aperiente, carminativo, cefálico, cicatrizante, depurativo, diaforético, digestivo, diurético, emenagogo, estimulante (útero, nervos), estomáquico, estrogênico, hepático, nervino, revitalizante, sudorífico, tônico.

Orientação divina A conexão com seus guias e anjos é forte? Você consegue ouvir os anjos? Recebe mensagens do Divino? Use seu dom para viver uma vida maravilhosa e iluminada, bem como para ajudar seus semelhantes a libertar-se do sofrimento e encontrar a felicidade e a paz. Treine bastante para desenvolver seus dons intuitivos.

Para sua segurança Este óleo é fototóxico; por isso, evite a exposição direta à luz solar quando usá-lo topicamente. Não recomendável para mulheres grávidas ou que estejam amamentando.

Dicas úteis:
Acredita-se que a angélica foi levada da África para a Europa no século XVI, onde a usavam principalmente no combate à peste. Mastigavam-se as hastes para prevenir a infecção. Tostadas ou queimadas, as sementes e raízes desinfetam o ar. As raízes eram usadas para lavar e desinfetar roupas e lençóis. A semente da angélica está presente em algumas bebidas, como *Chartreuse*, *Bénédictine*, *Vermouth* e *Dubonnet*.

BAGA DE ZIMBRO
Desintoxicação

Nome botânico	*Juniperus communis*
Nota	coração
Método de extração	destilação a vapor
Partes usadas	bagas maduras
Fragrância	amadeirada, fresca, resinosa
Cores	branca, verde
Chakras	coronário, frontal, umbilical
Signos astrológicos	Libra, Peixes
Planetas	Júpiter, Netuno, Vênus
Números	22/4, 33
Animais	fênix, pavão
Elemento	Fogo

Afirmação   Dou pleno valor à minha transformação. Minhas emoções são equilibradas e gosto disso. Meu presente e meu futuro são afetados positivamente por acontecimentos do passado. Aceito a mudança. Reconheço que ela pode melhorar a vida. Sou grato pelo fluxo equilibrado de energia dentro de mim.

Essências florais complementares   *Agrimony* para superar o vício do álcool, das drogas e do açúcar. *Crub Apple* para autoaceitação e equilíbrio da harmonia interior. *Walnut* para ajudar no processo de cura de apegos e maus hábitos.

Pedras complementares   Ágata-árvore, azeviche, clorita, jaspe orbicular, quartzo esfumaçado, quartzo fantasma, turmalina melancia.

Sobre a planta O zimbro é um arbusto perene que alcança a altura de 2 metros. Possui folhas verde-prateadas em forma de agulha e pinhas verde-azuladas que produzem bagas.

Componentes químicos Cadineno, cariofileno, elemeno, germacreno, limoneno, mirceno, pineno, sabineno, terpineno.

Usos espirituais As bagas de zimbro podem ser usadas para limpar e desintoxicar o corpo; o mesmo é verdadeiro para a limpeza da aura ou do campo energético. Use esse óleo para purificar a atmosfera e estreitar a conexão espiritual. As bagas de zimbro são benéficas para afastar a negatividade e as más intenções. A sabedoria espiritual do reino das plantas e suas forças dévicas podem ser contatadas graças ao uso desse óleo essencial.

Usos mentais Use o zimbro para desintoxicar a mente dos padrões de pensamento negativos e repetitivos. É benéfico quando você resolve romper os laços com tudo o que esteja impedindo de viver uma vida feliz e plena, devido à natureza de seus pensamentos e àquilo que é objeto de sua preocupação.

Usos emocionais O óleo de bagas de zimbro pode ser acrescentado, com proveito, a uma mistura sinergética destinada a aliviar o estresse e melhorar a capacidade de relaxamento. Graças a ele, você lidará melhor com seus sentimentos e suas dificuldades emocionais. Inale esse óleo visualizando a restauração de sua harmonia interior e autoconfiança.

Usos físicos As bagas de zimbro removem toxinas do corpo, especialmente no caso de abuso de drogas, do alcoolismo e do tabagismo. São diuréticas e limpam o trato urinário pela inalação e aplicação tópica, com um veículo, na sola dos pés. Também ajudam na digestão. São um bom aliado, em aromaterapia, para ambientalistas, arquitetos paisagistas, especialistas em reabilitação de dependentes químicos, fazendeiros, floristas, jardineiros e profissionais de saúde.

Propriedades terapêuticas Abortivo, adstringente, afrodisíaco, analgésico, antiescorbútico, antiespasmódico, antifúngico, anti-inflamatório, antilítico, antiparasitário, antirreumático, antisséptico, antitóxico, antitussígeno, carminativo, cicatrizante, colagogo, depurativo, desintoxicante, digestivo, diurético (forte), emenagogo, estimulante (trato geniturinário), estomáquico, germicida, hemostático, inseticida, nervino, purificador do sangue, refrescante, rubefaciente, sedativo, sudorífico, tônico, tonificante, vulnerário.

Orientação divina Você tem consciência de seus pensamentos? Esqueça os padrões repetitivos. Concentre-se no lugar para onde está indo e viva a melhor vida possível. Invoque sua capacidade de ser flexível e curvar-se ao ímpeto de uma tempestade. Aceite a força transformadora do crescimento. Não se esqueça de suas raízes, mas não se esqueça também de que pode ir até grandes alturas. Já é tempo de você se aceitar e se amar.

Para sua segurança Não use se tiver alguma doença dos rins ou se estiver grávida ou amamentando.

Dicas úteis:
Era costume suspender um galho de zimbro das portas, na véspera do dia 1º de maio, para afastar as bruxas. Na Itália, era queimado na véspera do Natal para evitar o mau-olhado (*malocchio*). Durante a Idade Média, as bagas de zimbro eram queimadas para combater a peste. O zimbro é o sabor dominante no gim.

BENJOIM
Estabiliza e Transforma

Nome botânico	*Styrax benzoin*
Nota	base
Método de extração	prensagem a frio
Parte usada	resina do tronco
Fragrância	reconfortante, suave, doce, semelhante à baunilha
Cores	magenta, marrom, púrpura, rosa
Chakras	básico, coronário
Signos astrológicos	Escorpião, Touro
Planetas	Plutão, Saturno
Números	77/8
Animais	cobra, coruja, corvo, falcão
Elemento	Fogo

Afirmação Revelo os segredos de minha alma. Meus pensamentos e sistemas de crenças são postos às claras, definindo os objetivos de minha alma. Para mim, é fácil transformar os padrões negativos. Concentro-me no potencial ilimitado disponível a todos.

Essências florais complementares *Clematis* para você se concentrar nos próprios sonhos. *Scleranthus* para incrementar a capacidade de decisão. *Wild Oat* para obter lucidez nos propósitos da alma.

Pedras complementares Ágata magenta, ágata marrom, ametista, caroíta, hematita, quartzo esfumaçado, quartzo rosa, selenita, turmalina negra.

Sobre a planta Nativa da Ásia, o benjoim é uma árvore que chega a 30 metros de altura. Tem a casca resinosa e aromática; as flores são brancas.

Componentes químicos Ácido benzoico, ácido cinâmico, álcool benzílico, benzoato de benzila, cinamato, cinamilo, etil-cinamato.

Usos espirituais O benjoim tem forte associação energética com São Germano e a Chama Violeta. Use-o para transformação e iniciações alquímicas ou ritos de passagem. Adicione essa resina a uma mistura sinergética para fortalecer a conexão mística para além da percepção consciente. Ele estimula a transformação por meio de sonhos e poderosas experiências de meditação. A resina de benjoim possui vibração mágica e misteriosa que facilita o acesso a vários níveis de percepção. Ela o ajudará a se harmonizar com a alma e a fazer o que veio fazer neste planeta.

Usos mentais Quando usado com uma intenção, o benjoim pode ajudá-lo a obter clareza mental graças à concentração do pensamento. Comece com abordagem lógica e permita que as propriedades transformadoras dessa resina dirijam seu pensamento para o conhecimento superior e, por fim, para a sabedoria. O benjoim nos induz a procurar respostas junto a pessoas mais velhas e experientes, que já percorreram o caminho por onde você ainda transita.

Usos emocionais O aroma do benjoim, semelhante ao da baunilha, funciona como calmante, invocando sentimentos de segurança e paz. Use esse óleo para fortalecer o aroma básico e a vibração das misturas protetoras.

Usos físicos O benjoim ajuda a reduzir a inflamação e a tensão muscular. Pode ser usado topicamente com um óleo carreador ou uma loção para ulcerações da pele, escaras e pele áspera. É um bom protetor epidérmico. Use-o para facilitar a respiração e corrigir diversos problemas pulmonares, pois ele é um expectorante suave. O benjoim ajuda também a melhorar a circulação. Estabiliza a natureza volátil de uma mistura de óleos essenciais. Use-o como mistura sinergética para preservar o aroma e como fixador. O benjoim é um ótimo aliado, em aromaterapia, para aromaterapeutas, bibliotecários, consultores, cuidadores, empreiteiros, líderes visionários, mediadores, professores, profissionais da lei e trabalhadores braçais.

Propriedades terapêuticas Adstringente, afrodisíaco, anestésico, antibacteriano, antidepressivo, antiespasmódico, antiestresse, anti-inflamatório, antimutagênico, antioxidante, antiparasitário, antipruriginoso, antisséptico, antitussígeno, antiviral, calmante, carminativo, cefálico, cicatrizante, conservante, cordial, desinfetante, desodorizante, diurético, estimulante (sistema circulatório), euforizante, fixador, inseticida, laxante, rejuvenescedor, revigorante, secante, sedativo, tônico, vulnerário.

Orientação divina Você está correndo para várias direções? Sente que está andando em círculos e repetindo as mesmas coisas o tempo todo? Use essa energia para entrar em uma espiral ascendente e transformar sua vida por meio de observação mais acurada, promovendo, assim, uma mudança positiva. Ore por assistência, para dar os passos necessários à conquista da felicidade, da solidez e da concentração. Desse modo, alcançará seus objetivos maiores.

Para sua segurança Se estiver tomando lítio, evite. Use quantidades pequenas e óleo carreador adicional quando aplicar na pele, pois o benjoim é mais viscoso e concentrado que a maioria dos outros óleos. Se estiver grávida ou amamentando, não use.

Dicas úteis:
O benjoim é, às vezes, chamado de "Benjamim", nome da árvore de onde ele vem. A resina tem sido usada, há milhares de anos, como incenso em cerimônias sagradas.

BERGAMOTA
Bom Demais

Nome botânico	*Citrus bergamia*
Notas	cabeça a coração
Método de extração	prensagem a frio
Parte usada	casca do fruto
Fragrância	doce, cítrica, fresca, semelhante à da laranja e do limão
Cores	amarela, branca, verde
Chakras	coronário, esplênico
Signos astrológicos	Câncer, Leão, Peixes
Planetas	Lua, Netuno, Palas Atena, Sol
Número	3
Animais	aranha, beija-flor
Elemento	Ar

Afirmação Meus pensamentos aumentam minha autoconfiança e coragem. Ajo sem medo neste mundo. Sou entusiasta. Sinto prazer em cumprimentar e encorajar outras pessoas. A alegria é parte normal de minha vida. Meu sistema digestório é saudável. Consigo absorver e processar com facilidade tudo o que acontece à minha volta.

Essências florais complementares *Cerato* para orientação e autoconfiança. *Elm* para superar sentimentos depressivos. *Larch* para confiança. *Willow* para pensamentos positivos.

Pedras complementares Ametista, apatita, citrino, calcita dourada, jaspe amarelo, lepidolita, peridoto, quartzo transparente, selenita.

Sobre a planta A bergamota é uma árvore cítrica perene com cerca de 5 metros de altura que dá frutos amarelo-esverdeados, aromáticos, do tamanho de uma laranja.

Componentes químicos Acetato de linalil, acetato de neril, limoneno, linalol, mirceno, pineno, sabineno, terpineno.

Usos espirituais O óleo essencial de bergamota ajuda a abrir caminhos na mente e no cérebro para o acesso a esferas superiores de consciência, bem como a informações de outras esferas de existência. Use-o durante a meditação com a intenção de alinhar sua percepção com grandes mestres espirituais, Mestres Ascensionados, anjos e guias espirituais. Tem vínculos com os Arcanjos Gabriel e Miguel. Ativa a essência de Palas Atena como deusa da sabedoria e da verdade. Esse óleo ajuda as almas a recordar sua conexão com a Ordem de Melquisedeque em associação com a Atlântida e a reativação das Grades de Luz.

Usos mentais O aroma leve e fresco da bergamota purifica o palato e a mente. Use-a para combater a desorientação e obter concentração e clareza. Esse óleo estimulante ajudará você a ter bons pensamentos sobre si mesmo e aprimorar a percepção de suas qualidades positivas.

Usos emocionais A bergamota é um bom componente principal para uma mistura sinergética destinada a elevar o nível de alegria e eliminar quaisquer sentimentos de tristeza ou sintomas de depressão. Inale esse óleo essencial enquanto repete a afirmação acima.

Usos físicos A bergamota é benéfica em termos físicos no nível do chakra esplênico, pois tem a capacidade de ativar a bile e as enzimas digestivas. É adição perfeita a uma mistura sinergética para a finalidade de desodorizar. Acrescente um pouco de *petitgrain* e capim-limão à bergamota para criar um vapor natural aromático e desinfetante de odores de bichos de estimação e outros cheiros desagradáveis. Use esse óleo para relaxar músculos e nervos, bem como para aliviar cólicas. A bergamota pode diminuir o tempo de cura de feridas devido às propriedades antibióticas e antissépticas. É um bom aliado, em aromaterapia, para advogados, consultores, dietistas, editores, escritores, especialistas em reabilitação de dependentes de drogas, facilitadores/praticantes de meditação, gastroenterologistas, juízes, leitores intuitivos, líderes, místicos e neurologistas.

Propriedades terapêuticas Analgésico, antibiótico, antidepressivo, antiespasmódico, antiestresse, antifebril, antiparasitário, antisséptico, antitóxico, antitussígeno, aperiente, calmante, carminativo, cicatrizante, cordial, desodorizante, digestivo, estimulante, estomáquico, inseticida, laxante, refrescante, rubefaciente, sedativo, tônico, vulnerário.

Orientação divina Você acha difícil perceber os detalhes do que se passa à sua volta e dentro de você? Precisa adquirir alguma compreensão clara do rumo a tomar? Então é hora de se autoexaminar e refletir sobre a vida por meio de contemplação serena. Procure se conectar com a sabedoria espiritual superior, pois assim, com certeza, a informação e o conhecimento virão até você.

Para sua segurança Esse óleo é fototóxico (e potencialmente fotocarcinogênico); portanto, evite exposição direta à luz solar quando o usar topicamente. Não o use se ele estiver vencido ou oxidado nem se estiver grávida ou amamentando.

> *Dicas úteis:*
> A bergamota dá o sabor cítrico ao chá Earl Grey e às receitas Turkish Delight. Deu à água de colônia alemã original do século XVIII sua fragrância inconfundível. Utilizo a bergamota em minhas fórmulas para elevar os níveis de confiança, felicidade e capacidade de viver a vida em sua plenitude.

BÉTULA
Ah, Que Alívio!

Nome botânico	*Betula lenta*
Nota	cabeça
Método de extração	destilação a vapor
Partes usadas	folhas
Fragrância	amadeirada, doce, intensa, leve, medicinal, profunda, semelhante à da gualtéria
Cores	branca, azul
Chakra	frontal
Signos astrológicos	Aquário, Capricórnio, Gêmeos, Libra
Planetas	Mercúrio, Saturno, Vênus
Número	6
Animais	castor, pavão
Elemento	Ar

Afirmação Sou grato pelo fluxo de energia equilibrado que há dentro de mim. Minha estrutura física é forte. Todas as partes do meu corpo funcionam perfeitamente. Minha vida é produtiva, dinâmica e vibrante. Estou cheio de vigor!

Essências florais complementares *Hornbeam* para superar o cansaço. *Oak* para equilibrar trabalho e descanso. *Olive* para rejuvenescimento.

Pedras complementares Azurita, calcita laranja, cornalina, crisocola, lápis-lazúli, quartzo rosa, sodalita.

Sobre a planta A bétula é uma árvore caducifólia que pode chegar de 15 a 20 metros de altura.

Componentes químicos   Salicilato de metila, salicilato de etila, acetato de linalila.

Usos espirituais   O óleo de bétula é uma boa adição às misturas de difusão para clarear a aura e eliminar energia tóxica. O Arcanjo Rafael está associado a todos os óleos essenciais, mas principalmente a este, devido a seu poder de aliviar dores físicas. No nível espiritual, a bétula combate as energias negativas acumuladas no passado e no presente, reforçando nossa conexão com o caminho espiritual.

Usos mentais   A bétula ajuda a obter clareza mental. Sua vibração aumenta a capacidade de realizar os sonhos e construir a realidade. Estimula a mente e, em consequência, dinamiza o pensamento. Inale esse óleo quando necessitar de estímulo mental. Ele expele as toxinas do corpo físico e, também, a toxicidade dos pensamentos, quando usado com essa intenção.

Usos emocionais   A bétula ajuda, energeticamente, a reduzir os estados de consciência muito exaltados. Inale fundo esse aroma, pois é a maneira mais segura de usá-lo. O óleo essencial de bétula ajudará você a inspirar profundamente a vida e a superar os desafios penosos da existência. Ele melhora o humor e alivia a tensão.

Usos físicos   O óleo essencial de bétula alivia as dores musculares, estimula a circulação e reduz o inchaço. Alivia também as dores da artrite e reduz a inflamação. Elimina o acúmulo de ácido úrico nas articulações. Estimula o funcionamento dos rins e aumenta o volume de urina. Ajuda a combater o eczema, a psoríase e a acne. Abaixa a febre e estimula a transpiração, o que também ajuda a eliminar toxinas. A bétula é um bom aliado, em aromaterapia, para os atletas, cuidadores, dentistas, enfermeiras, fisioterapeutas, funcionários de asilos, líderes espirituais, maratonistas, massagistas, praticantes de reiki, praticantes de xamanismo, profissionais de saúde, treinadores.

Propriedades terapêuticas   Adstringente, analgésico, antifebril, anti-inflamatório, antiparasitário, antirreumático, antisséptico, antitóxico, depurativo, desinfetante, detergente, diurético, estimulante (sistema circulatório), inseticida, laxante, rubefaciente, tônico.

Orientação divina   Você está pronto para entrar em ação e realizar seus sonhos e desejos? Acha que é capaz de superar os desafios? Já é hora de esquecer as dores do passado e buscar as alegrias do futuro. Respire fundo e disponha-se a ir em frente com desenvoltura e graça, criando, assim, sua realidade.

Para sua segurança   Evite caso seja alérgico à aspirina, esteja tomando anticoagulantes ou tenha pressão sanguínea alta. Não use na gravidez e na amamentação nem em jovens com menos de 19 anos.

Dicas úteis:
A fragrância da bétula doce sai diretamente da casca da árvore. Os nativos norte-americanos usam as folhas e a casca seca em cerimônias de purificação que lembram a sauna.

CAMOMILA
Deixe-se Levar pela Corrente

Nome botânico	*Matricaria chamomilla*, *Matricaria recutita* (camomila alemã), *Anthemis nobilis* (camomila romana)
Nota	coração
Método de extração	destilação a vapor
Partes usadas	flores
Fragrância	forte, frutada, herbácea, lembrando a da maçã
Cores	azul-marinho, azul-pastel (alemã); amarela, branca, verde (romana)
Chakras	frontal, laríngeo (alemã); esplênico, cardíaco (romana)
Signos astrológicos	Peixes, Touro, Virgem
Planetas	Quíron, Netuno, Sol, Vênus
Números	7, 11, 22, 33
Animais	gato, águia, lagarto
Elemento	Água

Afirmação   Sou calmo. Estou em paz. Estou contente. Deixo-me levar pela corrente mutável da vida, voluntária e alegremente. Respiro fundo, e o oxigênio enche meu corpo. Sinto-me protegido.

Essências florais complementares   *Aspen* para segurança. *Cherry Plum* para serenidade. *Impatiens* para paciência. *Star of Bethlehem* para reconforto. *White Chestnut* para paz interior.

Pedras complementares   Ágata azul-clara, angelita, apatita, azurita, celestita, lápis-lazúli, sodalita (alemã); ágata de árvore, ágata de musgo verde, aventurina, citrino, pedra solar (romana).

Sobre a planta   A camomila, que muitas vezes cresce espontaneamente, tem flores pequenas com pétalas brancas e núcleos amarelos, lembrando pequenas margaridas. A camomila alemã chega a 1 metro de altura; a romana, a 30 centímetros.

Componentes químicos   Bisabolol, chamazuleno, espiroéter, farneseno, óxido de bisabolol, (alemã); angelato de butila, angelato de isoamila, angelato de isobutila, angelato de metilpentila, angelato de metil-propenila, angelato de metilpropila, angelato de propila, antemol, borneol, butirato de hexila, butirato de isoamila, butirato de isotuíla, canfeno, careno, chamazuleno, cimeno, felandreno, isoamila metacrilato, isobutirato de isoamila, isobutirato de metilpentila, metilbutila, metilbutirato de isoamila, metilbutirato, mirceno, pineno, pinocarveol, pinocarvono, terpineno, tujeno (romana).

Usos espirituais   A camomila alemã estreita a conexão com guias e anjos durante o sono. Pingue uma gota em um lenço ou em uma bola de algodão e inale antes de meditar ou dormir (lembrando-se de que o azuleno pode manchar). A camomila alemã promove o contato com o Arcanjo Miguel; a romana, com o Arcanjo Gabriel para introspecção e reflexão. A vibração dourada da camomila romana estreita a relação com o Arcanjo Uriel, ativando a conexão com a criatividade, o fluxo universal e a paz interior.

Usos mentais   Use a camomila alemã ou romana para acalmar a tagarelice incessante da mente. Esse óleo alivia o estresse, ajudando a curar nervos esgotados. Seus efeitos calmantes ajudam a selecionar os pensamentos. É um óleo excelente para eliminar pensamentos de raiva, vingativos ou negativos.

Usos emocionais Emoções intensas ou crises de descontrole podem ser evitadas graças ao uso desse óleo. Deixe que a energia azul elimine emoções negativas e acalme-o. Inalar a camomila alemã faz com que você tenha a certeza de que tudo vai bem. As camomilas alemã ou romana ajudam a serenar crises de descontrole emocional provocadas pela tensão pré-menstrual (TPM), a menopausa ou quaisquer perturbações relacionadas aos hormônios. Elas também combatem a insônia. Use a camomila romana para aumentar a autoestima e reduzir a ansiedade.

Usos físicos Esse óleo essencial pode ser usado para aliviar articulações inflamadas e é eficaz no tratamento de entorses e inflamações em geral. O azuleno – componente azul da camomila alemã – combate a indigestão, o refluxo, furúnculos e acne. Tanto a camomila alemã quanto a romana promovem um sono reparador. A camomila alivia os sintomas físicos da TPM e as dores menstruais. Ambas também ajudam a reduzir a febre. A camomila alemã é um bom aliado, em aromaterapia, para atletas, facilitadores/praticantes de meditação, fisioterapeutas, leitores intuitivos, professores, treinadores e videntes.. A camomila romana é um bom aliado em aromaterapia para facilitadores/praticantes de meditação, gastroenterologistas, inventores, neurologistas, oradores e praticantes de xamanismo.

Propriedades terapêuticas Analgésico, antianêmico, antibactericida, antibiótico, anticonvulsivo, antidepressivo, antiespasmódico, antifúngico, anti-inflamatório, antineurálgico, antiparasitário, antiprurídico, antirreumático, antisséptico, antitóxico, aperiente, calmante, carminativo, cicatrizante, colagogo, diaforético, digestivo, diurético, emenagogo, emoliente, estomáquico, hepático, hipotensor, laxante, nervino, sedativo, sudorífico, tônico, vulnerário.

Orientação divina   Você tem tido inflamações físicas ou desequilíbrios hormonais? Há em sua vida alguma situação "inflamada"? Então, precisa dar alguns passos para reduzir a inflamação emocional, física e mental. Faça visualização e meditação com esse óleo essencial para insuflar uma nova serenidade a cada aspecto de seu ser. Paz e tranquilidade serão suas, se pedir.

Para sua segurança   Evite esse óleo caso seja alérgico a áster, margarida, crisântemo ou ambrósia. Não use se estiver grávida ou amamentando. A camomila romana deve ser evitada no primeiro trimestre da gravidez.

> *Dicas úteis:*
> O azuleno contido na camomila alemã lhe dá coloração azul profunda, que pode manchar roupas e tecidos.

CANELA
O Tempero da Vida

Nome botânico	*Cinnamomum zeylanicum*
Notas	coração a base
Método de extração	destilação a vapor
Partes usadas	folhas
Fragrância	almiscarada, doce, especiarias, forte, profunda
Cores	bege, laranja, marrom
Chakras	esplênico, frontal, umbilical
Signos astrológicos	Leão, Sagitário
Planetas	Júpiter, Mercúrio, Sol, Vênus
Número	9
Animais	elefante, peixe-dourado, coruja, corvo
Elemento	Fogo

Afirmação Abundância e prosperidade fluem constantemente em minha vida. Sou corajoso. Sem medo, concretizo minhas ideias. A imaginação é a chave do meu sucesso. Minhas ideias são novas e criativas. Ajo para manifestar minhas ideias artísticas. Aceito a vida e vivo de modo apaixonado.

Essências florais complementares *Gentian* para recuperar a esperança e a confiança a fim de concretizar ideias. *Wild Oat* para remover bloqueios. *Wild Rose* para manter os fluxos criativos e fomentar o entusiasmo.

Pedras complementares Brucita, calcita dourada, calcita laranja, cornalina, jaspe vermelho, pedra do sol, quartzo esfumaçado.

Sobre a planta A canela é uma árvore perene com folhas verdes coriáceas; muitas vezes, é cultivada como arbusto.

Componentes químicos   Acetato de cinamila, acetato de eugenila, álcool cinamila, benzoato de benzila, cariofileno, cinamaldeído, eugenol, linalol, safrolo..

Usos espirituais   A canela melhora a percepção psíquica. Use esse óleo essencial com a intenção de estreitar laços com o Divino e maximizar suas habilidades intuitivas, inclusive os dons sensoriais da clariaudiência, claricognição, clarigustação, clariolfação, clarissenciência e clarividência.

Usos mentais   Use a canela para despertar do estupor mental, pois ela incrementa a função cognitiva. Revitaliza o fluxo sanguíneo e, à medida que a energia se move, aumenta a capacidade mental para ouvir, absorver e integrar tudo o que ocorre à sua volta e em sua mente. A canela é benéfica para ir além das normas do pensamento regular, permitindo-lhe usar a mente de diversas maneiras para obter novos resultados na vida.

Usos emocionais   A canela aumenta a confiança e a autoestima. Ajuda a eliminar os "bloqueios" de energia, permitindo que você vá além da percepção de que algo está entravando a consecução de seus objetivos, desejos ou projetos criativos. Inale esse óleo essencial enquanto repete a afirmação da página anterior. Ele preenche vazios emocionais que dão sensação de frio e estagnação.

Usos físicos   Use o aroma da canela para atiçar o apetite. Ela possui ação calórica que eleva a temperatura do corpo, aliviando, assim, gripes e resfriados. Também reduz os níveis de açúcar no sangue, mata fungos e bactérias, estimula a circulação e fortalece o coração. A canela diminui os níveis de colesterol ruim e a dor da artrite. Foi demonstrado, em estudos, que ela desacelera a proliferação das células cancerosas da leucemia e do linfoma e reduz ou elimina a candidíase devido às propriedades antifúngicas. A canela é um bom aliado, em aromaterapia, para artistas, comerciantes, empresários, inventores, líderes, músicos e padeiros.

Propriedades terapêuticas   Adstringente (moderado), afrodisíaco, analgésico, anestésico, antibactericida, anticonvulsivo, antidepressivo, antidiabético, antidiarreico, antídoto, antiemético, antiespasmódico, antifebril, anti-inflamatório, antioxidante, antiparasitário, antipútrido, antirreumático, antisséptico (forte), antitussígeno, antiviral, aperiente, cardíaco, carminativo, digestivo, emenagogo, emoliente, estimulante, estomáquico, estrogênico, hemostático, hepático, hipoglicemiante, inseticida, tônico.

Orientação divina   Você desejaria fazer algo de criativo? Sente que possui talento artístico? Já notou que uma atitude negativa o impede de agir para realizar alguma coisa? Deixe que sua inspiração flua e entenda a realidade manifesta. Chegou a hora de você prosperar e alcançar seus objetivos. Está pronto para usar seu poder e tornar-se tudo aquilo que deve ser. Possui a magnificência e a coragem para se mostrar em todo o esplendor!

Para sua segurança   Pode inibir a coagulação sanguínea, portanto evite esse óleo caso esteja tomando anticoagulantes. Não use no banho, pois pode irritar as mucosas. Não use se estiver grávida ou amamentando.

> *Dicas úteis:*
> Registros escritos sobre a canela como tempero remontam a 2700 a.C. É muito usada para refrescar o ar em salas de espera de restaurantes e para estimular o apetite. É um dos ingredientes que dão sabor à Coca-Cola. O aroma da canela atrai prosperidade e abundância. Coloquei paus de canela ao lado da caixa registradora de minha loja por anos.

CAPIM-LIMÃO
Entusiasmo

Nome botânico	*Cymbopogon citratus*
Nota	cabeça
Método de extração	destilação a vapor
Partes usadas	folhas (frescas ou parcialmente secas)
Fragrância	cítrica, doce, fresca, frutada, terrosa
Cores	amarelo-clara a amarelo-vivo
Chakras	esplênico, umbilical
Signos astrológicos	Escorpião, Leão
Planeta	Sol
Número	6
Animais	abelha, beija-flor
Elemento	Fogo

Afirmação   Sou grato pelo senso de pertencer a amigos, familiares e colegas. As bênçãos da autoconfiança ficam comigo todos os dias. Estou energizado e tenho muita resistência. Sou sereno e saudável!

Essências florais complementares   *Elm* para resistência e concentração duradoura no momento presente. *Hornbeam* para combater a sensação de sobrecarga e falta de entusiasmo. *Oak* para a pessoa se descontrair quando não consegue parar de fazer coisas. *Olive* quando é necessário um tempo para descansar e rejuvenescer.

Pedras complementares   Cornalina, crisoprásio, citrino, crisoprásio amarelo, pedra do sol.

Sobre a planta   Nativa da Índia, o capim-limão gosta de muito sol e é uma planta ervosa, com folhas em forma de espada, que alcança de 1 a 2 metros de altura.

Componentes químicos   Acetato de geranila, citronelal, geraniol, mirceno, neral (traços de limoneno e citral), nerole.

Usos espirituais   O capim-limão é bom para limpar a mente e o ambiente antes da contemplação, meditação e prece. Use-o para invocar o Arcanjo Ariel, o anjo da saúde geral e da vitalidade.

Usos mentais   O capim-limão revigora e promove a lucidez. Também aumenta a alegria e o entusiasmo, ajudando você a processar tudo o que ocorre à sua volta. Use-o para aprimorar sua capacidade de ver a vida com otimismo, aliviar a tensão e restaurar o equilíbrio após um período de estresse.

Usos emocionais   O capim-limão é útil para intensificar o espírito de pertencimento, de harmonia e compatibilidade no trabalho em equipe. Aumente a autoconfiança inalando esse óleo essencial enquanto faz a afirmação da página anterior.

Usos físicos   Use o capim-limão para aliviar dores articulares, abaixar a pressão sanguínea e matar germes. Em um óleo carreador, massagear os músculos com capim-limão aumenta sua flexibilidade, acelera a circulação e reduz a dor muscular. Esse óleo também diminui a transpiração excessiva, ajudando a eliminar a acne e a oleosidade da pele. É um bom repelente de insetos, reduz o cheiro dos animais de estimação e, de modo geral, desodoriza o ar. Pode ser usado para o alívio de dores de cabeça e até para amenizar os sintomas das diferenças de fusos horários. O capim-limão ajuda a manter os animais de estimação livres de carrapatos e pulgas. (Confirme com o veterinário antes de usá-lo no seu.) É um bom aliado, em aromaterapia, para ambientalistas e epidemiologistas.

Propriedades terapêuticas Adstringente, analgésico, antibactericida, antidepressivo, antifúngico, antimicrobiano, antisséptico, antiviral, antitranspirante, carminativo, desodorizante, diurético, febrífugo, galactagogo, inseticida, nervino, sedativo (sistema nervoso), tônico.

Orientação divina Você está enfrentando algum problema com tudo quanto ocorre à sua volta? Acha difícil pensar com clareza, dado que seus pensamentos estão congestionados? Permita que o fluxo brilhante da luz solar traga clareza e energia à sua vida, inundando-a de paz e serenidade.

Para sua segurança Para aplicações na pele, use em pequenas quantidades diluídas a 1% ou menos. Não use se estiver grávida ou amamentando.

> *Dicas úteis:*
> O capim-limão, que atua como feromônio de atração, é usado como "armadilha de enxames" para atrair abelhas a uma falsa colmeia. É uma erva culinária muito comum na cozinha asiática. Tem sido prescrito, sob a forma de chá de cascas, contra a tosse e a má digestão. Se plantado no quintal, diz-se que repele insetos.

CARDAMOMO
Digira a Vida

Nome botânico	*Elletaria cardamomum*
Nota	coração
Método de extração	destilação a vapor
Partes usadas	sementes não maduras
Fragrâncias	doce, especiarias, pungente, quente
Cores	clara, amarelo-clara
Chakras	coronário, esplênico
Signos astrológicos	Câncer, Virgem
Planeta	Lua
Número	9
Animais	abutre, falcão
Elemento	Fogo

Afirmação Aceito com facilidade tudo o que acontece na minha vida. Sem problemas, absorvo e processo minhas experiências e tudo quanto ocorre à minha volta. Meu sistema digestório é saudável. Consigo distinguir a verdade e ajo de modo positivo usando a sabedoria dos mais velhos e dos ancestrais. Sou um canal de amor, luz e bem-estar.

Essências florais complementares *Hornbeam* para quando você estiver sobrecarregado. *Mimulus* para promover integração, sensibilidade maior e despreocupação com o futuro. *Mustard* para aliviar a depressão.

Pedras complementares Apatita, calcita dourada, citrino, fluorita, quartzo canalizador, peridoto, trilobita fóssil.

Sobre a planta O cardamomo é um arbusto perene da família do gengibre. Chega a 3 metros de altura.

Componentes químicos   Acetato de linalila, acetato de terpinila, cineole, geraniol, limoneno, linalol, mirceno, nerolidol, sabineno, terpineno, terpineol, pineno.

Usos espirituais   O cardamomo ajuda a otimizar seu sistema de filtração quando você estiver recebendo mensagens canalizadas dos ancestrais do Outro Lado. Em pessoas muito sensitivas e intuitivas, ajuda a ativar e manter um chakra coronário aberto para receber a sabedoria das idades. Também impede que energias negativas interfiram no processo de canalização, de modo a fazer de você um canal desobstruído.

Usos mentais   O cardamomo alivia a fadiga mental e melhora os processos de pensamento. Esse óleo de aroma de especiarias dá clareza à mente. O cardamomo é útil quando você precisa de apoio para enfrentar a complexidade da vida. Dado que pode ajudar a pessoa a distinguir o que é importante daquilo que não é, mostra-se especialmente benéfico para quem trabalha com detalhes, agendas ou organização.

Usos emocionais   Adicione o cardamomo a uma mistura sinergética para sair de estados depressivos e reanimar-se. Ele lhe dá a capacidade de integrar tudo quanto ocorre à sua volta. Esse óleo digestivo ajuda a pessoa a digerir a vida e a concluir que só precisa reter o que a nutre emocional e mentalmente, expelindo o que já não serve a seu bem superior. O cardamomo nos ajuda a determinar quais sentimentos nos pertencem de fato e quais nos foram impostos pela sociedade ou por outras pessoas.

Usos físicos   A vibração do cardamomo pode ajudá-lo a optar por uma dieta saudável. Em *The Fragrant Mind*, Valeri Ann Worwood explica que o óleo de cardamomo é estimulante do apetite e da memória, sendo eficaz em casos de demência e doença de Alzheimer. Acalma espasmos intestinais e flatulência, além de eliminar parasitas. Use o cardamomo para equilibrar a vesícula biliar e o fígado, assim como para melhorar o apetite. Por ser diurético, o cardamomo também baixa a pressão sanguínea. Como anti-inflamatório, combate resfriados, gripes e problemas dos brônquios. É um bom aliado, em aromaterapia, para consultores, dietistas, engenheiros, gastroenterologistas, juízes, leitores intuitivos e músicos.

Propriedades terapêuticas   Afrodisíaco, antiespasmódico, antimicrobiano, antiparasitário, antisséptico, antitussígeno, carminativo, cefálico, digestivo, diurético, estimulante, estomáquico, tônico.

Orientação divina   Você se sente inspirado com frequência? É um canal que recebe mensagens dos anjos e dos entes queridos que estão do Outro Lado? Esforce-se para desanuviar a consciência a fim de distinguir a verdade e ter lucidez na vida. Peça compreensão e clareza a seus ancestrais, guias espirituais e anjos. Então, estará pronto para receber inspiração.

Para sua segurança   Não use se estiver grávida ou amamentando. Deixe longe do rosto de crianças e bebês.

> *Dicas úteis:*
> Os antigos egípcios mastigavam sementes de cardamomo para a higiene dos dentes. No Oriente Médio, o cardamomo era usado como afrodisíaco.

CEDRO
Protege e Limpa

Nome botânico	*Juniperus virginiana*
Nota	base
Método de extração	destilação a vapor
Partes usadas	casca, serragem, madeira e cavacos
Fragrância	terrosa, amadeirada, lembrando a floresta
Cores	amarela, verde
Chakras	básico, coronário, esplênico
Signo astrológico	Capricórnio
Planetas	Saturno, Terra
Números	69/6
Animais	besouro, libélula, búfalo branco
Elemento	Terra

Afirmação   A cada passo que dou, conscientizo-me de minha conexão com o solo sagrado. A vibrante energia verde-esmeralda das plantas e das árvores nutre e restaura meu corpo, minha mente e meu espírito. Tudo quanto preciso saber já se encontra dentro de mim: basta que eu acesse minha sabedoria e meu conhecimento interiores.

Essências florais complementares   *Clematis* para concentração. *Red Chestnut* para paz mental. *Walnut* para proteção.

Pedras complementares   Ágata laço azul, ágata de musgo verde, citrino, hematita, madeira petrificada, ágata-árvore.

Sobre a planta   O cedro virginiano é uma árvore perene que chega a mais de 30 metros de altura. Parte do *genus Juniper*, não é, na verdade, um cedro.

Componentes químicos   Cedreno, cedrol, chamigreno, cupareno, himacaleno, selineno, tujopseno, widrol.

Usos espirituais   Acrescente o cedro a misturas sinergéticas para eliminar a negatividade. A sálvia e o cedro são tradicionalmente queimados juntos em cerimônias e fumigações; assim também, use-os em combinação em um vapor aromático-energético para combater a energia negativa. O cedro ajuda na meditação e na prece, aprofundando a prática espiritual e os rituais. É útil quando queremos consolidar uma prática de visualização ou nos concentrarmos em uma intenção a fim de aproveitar bem os dons da lei da atração. Estimula visões proféticas.

Usos mentais   Use o óleo de cedro para ficar com os pés no chão. Use-o quando estiver mentalmente cansado, para retomar a concentração. Estabiliza e ajuda as pessoas com sintomas de hiperatividade e déficit de atenção. A energia da árvore nos ajuda a consolidar nossos potenciais interiores.

Usos emocionais   O cedro ajudará você a recuperar o equilíbrio por meio da natureza. Ele o estimulará a passar mais tempo ao ar livre, a fim de superar problemas emocionais. Na natureza, use esse óleo para visualizar as toxinas emocionais saindo da sola de seus pés em direção ao chão. O óleo de cedro pode ser usado para acalmar os nervos, pois reduz o estresse e a ansiedade.

Usos físicos   O cedro tem sido usado para reduzir a pressão sanguínea. Combate vários problemas de pele, inclusive rachaduras, eczema, psoríase e acne. Previne a calvície. Use o cedro em misturas sinergéticas para aliviar a congestão e desobstruir os canais da respiração. Repele moscas. Reduz as dores musculares e os sintomas do reumatismo e da artrite. As árvores de cedro possuem a vibração do Guardião da Terra, o administrador do nosso planeta. É um bom aliado, em aromaterapia, para ambientalistas, arboristas, dermatologistas, donas de casa, ecologistas, facilitadores/praticantes de meditação, infectologistas, neurologistas, paisagistas, praticantes de xamanismo, profissionais da lei.

Propriedades terapêuticas   Adstringente, antiespasmódico, antipruriginoso, antisseborreico, antisséptico, antitussígeno, balsâmico, curativo (pele), diurético, emenagogo, emoliente, inseticida, sedativo.

Orientação divina   Você pretende ampliar sua concentração e capacidade de fundamentar experiências espirituais? Permita, então, que as qualidades do cedro deem nova dimensão à sua concentração e preservem seu conhecimento, sua sabedoria, seu amor e sua proteção. Tem passado algum tempo na natureza? Quer more em um pequeno apartamento na cidade ou em uma fazenda, você sempre poderá encontrar uma maneira de aprofundar suas raízes na terra e na natureza. Use os íons negativos das montanhas, do mar ou do ar, que fornecem energia positiva, para devolver o equilíbrio e assegurar seu bem-estar geral.

Para sua segurança   Não use se estiver grávida ou amamentando.

> *Dicas úteis:*
> Tradicionalmente usado pelos nativos norte-americanos em cerimônias de preces e bênçãos, o cedro é, muitas vezes, incluído em misturas de fumigação a fim de substituir a negatividade por energia positiva. Os antigos egípcios usavam o óleo de cedro no processo de embalsamamento. Ramos de cedro eram usados como decoração nos rituais yule.

CIPRESTE AZUL
Mundo Subterrâneo e Transformação

Nome botânico	*Callitris intratropica*
Notas	base a coração
Método de extração	destilação a vapor
Parte usada	madeira
Fragrância	amadeirada, balsâmica, cítrica, doce, esfumaçada, frutada, resinosa, semelhante à do alcaçuz
Cores	marrom, púrpura, rosa, verde
Chakras	básico, esplênico, umbilical
Signo astrológico	Escorpião
Planetas	Ceres, Quíron, Plutão
Número	8
Animais	urso, lagarto
Elemento	Ar

Afirmação   Aceito plenamente a profundidade dos meus sentimentos. Sei que qualquer sentimento intenso, como raiva, tristeza ou angústia, passará se eu o eliminar conscientemente do meu corpo. Mantenho contato com entes queridos do Outro Lado e interpreto facilmente suas mensagens.

Essências florais complementares   *Mimulus* para preocupação e medo de coisas conhecidas ou desconhecidas. *Red Chestnut* para inquietação excessiva pelo bem-estar de um ente querido falecido. *Walnut* para mudança de uma maneira de ser para outra. *White Chestnut* para acalmar a mente.

Pedras complementares   Calcita rosa, diamante Herkimer, jaspe pele de cobra, lágrima-de-apache, quartzo rosa, rodonita.

Sobre a planta   O cipreste azul é uma árvore perene com folhas verde-escuras e cones. Chega à altura de 25 metros.

Componentes químicos   Cadaleno, calitrino, calitrisino, chamazuleno, columelarino, di-hidrocolumelarino, elemol, eudesmol, guaiazuleno, guaiol, selineno.

Usos espirituais   O cipreste azul é um ingrediente essencial em misturas sinergéticas usadas para facilitar as jornadas xamânicas ao mundo subterrâneo. Por aguçar a consciência e a percepção, é um óleo excelente para o sonho lúcido, a tarefa diária e o aprimoramento da visão. Use esse óleo para melhorar a visão espiritual e a clarividência. O cipreste azul desperta em sua consciência uma compreensão mais profunda dos seus ancestrais e melhora sua capacidade de contatar entes queridos do Outro Lado.

Usos mentais   Esse óleo estabiliza e acalma a mente. O aroma do cipreste azul promove e sustenta a atividade mental, estimulando a criatividade e a geração de novas ideias.

Usos emocionais   Em uma mistura sinergética com óleo essencial de jacinto, o cipreste azul nutre e reconforta em tempos de tristeza. Dá a você a coragem de pedir apoio, enquanto permite que seus sentimentos de tristeza tomem o curso normal (o que pode ser muito difícil, às vezes). Também ajuda com sentimentos, emoções e autoaceitação próprios aos relacionamentos do mesmo sexo. Ajuda no processo transformacional de se aceitar como se é, ignorando possíveis julgamentos alheios. Esse óleo lhe dá força quando você é acossado por uma multiplicidade de emoções – de culpa, raiva, queixa, vergonha e confusão ao alívio, traição, abandono e aceitação.

Usos físicos   O cipreste azul alivia dores musculares e articulares, bem como os sintomas de artrite. Acrescente-o a uma mistura sinergética como fixador para estabilizar o aroma dos óleos voláteis. Funciona como repelente de insetos. Algumas pesquisas sugerem que é útil para o alívio de alergias, picadas de insetos, ardências e erupções cutâneas. As propriedades antivirais ajudam a reduzir a dor e diminuem o tempo de cura de verrugas, aftas e herpes. O óleo de cipreste azul é um bom aliado, em aromaterapia, para artistas, escritores, inventores e músicos.

Propriedades terapêuticas   Analgésico, antiartrítico, antibactericida, anti-inflamatório, antiviral, inseticida, sedativo.

Orientação divina   Você se preocupa com a situação dos entes queridos que já foram para o Outro Lado? Não sabe se os outros o aceitam como é? Fique tranquilo e diga a si mesmo: "Minha mente está calma e relaxada. Tenho certeza de que meus entes queridos estão sãos e salvos". Saiba que é capaz de atrair amigos e associados que o aceitem exatamente como é. Tolerância e aceitação são parte da sua vida – tanto no modo como você vê os outros quanto no modo como é acolhido.

Para sua segurança   Não use se estiver grávida ou amamentando.

> *Dicas úteis:*
> O cipreste simboliza tristeza e luto. Tem também laços com o Mundo Subterrâneo na lenda grega de Kyparissos. Os nativos norte-americanos usavam o cipreste azul do Arizona nos partos. Seu aroma está presente no *Poison*, da Dior.

COENTRO
Limpeza

Nome botânico	*Coriandrum sativum*
Notas	cabeça a coração
Método de extração	destilação a vapor
Partes usadas	sementes
Fragrância	amadeirada, cítrica, doce, especiarias, fresca, terrosa, verde
Cores	amarela, laranja, oliva, verde, verde-azulada,
Chakras	esplênico, umbilical
Signos astrológicos	Câncer, Capricórnio, Virgem
Planetas	Ceres, Lua, Mercúrio, Saturno
Número	2
Animais	golfinho, rã
Elementos	Ar, Água

Afirmação   Bênçãos fluem por mim como um rio de águas que curam. Sou fluido. Sou puro e limpo. Costumo relaxar na piscina, no banho, em rios e lagos. Bebo a quantidade certa de água para manter um corpo fluido e saudável.

Essências florais complementares   *Chestnut Bud* para identificar os padrões de vida e aplicar as lições aprendidas. *Crab Apple* para se sentir limpo e saudável. *Gentian* para motivação.

Pedras complementares   Ágata de árvore, ágata de musgo verde, apatita, calcita dourada, calcita dente-de-cão, citrino, cobre, cornalina, diamante Herkimer, fluorita, *howlita*, jaspe zebra, malaquita, quartzo transparente, quartzo fantasma, serpentina, *unakita*.

Sobre a planta   O coentro é uma planta semelhante à salsa e chega a 1 metro de altura. Tem flores brancas que dão sementes verdes.

Componentes químicos   Acetato de geranila, cânfora, geraniol, limoneno, linalol, pineno, terpineno, terpineol.

Usos espirituais   Assim como você usa o coentro para eliminar toxinas físicas do corpo, pode usá-lo também para limpar sua aura ou seu campo energético. A sabedoria espiritual do reino vegetal e as forças dévicas das plantas podem ser aproveitadas graças a esse aroma refrescante. O óleo abre as portas para o mundo das fadas, dos gnomos e dos elfos, dando a oportunidade de conhecê-los e saudá-los.

Usos mentais   O coentro estimula a memória e a clareza mental. Esse óleo essencial energizante aumenta a resistência física necessária para você se concentrar no que deve ser feito, ao mesmo tempo que preserva a motivação para fazê-lo. Ajuda-o a se concentrar no que é necessário para o momento, em vez de se dispersar naquilo que terá de ser feito só mais tarde.

Usos emocionais   O óleo de coentro é útil quando você se decide a ficar livre da bagagem emocional que está paralisando seu corpo emocional e comprometendo seus relacionamentos saudáveis. Poderá ajudá-lo a detectar e liberar emoções que estejam borbulhando sob a superfície, de modo que você possa conseguir a cura emocional e romper padrões repetitivos indesejáveis em seus relacionamentos. Use o coentro para agir e seguir em frente na vida. É útil quando você está enfrentando um bloqueio emocional.

Usos físicos   A vibração purificadora e refrescante do coentro estimula a digestão, equilibrando o processo digestivo e promovendo movimentos intestinais saudáveis. O óleo de coentro é útil para aliviar a dor e os sintomas da osteoartrite e do reumatismo. Ajuda a remover as toxinas que causam dor nas articulações. O coentro também favorece o sono. É um bom aliado, em aromaterapia, para arboristas, aromaterapeutas, cardiologistas, cirurgiões cardíacos, conselheiros matrimoniais e jardineiros.

Propriedades terapêuticas Abortivo, afrodisíaco, analgésico, anestésico, antibactericida, antiespasmódico, antifebril, anti-inflamatório, antimutagênico, antioxidante, antirreumático, antitumoral, aperiente, calmante, calórico, cardiotônico, carminativo, depurativo, desintoxicante, desodorizante, diaforético, digestivo, diurético, emenagogo, estimulante (sistema circulatório), estomáquico, excitante, hepático, nervino, refrescante, regenerativo, revitalizante, tônico.

Orientação divina Você tem compartimentalizado seus sentimentos e pensamentos? É hora de mergulhar em sua consciência por meio da meditação ou da contemplação a fim de curar feridas antigas em todos os níveis e voltar ao mundo. Procure detectar o que precisa ser eliminado ou renovado em sua vida. Faça com que o fluxo natural desintoxique seu corpo, sua mente e suas emoções.

Para sua segurança Não há contraindicações.

Dicas úteis:
O coentro vem sendo usado como tempero na culinária e para fins medicinais desde tempos antigos (remontando a 5000 a.C.) na Babilônia, no Egito, na Grécia e em Roma. *Cilantro* é a palavra espanhola para suas folhas. Segundo se diz, os antigos chineses acreditavam que as sementes continham o poder da imortalidade. O coentro é uma das ervas amargas incluídas com frequência no ritual de Páscoa judaico.

CRAVO-DA-ÍNDIA
Força

Nome botânico	*Eugenia caryophyllata*
Nota	base
Método de extração	destilação a vapor
Partes usadas	folhas
Fragrância	especiarias, forte, frutada, quente
Cores	marrom, laranja, branca, amarela
Chakras	coronário, esplênico, frontal, umbilical
Signos astrológicos	Áries, Gêmeos, Sagitário
Planetas	Júpiter, Marte, Mercúrio
Números	13, 15/6
Animais	falcão, tartaruga
Elementos	Ar, Fogo

Afirmação   Sou forte. Meu centro interior é poderoso. Tenho coragem para estabelecer limites com amor e graça. Estou protegido de energias negativas. As experiências passadas só me tornam mais forte. A criatividade flui por mim de milhares de maneiras. Sou corajoso. Concretizo minhas ideias.

Essências florais complementares   *Centaury* para estabelecer limites e se impor. *Oak* em momentos de fraqueza e cansaço. *Olive* para descansar e reconectar-se com os prazeres da vida.

Pedras complementares   Âmbar, aragonita, calcita dente-de-cão, calcita dourada, calcita laranja, citrino, cornalina, jaspe em geral, jaspe mocaíta, topázio dourado.

Sobre a planta   O cravo-da-índia é uma árvore tropical perene que chega a 12 metros de altura. Tem brotos rosados, brilhantes, que se transformam em bagas de cor púrpura.

Componentes químicos   Acetato de cariofileno, eugenila, eugenol, isoeugenol.

Usos espirituais   O óleo de cravo-da-índia protege de maus desejos e energia negativa oriundos dos próprios padrões de pensamento. Combate o ciúme. Acrescente-o a uma mistura sinergética protetora para fortalecer a fé e ajudá-lo a se lembrar de que está divinamente protegido. O aroma do óleo de cravo-da-índia pode ser um aliado durante a terapia de regressão, pois ajuda a lembrar e identificar o que é importante nesse momento para a evolução espiritual. Combina bem com as técnicas de visualização criativa, melhorando, com isso, todas as áreas de sua vida.

Usos mentais   O cravo-da-índia tem efeito estimulante para a mente, devido à energia quente, e aumenta sua capacidade de pensar com clareza, apreender ideias e descobrir como colocá-las em prática. Inale o aroma do óleo de cravo-da-índia para melhorar a memória e ter lucidez a fim de estabelecer limites saudáveis com facilidade e graça.

Usos emocionais   As vibrações de especiarias do cravo-da-índia fortalecem o campo emocional aumentando sua energia. Ele alivia a tristeza e os sintomas da depressão. As vibrações do cravo-da-índia fortalecem a autoconfiança. Ele combate a letargia energética e melhora a capacidade de aceitar sentimentos e seguir em frente. A fim de aumentar sua coragem, aspire o óleo de cravo-da-índia e imagine um desfecho positivo para a circunstância que está exigindo força.

Usos físicos   O óleo de cravo-da-índia é bom para livrar a atmosfera de doenças infecciosas. Sabe-se que combate a flatulência. Tem sido usado há anos para aliviar dores de dente. Suas propriedades analgésicas amenizam a dor muscular (nesse caso, é especialmente benéfico em uma mistura sinergética com bétula, gualtéria e outros óleos analgésicos). Elimina parasitas do corpo. É um bom aliado, em aromaterapia, para ambientalistas, controladores de epidemias, dentistas, *designers* gráficos, especialistas em terapia da regressão, instrutores de pilates, massagistas, otorrinolaringologistas, padeiros, praticantes de feng shui, profissionais da lei e treinadores físicos.

Propriedades terapêuticas   Abortivo, afrodisíaco, analgésico, anestésico (local), antibactericida, antibiótico, antidepressivo, antiemético, antiespasmódico, antiestresse, antifúngico, anti-inflamatório, antineurálgico, antioxidante, antiparasitário, antirreumático, antisséptico (forte), antitussígeno, antiviral, aperiente, carminativo, cáustico, cicatrizante, dermatológico, emenagogo, estimulante (vitalidade), estomáquico, inseticida, tônico.

Orientação divina   Você está envolvido em um projeto criativo ou pensa iniciar um? Tem adiado o projeto ou evitado determinadas tarefas? Pode ter boas ideias e desenvolver a capacidade de conceber algo realmente magnífico. Anime-se a agir para transformar seus sonhos e suas ideias em realidade. Talvez tenha evitado encarar um problema emocional. Procure descobrir a origem dos padrões emocionais. Remova os obstáculos que se instalaram em seu corpo emocional e cure-se de uma vez por todas.

Para sua segurança   O óleo de cravo-da-índia pode irritar a pele. Pode também inibir a coagulação do sangue, devendo ser evitado se você estiver usando anticoagulantes. Não use em jovens menores de 19 anos. Não use se estiver grávida ou amamentando. O cravo-da-índia é um dos ingredientes do *Auntie M's Anti-Disinfecting Oil*, original por suas propriedades antibactericidas, antifúngicas, antissépticas, antivirais e antiparasitárias.

> *Dicas úteis:*
> O uso mais antigo do cravo-da-índia (cerca de 220 a. C.) ocorreu entre os chineses, que o mastigavam para suavizar o hálito. Na Inglaterra, é ingrediente tradicional em tortas, presunto e marinados. Também é usado em perfumes como *Tabu*, da Dana, *Cinnabar*, da Lauder, *Opium*, da Laurent, e *Coco*, da Chanel.

ELEMI
Só a Mudança Permanece

Nome botânico	*Canarium luzonicum*
Notas	cabeça a coração
Método de extração	destilação a vapor
Partes usadas	goma ou resina da casca
Fragrância	cítrica, especiarias
Cores	amarela, laranja
Chakras	coronário, esplênico, umbilical
Signos astrológicos	Aquário, Câncer
Planetas	Lua, Urano
Números	0, 5, 55
Animais	águia, serpente
Elementos	Ar, Água, Fogo

Afirmação   Aceito a mudança. Reconheço que ela pode melhorar situações de vida. Sou grato pelo movimento de energia equilibrado dentro de mim. Confio no fluxo descontraído do dia. Quando relaxo, grandes ideias afluem à minha consciência.

Essências florais complementares   *Crab Apple* para eliminar toxinas e hábitos. *Walnut* para encarar mudanças. *Wild Oat* para superar obstáculos.

Pedras complementares   Âmbar, ametrino, azeviche, calcita laranja, lepdolita, quartzo esfumaçado.

Sobre a planta   O elemi é uma árvore perene que chega a 25 metros de altura. Possui flores amarelas aromáticas que se desenvolvem em frutos do tamanho de ameixas. Eles contêm a amêndoa-de-java.

Componentes químicos   Cimeno, cineole, elemol, elemicino, felandreno, limoneno, mirceno, pineno, sabineno, metileugenol.

Usos espirituais   Os efeitos calmantes do elemi tornam-no auxiliar perfeito da meditação. Inale-o para ativar a intuição e o senso de segurança. Esse óleo potencializa as capacidades psíquicas. Use-o para ter ideias súbitas e momentos de iluminação para si mesmo e para aqueles que o cercam, durante a meditação ou a prática espiritual.

Usos mentais   O elemi estreita a ligação com o gênio interior. Use esse óleo para incorporar bons pensamentos e ideias positivas à sua vida. Ele estimula você a fazer as mudanças necessárias para reestruturar os pensamentos que giram constantemente em sua consciência. Deixe que esse óleo seja sempre um lembrete para você observar seus pensamentos e ter certeza de que são aquilo que gostaria de divulgar para o Universo! Tudo que pensamos se torna nossa realidade.

Usos emocionais   Permita que a vibração do elemi o ajude em ocasiões de mudança. Use-o para acolher o novo enquanto libera velhas emoções, sentimentos de medo e sistemas de crenças que geram bloqueios. O elemi tem a vibração necessária para liberar e mudar. Pode ajudá-lo a se afastar daquilo que já não favorece seu bem maior, enquanto promove sensação de calma e entrega em ocasiões vulneráveis. Inale esse óleo essencial e repita as afirmações da página anterior. O elemi o ajudará a cultivar sentimentos profundos e a descobrir maneiras saudáveis de externá-los.

Usos físicos   Use o elemi para ter sono repousante. Ele é bom também para reduzir a transpiração excessiva e combater infecções por fungos e feridas. Reduz a produção de muco e é benéfico para aprofundar a respiração, o que é um bom relaxamento quando a pessoa está deixando de fumar. Ajuda a acalmar os nervos durante esse processo. O elemi difundido no ar fresco afasta a fumaça do cigarro. Pode ser usado como fixador para misturas sinergéticas que incluam óleos cítricos. É um bom aliado, em aromaterapia, para astrólogos, clarividentes, especialistas em reabilitação de viciados em drogas, facilitadores/praticantes de meditação, leitores intuitivos e neurologistas.

Propriedades terapêuticas   Analgésico, antibactericida, antifúngico, antisséptico, antitussígeno, antiviral, balsâmico, cicatrizante, estimulante (sistema imunológico), estomáquico, nervino, tônico, vulnerário.

Orientação divina   Você está vivenciando mudanças importantes em sua vida que desafiam seu estado emocional? Tenha confiança no processo de mudança, reconheça e aceite seus sentimentos. Reserve um tempo para equilibrar sua energia física, mental, emocional e espiritual.

Para sua segurança   Não use em crianças pequenas nem se estiver grávida ou amamentando.

> *Dicas úteis:*
> Os antigos egípcios usavam elemi no processo de embalsamamento.

EUCALIPTO
Respire Profundamente

Nome botânico	*Eucalyptus glubulus* ou *Eucaliptus radiata*
Notas	cabeça a coração
Método de extração	destilação a vapor
Partes usadas	folhas e galhos
Fragrância	apimentada, estimulante, forte, medicinal, penetrante
Cores	azul, cinza, marrom, verde
Chakras	todos
Signos astrológicos	Áries, Gêmeos
Planetas	Marte, Mercúrio
Números	5, 15, 55
Animais	coala, ouriço
Elementos	Ar, Terra

Afirmação   Respiro profundamente e o oxigênio enche meu corpo. Sinto-me protegido. Tenho consciência das conexões energéticas entre mim e os outros. De modo automático, removo apegos prejudiciais que me afetam mental, emocional, física e espiritualmente. Em meu espaço, permito apenas bondade e amor. Estou protegido de influências negativas.

Essências florais complementares   *Gentian* para remover bloqueios e ativar motivação. *Holly* para combater a raiva e atrair pessoas de confiança. *Walnut* para eliminar apegos e hábitos prejudiciais.

Pedras complementares   Ágata azul, calcedônia azul, crisocola, jaspe kambaba, lápis-lazúli, sodalita, turmalina negra.

Sobre a planta   Com folhas verdes aromáticas e casca escura, o *globulus* atinge altura de 145 metros, o que o torna uma das árvores mais altas do mundo. Com casca escura e folhas verdes aromáticas, estreitas, o *radiata* chega a 50 metros de altura.

Componentes químicos. (*Globulus*) aromadendreno, cimeno, cineole, globulol, limoneno, pineno, pinocarveol, pinocarvono; (*radiata*) cariofileno, cineole, geraniol, mirceno, pineno, piperitona, ternineno, terpineol piperitol.

Usos espirituais   O eucalipto é um bom óleo essencial para incorporar à sua prática de meditação ou yoga, pois ajuda a ter consciência da respiração e desobstrui as vias respiratórias, proporcionando, além disso, mente clara. O eucalipto atrai a vibração do Arcanjo Miguel e altos níveis de proteção. Elimina a energia psíquica negativa, sendo, portanto, um bom óleo para acrescentar a uma mistura sinergética e, assim, limpar o espaço energético.

Usos mentais   O eucalipto estimula o fluxo sanguíneo cérebral e, por isso, deixa a pessoa mais alerta. É benéfico quando você pretende eliminar pensamentos negativos ou tóxicos. Seu aroma refrescante ajuda na limpeza dos processos mentais que criam bloqueios.

Usos emocionais   O eucalipto refresca quando você está com a cabeça quente ou irritado. Inale-o profundamente para eliminar sentimentos de agitação e frustração. Use-o como vapor aromático-energético para modificar a energia de um recinto e livrá-lo de emoções muito intensas.

Usos físicos   Use o eucalipto aos primeiros sinais de resfriado ou incômodo respiratório, pois ele reduz os sintomas do resfriado, da gripe e das alergias. Desobstrui as passagens respiratórias, aliviando a congestão nazal, os seios da face e os brônquios. O eucalipto alivia também dores musculares. O *radiata* ajuda a aliviar a dor e os sintomas do herpes-zóster. É um excelente desodorizante tanto para o corpo quanto para o ar. É, ainda, um bom desinfetante. O *radiata* é um dos melhores repelentes naturais de insetos e diz-se que funciona por 90 minutos. O eucalipto, tanto *radiata* quanto *globulus*, é um bom aliado, em aromaterapia, para ambientalistas, atletas, donas de casa, epidemiologistas, infectologistas, maratonistas, pneumologistas e profissionais da lei.

Propriedades terapêuticas Adstringente, analgésico, antibactericida, antibiótico, antidiabético, antídoto, antiespasmódico, antifúngico, anti-inflamatório, antineurálgico, antiparasitário, antiprurítico, antipútrido, antirreumático, antisséptico (forte), antitussígeno, antivenoso, antiviral (trato respiratório), cefálico, cicatrizante, depurativo, descongestionante, desodorizante, diaforético, diurético, estimulante (sistema circulatório), febrífugo, germicida, hemostático, inseticida, purificante, refrescante, regenerativo (pele), revigorante, rubefaciente, tônico, vivificante, vulnerário.

Orientação divina Você tem percebido energia negativa nos outros e em si mesmo? Tem tido dores de cabeça frequentes e nos seios da face? Então, você precisa restaurar o equilíbrio emocional, físico e mental. Pratique visualização, meditação e/ou aromaterapia para dar tranquilidade a todos os aspectos de sua vida e corpo. Tranquilidade e paz estão sempre disponíveis para você.

Para sua segurança Evite (ou use em pequenas quantidades) se tiver epilepsia ou pressão sanguínea alta. Pode interferir na eficácia de remédios homeopáticos. Não use se estiver grávida ou amamentando. Não use em crianças.

Dicas úteis:
O óleo essencial de eucalipto é muito usado em saunas e *spas*. As folhas do eucalipto são o único alimento dos coalas. Use esse óleo para eliminar ácaros em camas ou tecidos. O eucalipto *radiata* é um dos ingredientes de minhas misturas Auntie M.

FUNCHO
Transições Fáceis

NOME BOTÂNICO	*Foeniculum vulgare*
NOTAS	coração a cabeça
MÉTODO DE EXTRAÇÃO	destilação a vapor
PARTES USADAS	sementes
FRAGRÂNCIA	doce, herbácea, pulverulenta, semelhante à do alcaçuz
CORES	amarela, verde, verde-limão, verde-oliva,
CHAKRA	esplênico
SIGNOS ASTROLÓGICOS	Câncer, Gêmeos, Virgem
PLANETAS	Lua, Mercúrio, Terra
NÚMEROS	40/4
ANIMAIS	aranha, bicho-preguiça, ouriço
ELEMENTOS	Ar, Água

Afirmação   Interesso-me pelo mundo à minha volta. Gozo a vida e meu forte senso de propósito. Mesmo quando o mundo se transforma constantemente ao meu redor, permaneço estável e concentrado. Recorro às minhas habilidades curativas inatas para reequilibrar meus corpos emocional, espiritual e físico.

Essências florais complementares   *Agrimony* para aliviar a angústia mental e encontrar a verdadeira felicidade. *Clematis* para ajudar você a estar presente e concretizar seu potencial criativo. *Walnut* para lidar com as mudanças naturais e os ciclos da vida. *White Chestnut* para eliminar pensamentos e lembranças indesejáveis.

Pedras complementares   Apatita, calcita dourada, calcita verde, citrino, crisoprásio, crisoprásio-limão, peridoto, prenita.

Sobre a planta   Nativo da Ásia e da Europa, o funcho cresce em caules que chegam de 1 a 2 metros de altura, sendo parecido com o aipo. Tem folhas verdes, semelhantes a cabelo, e flores amarelas que dão sementes.

Componentes químicos   Anetole, felandreno, fenchone, estragol, limoneno, pineno.

Usos espirituais   O funcho estimula a tolerância, a compaixão e a compreensão. Use esse óleo para apurar a percepção e observar a situação ou a si mesmo de uma perspectiva superior. O funcho ajuda a manter um filtro limpo para canalizar e acessar os Registros Akáshicos (informação e registros de tudo que já houve, de tudo que haverá e das realidades potenciais ilimitadas existentes no espaço não físico, disponíveis a todos).

Usos mentais   O funcho ajuda a aumentar a coragem e permite antever os resultados das ações com o olho da mente. Aumenta também a força mental para que você possa enfrentar formas-pensamento repetitivas e indesejáveis, auxiliando a eliminar preocupações e lembranças ruins. Use o funcho para impedir mentalmente a lembrança de atritos ou cenários inquietantes. Por reduzir o estresse, ele o ajudará a descobrir o que precisa fazer para absorver e processar a vida com mais desenvoltura.

Usos emocionais   O funcho ajuda você a enfrentar problemas emocionais que se manifestam como indigestão, palpitações ou dores de estômago. Você verá com mais objetividade quais sentimentos, pessoas, lugares e situações o estão deixando agitado. No nível emocional, você conseguirá processar e encarar melhor a fonte do problema. Inale o aroma doce do funcho para ter a coragem de eliminar bloqueios e realizar projetos.

Usos físicos O funcho ajuda a eliminar a retenção de líquido e a inflamação. Use-o também para se livrar do excesso de gordura. O funcho alivia a flatulência e contribui para a digestão, especialmente para o bom funcionamento da vesícula biliar, do fígado, do pâncreas, do baço e dos rins, estimulando a produção correta de enzimas digestivas. Ajuda a amenizar as dores menstruais e a tensão. Dada a presença do constituinte químico estragol, pode afetar os hormônios, pois possui efeito semelhante ao do estrógeno. Sabe-se que estimula a lactação nas mães que estão amamentando, desde que usado com moderação. O funcho é um bom aliado, em aromaterapia, para dietistas, doulas, gastroenterologistas e ginecologistas.

Propriedades terapêuticas Adstringente, antibactericida, antídoto, antiemético, antiespasmódico, antiflogístico, antifúngico, antiparasitário, antisséptico, antitóxico, antitussígeno, aperiente, calmante, carminativo, depurativo, descongestionante, desintoxicante, diaforético, digestivo, diurético, emenagogo, estimulante (contrações uterinas, níveis de estrógeno), estomáquico, estrogênico, galactagogo, hepático, inseticida, laxante, regulador (sistema reprodutor feminino), resolvente, revitalizante, tônico.

Orientação divina Na vida, o que você não aceita? Tem sido incomodado por pessoas ou situações que o deixam inquieto? Não consegue perceber bem os detalhes daquilo que acontece à sua volta e dentro de você mesmo? Precisa de mais compreensão para encontrar o rumo que pretende seguir? Então é hora de se decidir por uma abordagem firme e achar soluções realistas, reservando um tempo para examinar-se e analisar a situação por meio da contemplação silenciosa.

Para sua segurança Pode inibir a coagulação sanguínea, portanto evite-o se estiver tomando anticoagulantes. Não use caso tenha crises epilépticas nem se estiver grávida ou amamentando. Use moderadamente durante a amamentação.

> *Dicas úteis:*
> As sementes de funcho são tradicionalmente usadas com molho de tomate em receitas italianas. Segundo a tradição, evita o mau-olhado.

GENGIBRE
Energia e Vigor

Nome botânico	*Zingiber officinale*
Notas	coração a base
Método de extração	destilação a vapor
Partes usadas	rizoma e raízes
Fragrância	cítrica, especiarias, pungente, quente; notas subsidiárias amadeiradas
Cores	amarela, laranja, vermelha
Chakras	básico, coronário, esplênico, umbilical
Signos astrológicos	Câncer, Virgem
Planetas	Juno, Lua, Mercúrio, Palas Atena
Número	10
Animal	beija-flor
Elemento	Fogo

Afirmação Tenho forças para fazer o que planejo com boa intenção. A força vital vibra em mim. Minha energia é abundante. Minha produtividade é automotivada. Minhas tarefas e meus projetos criativos são realizados com facilidade. Sou grato pela paixão enorme que tenho pela vida!

Essências florais complementares *Oak* para ajudar você a ter tempo para se renovar e rejuvenescer. *Gentian* para recuperar a confiança e a motivação. *Hornbeam* para ativar a energia e o entusiasmo.

Pedras complementares Calcita dourada, calcita laranja, calcita mel, cornalina, granada, rodocrosita, rodonita, rubi.

Sobre a planta   Encontrada nos climas tropical e subtropical, o gengibre tem folhas lanceoladas e chega normalmente a mais ou menos 1,20 metro de altura. Possui flores vermelhas, rosa, amarelas e brancas, com rizomas grossos.

Componentes químicos   alfa-selinense, beta-felandreno, beta-sesquifelandreno, cineol, curcumeno, delta-cadinense, limoneno, zingibereno.

Usos espirituais   O aroma de especiarias do gengibre estimula o despertar da consciência. Desfaz as teias energéticas, abrindo portais de percepção para a entrada de ideias e informações. O gengibre tem poder de fortalecer o campo energético em vários níveis. Acrescente o gengibre a uma mistura sinergética para ativar suas capacidades intuitivas. Use-o em misturas sinergéticas com outros óleos, como olíbano, *grapefruit* e *vetiver*, para canalizar e meditar, a fim de fazer contato com Maha Chohan (Mestre Ascensionado com a força e a dedicação de preservar a visão e a intenção de ativar a Divina Centelha na humanidade), e também com as lembranças dos ensinamentos puros de Atlântida.

Usos mentais   O gengibre aumenta a motivação, alivia a apatia e estimula o processo de tomada de decisões. Poderá ajudá-lo a ter forças para criar e transformar sua realidade com a mente. Melhora a força de vontade e a lucidez. Revigora a mente e aguça a memória.

Usos emocionais   O gengibre ajuda a liquefazer emoções congeladas e sentimentos de frieza em relação aos semelhantes. Abre o campo emocional para você aceitar a conexão com outras pessoas e os relacionamentos amorosos. Em algumas culturas, o gengibre tem sido usado como afrodisíaco. Promove a coragem e a confiança, sendo um excelente auxílio para equilibrar o chakra esplênico.

Usos físicos   O gengibre é especialmente indicado para combater náuseas e melhorar a digestão. Use-o em uma mistura sinergética para aliviar a congestão, a tosse, o resfriado e a gripe. Essa raiz sempre foi utilizada como antídoto do veneno. É estimulante e catalítico para uso geral, maximizando a eficácia de um remédio ou uma mistura. Alivia a inflamação e a dor. Use-o em misturas sinergéticas contra os sintomas desagradáveis da menstruação, enjoo, dor de cabeça ou apenas como tônico para rejuvenescimento do corpo. É um bom aliado, em aromaterapia, para agentes de viagens, atores, conselheiros matrimoniais, especialistas em fertilidade, herboristas, líderes, místicos e terapeutas sexuais.

Propriedades terapêuticas   Adstringente (estanca hemorragias), afrodisíaco, analgésico, antibactericida, anticoagulante, antiemético, antiescorbútico, antiespasmódico, antifebril, anti-inflamatório, antioxidante, antiparasitário, antisséptico, antitóxico, antitussígeno, aperiente, carminativo, cefálico, diaforético, digestivo (náusea), diurético, emenagogo, estimulante (sistemas circulatório e nervoso), estomáquico, laxante, rubefaciente, tônico, tonificante (sistema digestório).

Orientação divina   Você precisa de mais vitalidade, resistência, entusiasmo? Vem sentindo congestão geral no corpo físico – em nível respiratório ou digestivo? Sua mente anda muito confusa? É hora de limpar seu campo energético em todos os níveis para recarregar a energia e o vigor. Esqueça o antigo e acolha o novo. Procure melhorar a resistência e a saúde geral. Mantenha os centros energéticos recarregados e renove a paixão por uma vida vibrante!

Para sua segurança   Pode irritar a pele. Não use se estiver grávida ou amamentando.

Dicas úteis:
O gengibre é usado há milhares de anos. Hipócrates o empregava medicinalmente; os romanos cozinhavam com ele; os chineses o usavam para fazer chá. Em perfumaria, dá um toque oriental. Seu aroma predomina no *Envy for Men*, da Gucci.

GERÂNIO
O Equilíbrio Que Restaura

Nome botânico	*Pelargonium graveolens*
Nota	coração
Método de extração	destilação a vapor
Partes usadas	folhas
Fragrância	doce, floral, forte, fresca, frutada
Cores	azul, laranja, turquesa
Chakra	umbilical
Signos astrológicos	Câncer, Escorpião
Planetas	Júpiter, Lua, Vênus
Número	8
Animal	serpente
Elementos	Água, Terra

Afirmação Meu corpo está em constante estado de restauração e cura. Encontro equilíbrio na vida graças ao lazer, ao trabalho, ao descanso, ao exercício e à alegria. Eu me nutro com facilidade. A proteção está sempre à minha volta, afastando tudo o que não contribui para meu bem superior.

Essências florais complementares *Cherry Plum* para manter o controle e a compostura. *Holly* para dominar a raiva e a agressividade. *Impatiens* para paciência consigo mesmo e com os outros.

Pedras complementares Azurita-malaquita, heliotrópio, cornalina, crisocola, lápis-lazúli, rodonita, sodalita.

Sobre a planta O gerânio é uma planta pequena, aromática, com flores brilhantes e coloridas, que chega a cerca de 1 metro de altura. É um *genus* com 422 espécies.

Componentes químicos   Butirato de feniletila, butirato de geranila, cariofileno, citronelol, eudesmol, formato de citronelila, formato de geranila, geraniol, germacreno D, guaia, isomentona, linalol, óxido rosa, propionato de geranila, tiglato de geranila.

Usos espirituais   O gerânio promove a transformação pessoal. Invoca os guardiães da proteção, mantendo longe a energia negativa. Use o óleo de gerânio para se conectar com o poder espiritual do Sol como fonte de nutrição para sua alma e da Lua para compreensão dos ciclos da vida. Graças a esse óleo, você pode estabelecer conexão com o Arcanjo Rafael para restauração e rejuvenescimento em todos os níveis e com o Arcanjo Sabrael para combater o ciúme e as forças negativas.

Usos mentais   O gerânio ajuda a manter a concentração em algo importante, quando os pensamentos estão dispersos. Seu efeito calmante ajuda-o a selecionar os pensamentos. Se você quiser mesmo mudar a mente, o gerânio o ajudará a afastar pensamentos coléricos, vingativos ou negativos. Será bom inalar esse óleo essencial enquanto repetir as afirmações da página anterior.

Usos emocionais   Use o gerânio para recuperar o equilíbrio caso esteja passando por distúrbios hormonais. Procure se lembrar de suas constatações, seus sentimentos e sua justa indignação durante esse período e deixe que o gerânio o ajude a resolver com delicadeza essas emoções intensas. O gerânio alivia os sintomas da depressão pós-parto e é útil em períodos de irritabilidade anormal ou episódios de choro.

Usos físicos   O gerânio é benéfico no tratamento de ulcerações e inflamações das mucosas da boca. Também reduz o prurido e o inchaço das hemorroidas. Ajuda muito a recuperar o equilíbrio hormonal. Use esse óleo em uma mistura sinergética com sálvia esclareia e lavanda para obter estabilidade durante o ciclo menstrual, para promover a fertilidade e para aliviar os sintomas da tensão pré-menstrual e as ondas de calor. Sabe-se que o gerânio combate a endometriose. Fazer massagem com gerânio em combinação com lavanda, bergamota e camomila, em um óleo carreador, reduz a celulite e melhora a circulação. Acrescente o gerânio a uma mistura natural de repelente de insetos, com eucalipto e lavanda. É eficaz para o tratamento de picadas de insetos, de aranhas e vespas. O gerânio é um bom aliado, em aromaterapia, para conselheiros matrimoniais, dentistas, doulas, flebotomistas, ginecologistas, mães, massoterapeutas e profissionais da lei.

Propriedades terapêuticas   Adstringente, analgésico, antibactericida, antibiótico, anticoagulante, antidepressivo, antidiabético, antiespasmódico, antiestresse, antifúngico, anti-inflamatório, antineurálgico, antiparasitário, antisséptico, cicatrizante, citofilático, curativo, depurativo, desodorizante, diurético, estimulante (glândulas adrenais; sistemas circulatório e linfático), hemostático, inseticida, regulador (funções glandulares e hormônios), rejuvenescedor (pele), sedativo (suave) (ansiedade), tônico, tonificante (pele), vasoconstritor, vivificante (menopausa e tensão pré-menstrual), vulnerário.

Orientação divina   Você está às voltas com uma situação de descontrole ou desequilíbrio – física, mental, espiritual ou emocionalmente? Tem sido afetado por desequilíbrios no corpo? Procure controlar as emoções com passeios, exercícios e comunicação saudável. É importante restabelecer o equilíbrio físico, mental e emocional após períodos de emoções intensas.

Para sua segurança   Não use se estiver grávida, embora possa ser útil durante o parto se prescrito por um especialista conceituado.

Dicas úteis:
Diz-se que o gerânio propicia as bênçãos da amizade e dos bons relacionamentos. Com grande variedade de cores, aromas e formatos de folhas, os gerânios têm sido flores favoritas dos jardins norte-americanos há mais de duzentos anos. Coloque vasos de gerânios na porta da frente de sua casa para atrair energia positiva e afastar energia negativa.

GRAPEFRUIT
Consegue Ouvir o Canto dos Anjos?

Nome botânico	*Citrus paradisi*
Nota	base
Método de extração	prensagem a frio
Parte usada	casca da fruta
Fragrância	cítrica, doce, floral, fresca, verde
Cores	amarela, branca, azul-cobalto, púrpura, rosa
Chakras	cardíaco, coronário, esplênico
Signos astrológicos	Gêmeos, Leão, Virgem
Planetas	Mercúrio, Sol
Números	33, 44, 444
Animais	libélula, raposa, bicho-preguiça
Elementos	Ar, Fogo

Afirmação   Brilhar, para mim, é seguro. Sou autoconfiante e equilibrado. Reconheço meu valor e uso meu poder pessoal com graça e facilidade. Meu brilho interior se projeta para fora enquanto avanço na vida com a coragem de ser tudo quanto esteja ao meu alcance! Sou grato pela orientação que recebo dos anjos, que ajudam a orquestrar minha vida.

Essências florais complementares   *Cerato* para orientação e autoconfiança. *Gentian* para se sentir encorajado. *Larch* para ter confiança. *Mimulus* para ter coragem. *Wild Oat* para direcionamento e conhecimento interior. *Willow* para pensar positivamente.

Pedras complementares   Apofilita, calcita dourada, cianita, citrino, danburita, kunzita, lágrima-de-apache, quartzo transparente, quartzo rosa, rodocrosita, rodonita, topázio dourado, unaquita.

Sobre a planta   *Grapefruit* é uma árvore frutífera perene que atinge altura de mais ou menos 5/6 metros.

Componentes químicos   Limoneno, mirceno, nootcatono, pineno, sabineno.

Usos espirituais   O *grapefruit* possui alta vibração, que ajuda a elevar a consciência e a percepção a fim de receber mensagens de anjos, arcanjos e mestres-guias. Use esse óleo para entrar em contato com São Germano e os Arcanjos Camael, Jofiel, Metatron e Miguel. Esse óleo essencial ajuda a recuperar boas lembranças e ensinamentos puros da Atlântida.

Usos mentais   Esse óleo aguça a memória e a clareza mental. Graças às propriedades de clarear a mente, é benéfico quando você estiver escrevendo ou trabalhando em tarefas complexas que exigem concentração, ao mesmo tempo que dá alegria ao projeto. Inale esse óleo essencial enquanto repete as afirmações da página anterior.

Usos emocionais   O óleo essencial de *grapefruit*, especialmente da variedade rosa, abre seu coração para você receber bênçãos, alegria e felicidade. Invoca sentimentos de bem-aventurança e conforto, como se espíritos afetuosos e solidários o cercassem. Use-o para desenvolver forte senso do eu e livrar o corpo emocional da dúvida e do medo. Se tiver esse óleo em seu campo energético, esteja certo de que estreitará relacionamentos amorosos. Use-o para recuperar a alegria após períodos de tristeza.

Usos físicos   Devido à natureza purificadora, o óleo essencial de *grapefruit* equilibra os fluidos do corpo e estimula o sistema linfático.

Limpa os rins e é diurético. Ajuda na perda de peso e na digestão das gorduras. É boa adição a uma mistura para reduzir a celulite. Acrescente-o a uma mistura sinergética para aumentar a força física e a vitalidade. É um bom aliado, em aromaterapia, para aromaterapeutas, comunicadores angélicos, consultores de perda/ganho de peso, contadores, cuidadores de asilos, dietistas, editores, escritores, leitores intuitivos, líderes, massoterapeutas, neurologistas, nutricionistas.

Propriedades terapêuticas Adstringente, antibactericida, antidepressivo, antiestresse, antisséptico, antitóxico, antiviral, aperiente, cefálico, colagogo, depurativo, desintoxicante, digestivo, diurético, equilibrador (sistema nervoso central), estimulante (neurotransmissores e sistemas digestivo/linfático), hemostático, resolutivo, restaurador, tônico (fígado), tonificante (pele), vivificante.

Orientação divina Notou que, ultimamente, tem sido muito intuitivo? Costuma ouvir sua orientação interior? Ouça essa pequena voz silenciosa interior para encontrar as respostas que procura. É hora de obter lucidez e ter visão mais clara daquilo que realmente está se passando dentro de você e ao seu redor. Consegue ver o panorama todo? Concentre-se e mantenha-se concentrado! Reserve um tempo para meditar e tente abarcar a perspectiva maior de vários pontos de vista.

Para sua segurança Esse óleo é fototóxico; portanto, evite exposição à luz solar direta quando o usar topicamente.

Dicas úteis:
O óleo essencial de *grapefruit* é derivado das variedades branca ou rosa. O rosa possui fragrância um pouco mais doce, o que cria uma nota de cabeça. A maioria das misturas sinergéticas que elaboro para alinhamentos espirituais superiores "exigem" o *grapefruit* como parte da fórmula destinada a aumentar a vibração.

GUALTÉRIA
Ajustamento de Atitude

Nome botânico	*Gaultheria procumbens*
Nota	coração
Método de extração	destilação a vapor
Partes usadas	folhas
Fragrância	forte, medicinal, penetrante
Cores	branca, verde
Chakras	todos
Signo astrológico	Capricórnio
Planeta	Saturno
Números	13/4
Animais	bode, coelho, pombo
Elemento	Terra

Afirmação Minha estrutura física é forte; todas as partes do meu corpo estão bem. Minha coluna, meus ossos, meus tendões e meus músculos são saudáveis, robustos e articulados. Ajusto minha atitude para ter uma vida mais feliz. Escolho as pessoas que entram em meu círculo íntimo.

Essências florais complementares *Chestnut Bud* para identificar os padrões de vida. *Sweet Chestnut* para força. *White Chestnut* para eliminar pensamentos repetitivos.

Pedras complementares Ágata púrpura, ametista, azurita, azurita-malaquita, calcita laranja, cianita, cornalina, crisocola, cobre, hematita, jaspe sanguíneo, lápis-lazúli, quartzo elestial, selenita, sodalita.

Sobre a planta Essa é uma planta nativa da América do Norte que chega à altura de 2 metros. Possui folhas verde-escuras brilhantes e flores brancas que se transformam em bagas.

Componente químico   Salicilato de metila.

Usos espirituais   Essa planta ajudará você a se libertar dos padrões familiares e do karma pessoal em nível espiritual. Use-a para relaxar e se soltar durante sessões de cura espiritual e terapia de regressão. Em uma mistura sinergética, ela acrescenta energia curativa para remover bloqueios energéticos que se acumularam no corpo. Ao inalar esse óleo essencial, invoque São Germano e o Arcanjo Zadquiel para transformação e o Arcanjo Rafael para cura.

Usos mentais   Esse óleo o ajudará a se livrar de pensamentos negativos repetitivos, do conflito mental e das concepções errôneas, limpando sua mente. A energia verde dessa planta envolve como bálsamo as feridas mentais e os padrões negativos

Usos emocionais   A principal característica energética desse óleo é a de remover a dor. Adicione uma gota a uma mistura sinergética para curar antigas feridas emocionais. Esse óleo o ajudará a descobrir quais emoções estão sepultadas na mente subconsciente. Se você precisar "desinstalar" um programa emocional, a energia da gualtéria o auxiliará a ter uma perspectiva mais ampla, transformando-o em observador.

Usos físicos   A gualtéria diminui a inflamação, a dor e todos os tipos de incômodos, inclusive alguns sintomas da artrite e do reumatismo. É calorífica e melhora a circulação. Inclua-a em uma mistura sinergética para músculos cansados e doloridos. É ótima para aliviar os pés após ficar muito tempo de pé. Promove um sono reparador e reduz a pressão sanguínea. É uma boa aliada, em aromaterapia, para corredores, dentistas, instrutores de pilates, maratonistas, médicos, praticantes de reiki, quiropráticos, terapeutas físicos e treinadores.

Propriedades terapêuticas   Adstringente, analgésico, antibactericida, antiespasmódico, anti-inflamatório, antirreumático, antisséptico, antitussígeno, carminativo, descongestionante, diurético, emenagogo, estimulante, galactagogo, hemostático, hipotensor, rubefaciente, tônico, vulnerário.

Orientação divina   Você precisa de um tempo para buscar a realização espiritual? Tem tido inflamações no corpo? Vem sentindo dores físicas? Já é hora de se cuidar física, espiritual, mental e emocionalmente. Reserve um tempo para equilibrar as energias físicas, mentais, emocionais e espirituais.

Para sua segurança   Esse óleo é tóxico em grandes doses. Inibe a coagulação do sangue, portanto evite-o se estiver tomando anticoagulantes ou for fazer uma cirurgia. Evite-o também se tiver pressão sanguínea baixa. Pode irritar a pele. Não use se estiver grávida ou amamentando.

> *Dicas úteis:*
> O principal componente da gualtéria é similar ao ácido salicílico na aspirina. Ela é usada como flavorizante em inúmeras marcas de dentifrícios e chicletes. É um dos ingredientes da cerveja sem álcool, em conjunto com o sassafrás e outros sabores naturais.

HISSOPO
Respire Profundamente

Nome botânico	*Hyssopus officinalis*
Nota	coração
Método de extração	destilação a vapor
Partes usadas	folhas e flores
Fragrância	doce, quente
Cores	cinza, laranja, marrom, preta
Chakras	básico, coronário
Signo astrológico	Escorpião
Planetas	Marte, Quíron, Plutão
Número	8
Animais	aranha, cachorro, dragão
Elementos	Água, Fogo

Afirmação   Supero com facilidade as situações de desafio. Sou grato pelas experiências de vida que me ajudam a crescer e evoluir. Tenho segurança. Quando respiro profunda e plenamente, sei que tudo vai bem. Sou divinamente protegido.

Essências florais complementares   *Rock Rose* para se sentir seguro e protegido. *Star of Bethlehem* para se reequilibrar após um choque. *Willow* para o perdão.

Pedras complementares   Ametista, jaspe olho de ferro, olho de tigre dourado, olho de tigre vermelho, rodonita, turmalina negra.

Sobre a planta   O hissopo é um arbusto que atinge de 30 a 60 centímetros de altura. Tem folhas estreitas, aromáticas, flores azuis, vermelho-escuras, rosa e brancas.

Componentes químicos   Bourboneno, canfeno, cineole, isopinocanfona, limoneno, linalol, mirceno, óxido de cariofileno, pineno, pinocanfona, sabineno.

Usos espirituais   O hissopo é útil em uma mistura sinergética para rituais de limpeza e purificação. Ajudará você a superar situações de desafio a fim de entender o propósito superior das experiências de vida. O hissopo tem sido usado em fórmulas para autodefesa psíquica e para limpar a casa de vibrações negativas. Acrescenta uma camada de proteção quando espalhado ao longo do perímetro de uma residência ou nas portas de entrada de um edifício. É muito útil no processo de luto, ajudando, sobretudo, a eliminar o que já não serve a um propósito mais elevado.

Usos mentais   Em quantidades bem pequenas, o hissopo fortalece uma mistura sinergética para ajudar você a eliminar pensamentos negativos. Use-o para a contemplação, para analisar seus pensamentos e crenças, a fim de eliminar aqueles que já não lhe servem. Use esse óleo para purificar seus pensamentos e, portanto, sua vida. O hissopo também estimula a criatividade.

Usos emocionais   O hissopo promove sensação de calma e alivia a ansiedade. Ajuda-o a eliminar o ressentimento em situações nas quais o perdão é necessário, despertando em você o senso de gratidão pelo papel da experiência na evolução pessoal. Aguça a percepção de que seu pensamento tem o poder de criar as circunstâncias de vida mais desafiadoras. Graças à aceitação e à eliminação da tristeza de uma situação, o corpo emocional pode recuperar o equilíbrio.

Usos físicos   O hissopo melhora a respiração porque abre os seios da face e alivia os sintomas da asma, da bronquite, da tosse e do resfriado. Também melhora a digestão e os gases. O óleo de hissopo regula o ciclo menstrual. Suas propriedades diuréticas ajudam a reduzir a retenção de líquido, mas convém lembrar que eleva a pressão sanguínea. É um bom aliado, em aromaterapia, para artistas, juízes, pneumologistas e profissionais da lei.

Propriedades terapêuticas Adstringente, antibactericida, antiespasmódico, anti-inflamatório, antiparasitário, antirreumático, antisséptico, antitussígeno, antiviral, balsâmico, cardíaco, carminativo, cefálico, cicatrizante, depurativo, diaforético, digestivo, diurético, emenagogo, emoliente, estimulante (glândulas adrenais), estomáquico, fabrífugo, hipertensor, laxante (suave), nervino, regulador (pressão sanguínea), resolutivo, sudorífico, tônico, vulnerário.

Orientação divina Você está pronto para matar o dragão interior e aceitar a alegria, a saúde e a prosperidade? A quem precisa perdoar? É hora de descongestionar o corpo e a mente, abrindo-se para aceitar a vida de maneira total e completa. Esforce-se para obter o mais alto potencial e use sua força interior para superar obstáculos aparentemente criados por outras pessoas. Mergulhe em si mesmo e conheça a verdade.

Para sua segurança Use em pequenas quantidades e apenas se prescrito por um profissional da saúde ou aromaterapeuta conceituado. Evite caso tenha pressão alta. Não use se estiver grávida ou amamentando.

> *Dicas úteis:*
> O hissopo é usado há séculos como magia de proteção e em banhos purificadores para superar um mau hábito ou afastar o azar. O Salmo 51:7 diz: "Purifica-me com hissopo e ficarei limpo. Lava-me e ficarei mais branco que a neve".

HORTELÃ-PIMENTA
Rio de Criatividade

Nome botânico	*Mentha piperita*
Nota	cabeça
Método de extração	destilação a vapor
Partes usadas	folhas e flores
Fragrância	forte, fresca, intensa, mentolada, pura, verde
Cores	branca, púrpura, verde
Chakras	todos
Signos astrológicos	Câncer, Escorpião, Peixes
Planetas	Lua, Marte, Plutão, Quíron
Número	8
Animais	baleia, bicho-preguiça, borboleta, raposa,
Elemento	Água

Afirmação   Deslizo pela vida com equilíbrio e graça. Minha mente é completamente lúcida. Minha intenção firme me harmoniza com meu propósito mais elevado. Uso experiências passadas como lições valiosas, o que me permite avançar na vida com facilidade. Respiro profundamente e sei que tudo vai bem.

Essências florais complementares   *Chestnut Bud* para usar lições do passado a fim de tomar boas decisões no futuro. *Rock Water* para integrar a força interior e deslizar com a corrente. *Wild Oat* para lucidez.

Pedras complementares   Cristal de quartzo Time Link, cristal elestial, fóssil *Orthoceras*, jaspe orbicular, lágrima-de-apache.

Sobre a planta   A hortelã-pimenta é uma planta de folhas verdes aromáticas que chega à altura de 30 centímetros a 1 metro. Tem flores violeta.

Componentes químicos   Acetato de mentila, cariofileno, cineol, hidrato de sabineno, isomentona, limoneno, mentofurano, mentol, mentona, neomentol, pulegona.

Usos espirituais   A hortelã-pimenta pode ajudar você a permanecer no presente e desperto durante a meditação. É útil na terapia de regressão, de renascimento ou em qualquer prática que requeira o trabalho de respiração para firmar a atenção plena verdadeiramente presente. Ela o ajudará a ter acesso a vidas passadas ou a épocas antigas da existência atual, permitindo-lhe curar ou reequilibrar problemas emocionais e mentais oriundos do passado. Use a hortelã-pimenta para invocar o Arcanjo Muriel e pedir-lhe que realinhe suas emoções.

Usos mentais   A hortelã-pimenta o deixa desperto. Inale esse óleo quando estiver sentindo fadiga mental. É ótimo para mantê-lo atento em viagens longas. Estimula a lucidez e a concentração. A hortelã-pimenta tem a vibração do movimento progressivo, impelindo-o para a frente, na direção que você precisa seguir. Estimula a digestão em nível físico, mas também o ajuda a digerir a vida, entendê-la realmente e processar tudo quanto ocorre à sua volta e dentro de você.

Usos emocionais   A hortelã-pimenta pode auxiliá-lo a fazer contato com o subconsciente e com os sentimentos profundos que experimenta em relação a si mesmo e aos outros. Use-a para organizar os sentimentos. Com ela por perto, faça um diário e uma lista de tudo quanto sente para obter clareza e decidir o que está pronto para descartar. A hortelã-pimenta o ajudará também a processar o que precisa ser integrado para você seguir em frente com entusiasmo. É excelente para eliminar pensamentos e sentimentos depressivos.

Usos físicos A hortelã-pimenta alivia a dor de cabeça e a congestão. Use-a para se manter desperto enquanto dirige. Ela alivia também a coceira e a irritação das picadas de mosquitos. É usada com frequência em loções para os pés, refresca e alivia as dores dos pés. É especialmente eficaz para a digestão, alivia dores de estômago e ativa as enzimas digestivas para desintoxicar o corpo. Esse óleo é um bom aliado, em aromaterapia, para ambientalistas, broncopneumologistas, dentistas, epidemiologistas, neurologistas e terapeutas de regressão.

Propriedades terapêuticas Adstringente, afrodisíaco, alterativo (suave), analgésico, anestésico, antibactericida, antibiótico, anticonvulsivo, antidepressivo, antidiarreico, antiespasmódico, antiflogístico, antigalactagogo, anti-inflamatório, antineurálgico, antiparasitário, antiprurítico, antisséptico, antitóxico, antitussígeno, antiviral, aperiente, carminativo, cefálico, colagogo, cordial, depurativo, descongestionante, digestivo, emenagogo, estomáquico, febrífugo, hepático, inseticida, nervino, refrigerante, restaurativo, revigorante, sudorífico, tônico (coração), vasoconstritor, vivificante.

Orientação divina Você está prestes a se lembrar de seu propósito de vida? Ele está "na pontinha da língua"? É hora de esquecer os padrões repetitivos pouco saudáveis. Use seus talentos e concentre-se, em vez disso, em gerar paz e amizade, a começar consigo mesmo, a família, os amigos e depois a comunidade. Você tem uma missão espiritual especial.

Para sua segurança Pode irritar a pele. Não aplique em áreas sensíveis, membranas mucosas ou partes íntimas. Deixe longe dos olhos. Use em pequenas quantidades. Pode interferir na eficácia de remédios homeopáticos. Não use se estiver grávida ou amamentando.

Dicas úteis:

Cultivada no século XIII, a hortelã-pimenta é, na verdade, um híbrido de menta aquática e menta *spicata*. Segundo a mitologia grega, a ninfa das águas Menta, que despertara o interesse de Hades, foi transformada nessa planta depois de ser espancada e pisoteada por Perséfone. Cada golpe liberava um aroma delicioso.

ILANGUE-ILANGUE
Amor e Progresso Espiritual

Nome botânico	*Cananga odorata*
Notas	base a coração
Método de extração	destilação a vapor
Partes usadas	flores
Fragrância	doce, floral, intensa, narcótica
Cores	amarela, branca, rosa
Chakras	esplênico, umbilical
Signos astrológicos	Câncer, Escorpião, Libra, Peixes
Planetas	Júpiter, Lua, Netuno, Vênus
Número	8
Animal	pombo
Elemento	Água

Afirmação   Tudo de que preciso está sempre ao meu alcance. Agradeço por aquilo que tenho. Amor extraordinário e riqueza impressionante em todos os níveis estão sempre disponíveis para mim. Tenho inúmeros auxiliares espirituais que me ajudam em todas as áreas de minha vida. A hora é agora!

Essências florais complementares   *Gorse* para reforçar a crença em que a vida ficará melhor a cada dia.

Pedras complementares   Citrino, hematita, kunzita, lápis-lazúli, malaquita, morganita, quartzo rosa, rubi.

Sobre a planta   O ilangue-ilangue é uma árvore tropical que alcança altura de 30 metros. Tem grandes flores amarelas que se transformam em frutos pretos com sementes pretas.

Componentes químicos Acetato de benzila, acetato de cinamila, acetato de farnesila, acetato de geranila, benzoato de benzila, benzoato de metila, cadineno, cadinol, cariofileno, copaeno, éter cresol metil, geraniol, germacrena, linalol, muurolena, muuronol, salicilato de benzila, salicilato de metila.

Usos espirituais O ilangue-ilangue estimula a prestação de serviços aos semelhantes. Use esse óleo para reconhecer quão numerosos são os auxiliares espirituais – grandes mestres, entes queridos no Outro Lado, santos, anjos, deusas, musas etc. – prontos a ajudá-lo o tempo todo. Use-o também para invocar seus anjos da guarda e Kuan Yin (deusa do perdão e da compaixão) e pedir-lhes que lhe deem sabedoria espiritual. É ótimo para a meditação, pois impede a tagarelice da mente.

Usos mentais O ilangue-ilangue descontrai a mente e bloqueia o diálogo interno da consciência. Melhora o estado de alerta e atenção. Induz-nos a ver o amor, a sentir o amor, a ser o amor; e desperta pensamentos amorosos para nós mesmos e para os outros.

Usos emocionais Use o ilangue-ilangue para controlar emoções dispersas; e lembre-se de que ele traz sentimentos à tona para encorajar a discussão e a autopercepção. Ajuda a trabalhar esses sentimentos e alivia a dor dos bloqueios emocionais. O ilangue-ilangue combate os sintomas associados à depressão, aumenta a autoestima e gera euforia. É ótimo para você se cuidar e sentir-se bonito. Ao usá-lo, imagine-se envolvido em um manto de flores curativas cheias de vibrações amorosas.

Usos físicos O ilangue-ilangue é afrodisíaco e eficaz em misturas para promover a fertilidade. Uma vez que reduz o estresse, também abaixa a pressão sanguínea, melhora o sono e ameniza a sensação de peso. O ilangue-ilangue possui propriedades analgésicas, mas, de modo geral, é um óleo que acalma e relaxa. Propicia a riqueza e a prosperidade. É um bom aliado, em aromaterapia, para cabeleireiros, cardiologistas, conselheiros matrimoniais, conselheiros, doulas, enfermeiras de maternidade, especialistas em insônia, facilitadores/praticantes de meditação e terapeutas sexuais.

Propriedades terapêuticas   Afrodisíaco, antidepressivo, antiprurítico, antisséptico, calmante, carminativo, emenagogo, emoliente, estimulante (sistema circulatório), euforizante, fixador, hipotensor, nervino, rejuvenescedor (pele e cabelo), relaxante, sedativo, tônico, umidificante.

Orientação divina   Você está pronto para atrair o melhor de tudo? Acha que o melhor ainda está por vir? Decida-se a manifestar o bem agora mesmo. Não espere até amanhã. Você está sendo convocado a vivenciar a espiritualidade no dia a dia. Procure ver o amor que existe em todas as coisas.

Para sua segurança   Não use se tiver pressão sanguínea baixa nem se estiver grávida ou amamentando.

> *Dicas úteis:*
> O ilangue-ilangue é chamado "árvore do perfume". Na verdade, a palavra significa "flor das flores" em tagalog (língua das Filipinas). As flores são usadas no leito de recém-casados, devido ao perfume e às bênçãos. Segundo Jennifer Peace Rhind, em *Fragrance and Wellbeing*, esse óleo dá as notas verdes de cabeça ao *Nº 19*, da Chanel, e ao *Miss Dior*, da Dior.

IMMORTELLE
Bênçãos do Céu e da Terra

Nome botânico	*Helichrysum angustifolium*
Nota	base
Método de extração	destilação a vapor
Partes usadas	flores
Fragrância	doce, floral, terrosa, verde
Cores	amarela, branca, verde
Chakras	cardíaco, coronário, esplênico
Signos astrológicos	Libra, Escorpião
Planetas	Plutão, Vênus
Números	22, 33, 44
Animais	águia, falcão, coruja, unicórnio
Elementos	Ar, Água

Afirmação Tudo de que preciso está sempre ao meu alcance. Agradeço por tudo o que tenho. Aceito a natureza mutável da vida e adapto-me com facilidade ao meu ambiente em transformação. A mudança é boa. Aceito as transições que ocorrem em minha vida. Amo meus semelhantes e recebo o amor deles prontamente. Descontraio-me na natureza a fim de me regenerar e rejuvenescer.

Essências florais complementares *Red Chestnut* para aliviar o estresse e a preocupação com o bem-estar dos outros. *Sweet Chestnut* para a força interior. *Walnut* para enfrentar tempos de mudança.

Pedras complementares Azeviche, calcita mel, lápis-lazúli, morganita, peridoto, quartzo Ísis, quartzo rosa, rodocrosita, rodonita.

Sobre a planta A *immortelle* é uma planta da família da margarida que chega à altura de aproximadamente 60 centímetros, com flores amarelas. Possui cerca de quinhentas espécies.

Componentes químicos Acetato de nerilo, bergamoteno, capaeno, cariofileno, curcumeno, isoitaliceno, italiceno, italidiona I, italidiona III, limoneno, óxido de cariofileno, pineno, selina, selineno.

Usos espirituais O óleo de *immortelle* é usado para unção durante cerimônias de entrada e saída deste planeta. Use-o para abençoar crianças e aqueles que estão deixando a existência terrena. Graças às propriedades relaxantes, é benéfico para a meditação e para praticamente todos os tipos de cerimônias espirituais. Ajuda a aguçar a visão espiritual e o conhecimento (clarividência e claricognoscência). Use-o para ajudar espíritos e entidades desencarnadas a encontrar o caminho para a Luz e o Outro Lado.

Usos mentais Alivia o estresse. Use-o para ter visão melhor da vida e perspectiva positiva. A *immortelle* é benéfica em rituais ou ritos de passagem. Ajudará você a enfrentar desafios graças à força interior, à conexão com as esferas superiores da consciência e à vontade divina. Ajudará você também a ampliar o leque de pensamentos, abrindo a mente para possibilidades ilimitadas.

Usos emocionais A *immortelle* lhe dará apoio em qualquer tipo de transição. É de muita ajuda sobretudo para cuidadores de asilos e entes queridos de um membro da família que estão fazendo a passagem para o Outro Lado. Use-o quando perceber algum conflito entre as emoções e o senso comum. Ajuda também quando velhos amigos se vão e novas alianças ou redes se formam.

Usos físicos A *immortelle* promove a regeneração e o rejuvenescimento celular, ajudando na cura de cicatrizes e feridas. Use-a para dores e incômodos, inclusive os associados à tensão pré-menstrual e à menopausa. Tem sido usada para combater a asma, a bronquite, a coqueluche, a enxaqueca, a dor de cabeça e os problemas de pele, segundo Julia Lawless em *The Encyclopedia of Essential Oils*. Dadas as fortes propriedades purificadoras, esse óleo é ótimo para a desintoxicação de drogas, álcool ou nicotina. É um bom aliado, em aromaterapia, para conselheiros espirituais, consultores para problemas de drogas, cuidadores de asilos, doulas, esteticistas e ministros religiosos.

Propriedades terapêuticas Adstringente, analgésico, antibactericida, anticoagulante, antidepressivo, antiespasmódico, antifúngico, anti-inflamatório, antisséptico, antitussígeno, antiviral, cefálico, cicatrizante, citofilático, colagogo, desintoxicante, diurético, hepático, nervino, sedativo, tônico.

Orientação divina Você cuida bem de si mesmo? Que tipo de tagarelice anda ocupando sua mente? Está tentando mudar de vida? Então, comece mudando a maneira como vê as coisas. Abra a mente para as ilimitadas possibilidades do visto e do não visto. Você é visionário: use a capacidade intuitiva para concretizar suas possibilidades. Comece a prestar atenção ao modo como cuida de si mesmo e à tagarelice interior, para fazer as mudanças necessárias. Você deve agora despertar plenamente sua consciência e concentrar-se no amor a si mesmo e a todos os seres.

Para sua segurança Não há contraindicações conhecidas.

> *Dicas úteis:*
> É usada em cremes de beleza para redução de rugas, como o creme Immortelle Precious, da L'Occitane.

JACINTO
Consolo: Isso Também Passará

Nome botânico	*Hyacinthus orientalis*
Nota	cabeça
Método de extração	por solvente
Partes usadas	flores
Fragrância	doce, exótica, floral, inebriante, intensa, suave, verde
Cores	branca, púrpura, rosa
Chakras	cardíaco, coronário, frontal
Signos astrológicos	Aquário, Peixes, Libra
Planetas	Netuno, Plutão, Vênus
Números	11, 22
Animais	corvo, urso
Elementos	Água, Ar

Afirmação Sei que sentimentos intensos como raiva, tristeza e angústia passarão. Expulso o ressentimento e a raiva do meu corpo, da minha mente e do meu espírito. Abro-me para a energia curativa do amor e das preces a mim endereçadas.

Essências florais complementares *Cherry Plum* para ajudar a manter a compostura. *Mimulus* para coragem. *Star of Bethlehem* para conforto e alívio de traumas. *Walnut* para encarar as mudanças e os ciclos da vida. *White Chestnut* para eliminar pensamentos repetitivos.

Pedras complementares Ametista Druzy, apofilita, citrino, danburita, kunzita, lágrima-de-apache, quartzo rosa, rodocrosita, rodonita, unakita.

Sobre a planta   O jacinto é uma planta pequena que chega de 15 a 20 centímetros de altura. Tem folhas verdes finas e flores rosa, púrpura ou brancas em forma de sino, aromáticas. Quando totalmente abertas, parecem estrelas-do-mar.

Componentes químicos   Acetato de benzila, álcool benzílico, álcool cinamílico, benzoato de benzila, benzoato de feniletila, feniletanol, metileugenol, metoxifeniletanol, trimetoxibenzeno.

Usos espirituais   O jacinto é ideal para ativar o campo energético que conecta você com o reino espiritual, facilitando o contato com os entes queridos, do Outro Lado, que possam atuar como guias espirituais. Use esse óleo para se sintonizar com as forças cósmicas do Universo e manter ligação direta com a sabedoria e o conhecimento. Coloque a energia do jacinto na prática da meditação, com o objetivo de se comunicar com os Mestres Ascensionados (por exemplo, São Germano e outros mestres da esfera superior).

Usos mentais   O jacinto alivia o estresse e a tensão. Seu aroma doce ajuda a transformar padrões de pensamento negativos em formas-pensamento positivas. É especialmente útil durante o luto, transformando pensamentos tristes em lembranças alegres, nostálgicas. O jacinto ajuda a melhorar a autoestima graças às afirmações positivas e à percepção da concretização de sua grandeza pessoal.

Usos emocionais   Usar o jacinto durante o processo de luto remonta ao Egito Antigo. Esse óleo essencial ajuda muito durante todas as fases e tipos de luto, quer seja a perda de um ente querido, de um amigo, de um relacionamento, da carreira ou de qualquer outro desafio emocional associado à perda. Combate a má sensação que acompanha os ataques cardíacos. Inale esse óleo essencial enquanto repete as afirmações da página anterior para esquecer o ressentimento e perdoar. Ele abre o coração para a compreensão de como realmente esquecer os problemas passados.

Usos físicos   O jacinto é usado sobretudo em perfumaria. Seus benefícios para a saúde derivam do alívio emocional de sentimentos potencialmente tóxicos, como ressentimento, raiva, luto e tristeza extrema, promovendo o bem-estar geral. É um bom aliado, em aromaterapia, para clarividentes, conselheiros espirituais, conselheiros do luto, cuidadores de asilos, místicos e terapeutas sexuais.

Propriedades terapêuticas.   Afrodisíaco, antidepressivo, antisséptico, hipnótico, sedativo.

Orientação divina   Você está em processo de cura após a perda de um emprego, de um relacionamento, de um animal de estimação ou de um ente querido? É importante que você restabeleça o equilíbrio – físico, mental e emocional – após períodos de intensidade. Tente isso: olhe-se no espelho, sorria e diga: "Eu te amo!". É tempo de cultivar um relacionamento mais profundo consigo mesmo. Descubra o que pode fazer para aumentar sua felicidade.

Para sua segurança   Não há contraindicações conhecidas.

> *Dicas úteis:*
> No Antigo Egito, o jacinto era usado para amenizar o luto. O óleo essencial de jacinto puro, como nota única, é raro. É uma boa alternativa para o óleo aromatizado sinteticamente, pois tem um maravilhoso aroma doce, floral, verde e semelhante ao mel.

JASMIM
Bênçãos e Amor

Nome botânico	*Jasminum grandiflorum*
Notas	coração a base
Método de extração	extração por solvente
Partes usadas	pétalas
Fragrância	doce, floral, verde
Cores	amarela, branca, coral, pêssego, rosa,
Chakras	cardíaco, coronário
Signos astrológicos	Escorpião, Libra
Planetas	Juno, Lua, Plutão, Vênus
Números	7, 11
Animais	coelho, pombo
Elemento	Ar

Afirmação   Sou abençoado com vibrações estimulantes aonde quer que eu vá. Sou gentil para comigo mesmo. Gosto de relacionamentos afetuosos. Concentro-me em todos os meus bons atributos e amplifico-os. Tenho coragem de seguir em frente com alegria e entusiasmo. Deixo que o amor entre em minha vida.

Essências florais complementares   *Clematis* para estar verdadeiramente presente junto à família e aos amigos. *Honeysuckle* a fim de sentir gratidão pelo momento atual e um futuro feliz. *Water Violet* para preservar forte conexão com os semelhantes. *Willow* para atrair a companhia de pessoas positivas.

Pedras complementares   Apofilita, calcita rosa, cornalina, danburita, kunzita, pedra da lua, quartzo transparente, quartzo rosa, rodocrosita, selenita, topázio dourado.

Sobre a planta O jasmim é um arbusto originário da Ásia que chega a 12 metros de altura. Tem flores brancas aromáticas.

Componentes químicos Acetato de benzila, acetato de fitila, benzoato de benzila, benzoato de metila, esqualeno, eugenol, fitol, indole, isofitol, jasmim, jasmolactona, jasmonato de metila, linalol geranilo, linalol.

Usos espirituais Use o óleo de jasmim para invocar o Arcanjo Auriel, que ajuda no realinhamento do Divino Feminino e alivia os medos subconscientes. Pode ser usado também para invocar Santa Teresa de Lisieux, que ajuda na manifestação de milagres, e o Arcanjo Jofiel – anjo da sabedoria e beleza interiores –, que ajuda nos relacionamentos românticos. Esse óleo invoca, igualmente, Kuan Yin, deusa da misericórdia, e a Mãe Maria, como Mães Divinas da sabedoria e da compaixão. Use o jasmim para se conectar com a pessoa amada. Ele ajuda a recuperar boas lembranças e os ensinamentos puros da Atlântida.

Usos mentais Use o jasmim para renovar a autoconfiança e aumentar a coragem de pôr bons pensamentos em ação. Ele também poderá ajudá-lo a se descontrair e sentir-se bem consigo mesmo. Em casos de depressão, é um acréscimo útil a outras medidas; sabe-se que ajuda quando a depressão é grave, mas não substitui outros tratamentos.

Usos emocionais O jasmim aumenta a coragem de que você precisa para aceitar a pessoa magnífica que realmente é. Também é útil quando você está tentando absorver o que se passa em sua vida e na vida das pessoas que o cercam. Diz-se que ativa as endorfinas, provocando sensações de bem-estar e euforia.

Usos físicos Use o jasmim em misturas sinergéticas para intensificar o desejo sexual, aumentar a taxa de espermatozoides e amenizar a impotência. Esse óleo é benéfico para acalmar os nervos e promover o sono profundo. Equilibra os hormônios e facilita tanto o parto quanto a recuperação. Encurta o período pós-natal e combate a depressão pós-parto. O jasmim estimula a secreção de leite. Alivia dores e é muitas vezes utilizado em produtos que combatem o envelhecimento da pele, pois ajuda a disfarçar cicatrizes, manchas e rugas. Também é útil no combate aos vícios. É um bom aliado, em aromaterapia, de comunicadores angélicos, conselheiros do luto, conselheiros matrimoniais, consultores de saúde mental, doulas, enfermeiras de maternidade, especialistas em fertilidade, especialistas em reabilitação de dependentes químicos, ginecologistas, místicos e terapeutas sexuais.

Propriedades terapêuticas   Afrodisíaco, analgésico, antibactericida, antidepressivo, antiespasmódico, antiestresse, antifúngico, anti-inflamatório, antiprurítico, antisséptico, antitussígeno, antiviral, calmante, carminativo, cicatrizante, descongestionante, emoliente, estimulante (contrações uterinas), euforizante, galactagogo, germicida, parturiente, sedativo, tônico (sistema reprodutor feminino), vivificante.

Orientação divina   Você precisa de mais delicadeza na vida? É gentil consigo mesmo? Trate-se com brandura. Está pronto para um relacionamento romântico? Você dá com alegria, mas acha difícil receber? Não há nada de errado em permitir que os outros façam coisas boas para você e o cubram de presentes. Permita que as bênçãos e o amor penetrem em seu coração aberto, receptivo. Já é hora de receber com gratidão.

Para sua segurança   Gestantes não devem usar o jasmim antes do início do processo de parto porque ele é emenagogo (isto é, promove a descarga menstrual). É altamente relaxante e sedativo, de modo que convém evitar doses muito altas.

> *Dicas úteis:*
> O jasmim tem sido empregado desde tempos antigos em rituais, cerimônias, banhos e chás. Sua flor era usada como adorno para os cabelos. Esse óleo de aroma floral se encontra em inúmeras fragrâncias bastante conhecidas, como *Joy,* de Patou, *Rive Gauche,* de Yves Saint Laurent, e *Diorella,* da Dior.

LARANJA
Alegria Doce e Luminosa

Nome botânico	*Citrus sinensis*
Nota	cabeça
Método de extração	prensagem a frio
Parte usada	casca do fruto
Fragrância	cítrica, doce, floral
Cores	amarela, branca, laranja, verde
Chakras	cardíaco, coronário, esplênico
Signos astrológicos	Áries, Leão, Sagitário
Planetas	Marte, Sol
Números	3, 5
Animais	cachorro, leão
Elemento	Fogo

Afirmação Sinto-me alegre e confiante! De meu coração, sai o brilho intenso da compaixão, da bondade e do amor. A prosperidade não falta em minha vida, e as coisas boas nela se multiplicam. Muitas pessoas com abundância de recursos precisam dos serviços que ofereço. Consigo, com facilidade, relaxar meu corpo, minha mente e meu espírito. Eu mesmo me reconforto quando indisposto.

Essências florais complementares *Gentian* para alcançar objetivos com atitude positiva. *Larch* para autoconfiança. *Wild Rose* para incrementar a criatividade, a alegria e a felicidade.

Pedras complementares Aventurina verde, calcita dourada, cornalina, citrino, esmeralda, kunzita, pedra do sol, quartzo rosa, quartzo transparente, rodocrosita.

Sobre a planta   A laranjeira é uma árvore perene tropical que chega a 9 metros de altura. Tem folhas verde-escuras e flores brancas aromáticas que se transformam em frutos.

Componentes químicos   Limoneno, mirceno, pineno.

Usos espirituais   O óleo essencial da laranja invoca o auxílio dos raios curativos do Arcanjo Rafael, assim como a elevada sabedoria e o realismo do Arcanjo Uriel. A laranja é perfeita para venerar e contatar Kuan Yin (deusa do perdão e da compaixão). Use esse óleo para dar novos rumos à consciência, abrindo-se para caminhos inexplorados que aguçam a percepção. Ele lhe dá força espiritual e autoconfiança para aperfeiçoar seus dons espirituais. Recorrendo a esse aroma, ensine as crianças a vivenciar e conhecer seu anjo da guarda. Ele ajuda a recuperar lembranças e os puros ensinamentos da Atlântida.

Usos mentais   A laranja ajuda você a pensar com clareza, permanecer concentrado na tarefa à mão e lembrar-se do que faz. É ótima para auxiliá-lo a se conectar com ideias novas e criativas, além de ajudá-lo a pô-las em prática. Favorece, a escolha de abordagens inovadoras para as tarefas em discussão.

Usos emocionais   A laranja anima, dá alegria, e fornece a energia do relaxamento e da serenidade. É um óleo essencial perfeito para noivas e seus séquitos, por uma razão muito simples: acalma os nervos e mantém o foco na alegria e na confiança. A laranja também acalma as crianças, combatendo o medo e as preocupações na hora de dormir. Use-a, todas as noites, ao contar-lhes histórias para que adormeçam, pois ela melhora os padrões de sono e tranquiliza. Faça com que esse óleo traga reconforto e descontração ao seu dia a dia. Abra o coração para receber amor, incentivo e ânimo em sua vida e na dos outros.

Usos físicos   A laranja é extremamente eficaz para limpar e remover bactérias, inclusive estafilococos. Higieniza feridas e evita a proliferação dos micróbios, além de combater as infecções sépticas e o tétano. Esse óleo é um poderoso removedor de odores, sendo, por isso, muito eficaz em banheiros. Também alivia dores musculares e reduz espasmos nervosos e tosses crônicas. É um bom aliado, em aromaterapia, para donas de casa, infectologistas, mães, neurologistas, pais, planejadores de casamentos e praticantes de feng shui.

Propriedades terapêuticas   Adstringente, antibactericida, anticoagulante, antidepressivo, antiemético, antiescorbútico, antiespasmódico, antiestresse, antifúngico, anti-inflamatório, antipiorreico, antisséptico, antitóxico, antitussígeno, antiviral, aperiente, calmante, carminativo, colagogo, colerético, depurativo, digestivo, diurético, estimulante (sistemas linfático e digestório), estomáquico, febrífugo, hemostático, hepático, hipnótico, laxante, nervino, refrescante, sedativo, tônico, vasoconstritor, vulnerário.

Orientação divina   Você tem estado abatido? Precisa de um pouco de brilho e entusiasmo? É hora de perseguir a prosperidade e ter objetivos. Reconheça seu potencial e seja aquilo que foi feito para ser. Você tem magnificência e coragem suficientes para se mostrar em todo o seu esplendor!

Para sua segurança   Esse óleo é fototóxico; portanto, evite a exposição direta à luz do sol quando o usar topicamente.

Dicas úteis:
Segundo Worwood, em *Essential Aromatherapy*, o óleo de laranja é muito usado em doces e como flavorizante em comidas, drinques e mesmo papel de cigarro. Da casca do fruto se faz geleia e ela está presente no licor Curaçau. No final dos anos 1400, laranjas eram usadas para afastar ou aliviar o escorbuto, causado pela deficiência de vitamina C. A laranja é um dos principais ingredientes da mistura que criei para crianças e adultos contatarem e invocarem os anjos da guarda na hora de dormir.

LAVANDA
Doce Transformação

Nome botânico	*Lavandula officinalis*
Notas	cabeça a coração
Método de extração	destilação a vapor
Partes usadas	flores
Fragrância	amadeirada, doce, floral, fresca, herbácea, leve, pura, quente, suave, verde
Cores	branca, lavanda, púrpura, verde
Chakras	todos
Signos astrológicos	Aquário, Leão, Virgem
Planetas	Lua, Quíron, Sol, Terra
Números	11, 22, 33, 44
Animais	cachorro, gato
Elementos	todos

Afirmação   Sou saudável, pleno, completo. Paz e serenidade me pertencem. Relaxo e respiro profundamente, sabendo que tudo vai bem. Sou grato por meus sonos profundos e sonhos agradáveis.

Pedras complementares   Ágata musgo verde, ametista, ametrino, angelita, apofilita, celestita, charoíta, hemimorfita, jaspe kambaba, lápis-lazúli, quartzo transparente, quartzo clorita, turquesa.

Essências florais complementares   *Cherry Plum* para se sentir calmo e contido. Des *Chestnut* para esquecer as preocupações e gozar de paz interior. *Rescue Remedy* para aliviar o estresse repentino. *Star of Bethlehem* para aliviar o choque. *Vine* para combater a agressividade.

Sobre a planta   A lavanda é uma planta perene, nativa do Mediterrâneo, que alcança cerca de 1 metro de altura e tem delicadas flores púrpura.

Componentes químicos   Acetato de geranila, acetato de linalila, acetato de octen-3-ila, cânfora, cariofileno, cumarina, farneseno, herniarina, linalol, terpineno.

Usos espirituais   A lavanda é um grande recurso para a meditação, pois encerra bênçãos e a doçura do amor. Use esse óleo essencial para canalização, transe mediúnico, desenvolvimento psíquico e intensificação da percepção espiritual. A vibração e o aroma purificadores desse óleo essencial são ideais para combater o ciúme e as energias negativas dos outros. A vibração da lavanda ajudará você a se conectar com o Arcanjo Sabrael, São Germano e Kuan Yin, deusa da misericórdia e da compaixão. Acrescente a lavanda a um vaporizador com água pura a fim de limpar seu tapete de yoga. O aroma também contribui para melhorar a prática de yoga. Misture a lavanda à água que você usa para limpar o chão e as bancadas a fim de remover a energia negativa e substituí-la por bênçãos e amor. Esse óleo essencial ajuda a recuperar boas lembranças e os ensinamentos puros da Atlântida.

Usos mentais   O aroma purificador da lavanda limpa e acalma a mente, trazendo clareza, ajudando a perceber detalhes e a organizar o caos. Também combate o cansaço mental, o estresse e a ansiedade.

Usos emocionais   A lavanda reconforta o coração, serenando e acalmando emoções violentas e caóticas, como a histeria e a angústia. Ajuda a debelar a tristeza. Dada a natureza sedativa e relaxante, é benéfica em todas as situações de desafio e para todas as idades. Inale esse óleo essencial enquanto repete as afirmações da página anterior.

Usos físicos A natureza benéfica da lavanda é de tamanho alcance que a lista de seus atributos positivos encheria um livro. Se você puder ter apenas um óleo essencial no armário, esta será a melhor escolha. Os benefícios físicos da lavanda incluem: alívio de dores musculares, melhora da acne, combate a infecções, afugentamento de insetos, tratamento de infecções bacterianas, cura de queimaduras e outros ferimentos menores, melhora das dores de ouvido, tratamento do eczema, alívio da fadiga, redução da febre, alívio das dores de cabeça, alívio da insônia, diminuição das cólicas menstruais, equilíbrio dos hormônios na menopausa, tratamento do herpes e alívio da sinusite. A lavanda é um bom aliado, em aromaterapia, para todas as situações da vida.

Propriedades terapêuticas Analgésico, antibactericida, antibiótico, anticonvulsivo, antidepressivo (tensão pré-menstrual e menopausa), antiespasmódico, antiestresse, antifúngico, anti-inflamatório, antiparasitário, antirreumático, antisséptico, antitóxico, antitussígeno, antivenenoso, antiviral, aperiente, calmante, carminativo, cefálico, cicatrizante, citofilático, colagogo, cordial, curativo (pele), descongestionante, desintoxicante, desodorizante, diurético, emenagogo, estimulante (sistema respiratório), estomáquico, hipotensor, inseticida, nervino, regenerativo (tecido epidérmico), restaurativo, revificante, sedativo (coração), sudorífico, tônico, vulnerário.

Orientação divina Está sentindo necessidade de conforto? Quer ser acariciado e embalado por braços afetuosos? Precisa repelir energias irritantes que o estão aborrecendo e substituí-las por bênçãos? É hora de encontrar meios que o confortem. Faça você mesmo o que é necessário ser feito para ter uma vida mais feliz, cheia de paz e calma.

Para sua segurança Não há contraindicações conhecidas.

Dicas úteis:
A lavanda tem origem no latim *lavare*, que significa "lavar". Ladrões que roubavam vítimas da peste na Idade Média realmente usavam a lavanda como um dos ingredientes de sua mistura à base de vinagre para se proteger do contágio. (Os outros ingredientes eram alho, alecrim e tomilho.) Embora a lavanda goste de terreno seco, ensolarado e rochoso, jardineiros ingleses e do noroeste do Pacífico são famosos por plantá-la com êxito. Os brotos de lavanda são usados em sachês para perfumar roupas e cobertas e, também, espantam moscas e outros insetos.

LIMÃO-GALEGO (LIMA ÁCIDA)
Clareza e Alegria

Nome botânico	*Citrus aurantifolia*
Nota	cabeça
Método de extração	prensagem a frio
Parte usada	casca do fruto
Fragrância	cítrica, doce, fresca
Cor	verde
Chakras	cardíaco, esplênico, frontal
Signos astrológicos	Leão, Virgem
Planeta	Sol
Número	22
Animais	beija-flor, coiote, raposa
Elemento	Fogo

Afirmação Minha mente é muito clara. Sou alerta e entusiasmado. Tenho alegria e paz interior sem limites. Sinto gratidão por minha felicidade e pela doçura da vida!

Essências florais complementares *Clematis* para se concentrar no presente e permanecer conectado. *Larch* para combater o medo, reconhecer bloqueios e aproveitar oportunidades. *Mustard* para superar a depressão e se sentir bem.

Pedras complementares Cianita verde, citrino, fluorita amarela, jade verde-claro, peridoto, quartzo transparente.

Sobre a planta Nativa da Ásia, o limão-galego é uma árvore perene que chega a 3 metros de altura. Tem flores brancas que se desenvolvem em frutos verdes.

Componentes químicos   Bergamoteno, bisaboleno, cariofileno, farneseno, geranial, limoneno, mirceno, neral, pineno, sabineno, terpineno.

Usos espirituais   O limão-galego ajuda na conexão com guias espirituais superiores e anjos. Seu aroma luminoso e alegre acrescenta jovialidade à prática espiritual e estimula a consciência, convidando a pensamentos elevados. Deve-se usar o limão-galego em períodos de contemplação e integração.

Usos mentais   O limão-galego proporciona clareza mental. Use-o quando precisar ficar mais alerta. Esse óleo é um bom auxiliar do trabalho ou do estudo, podendo ajudar a evitar erros em tarefas minuciosas. O aroma doce do limão-galego combate pensamentos sombrios e traz lucidez à doçura da vida.

Usos emocionais   O limão-galego pode ajudá-lo a sentir alegria e a encontrar paz interior. Use-o para se recuperar de períodos de tristeza ou baixa autoestima. Esse óleo poderá aguçar sua percepção, de modo que consiga trabalhar seus sentimentos, validá-los e entregar-se a tarefas mais gratificantes. Pingue uma gota de óleo de limão-galego em um vaporizador ou em um lenço e inale enquanto busca clareza mental e emocional.

Usos físicos   Dadas as propriedades antissépticas, o limão-galego em um óleo carreador para uso tópico que previne e combate infecções. Ajuda também a eliminar infecções respiratórias, aliviando a bronquite, a tosse e o resfriado. Seu frescor ajuda a reduzir a febre. Dadas as qualidades antivirais, ele pode, em uma mistura sinergética, evitar o herpes ou agilizar sua cura. É conhecido ainda pelas propriedades desinfetantes; acrescente-o a um frasco de *spray* com água pura e outros óleos desinfetantes para limpar a cozinha e o banheiro. O limão-galego é um bom aliado, em aromaterapia, para banqueiros, consultores de saúde mental, contadores, cuidadores, culinaristas, editores, manicures e otorrinolaringologistas.

Propriedades terapêuticas Adstringente, antibactericida, antidepressivo, antiesclerótico, antiescorbútico, antiespasmódico, antilítico, antioxidante, antirreumático, antisséptico, antitóxico, antiviral, aperiente, depurativo, desinfetante, estimulante (sistemas linfático e digestivo), febrífugo, hemostático, hepático, inseticida, refrescante, refrigerante, restaurador, tônico (sistema imunológico), vivificante.

Orientação divina Você está se sentindo um pouco confuso e desorientado? Fica com sono quando precisa se concentrar em detalhes? Sente-se um tanto inseguro ou abatido devido à magnitude da tarefa que tem pela frente? Inale o óleo de limão-galego e procure sentir a mente clara, alerta, enquanto respira profundamente. Evoque sua paixão pela vida, pela sorte de estar vivo, por seu trabalho – pois, assim, seu dia se encherá de alegria e clareza!

Para sua segurança Esse óleo é fototóxico; evite, portanto, a exposição direta à luz solar quando o usar topicamente.

Dicas úteis:
O elevado teor de vitamina C do limão-galego ajudava a evitar (e, às vezes, a curar) o escorbuto entre os marinheiros ingleses do século XIX. Daí a palavra *limey* aplicada a eles.

LIMÃO-SICILIANO
Brilho

Nome botânico	*Citrus limon*
Nota	cabeça
Método de extração	prensagem a frio
Parte usada	casca da fruta
Fragrância	brilhante, fresca, pura
Cor	amarela
Chakra	esplênico
Signos astrológicos	Gêmeos, Leão, Touro
Planetas	Mercúrio, Sol, Vênus
Número	24/6
Animais	Arara-azul-e-amarela, beija-flor, bicho-preguiça periquito, raposa
Elementos	Ar, Fogo

Afirmação Sou confiante e corajoso. Todos percebem meu brilho. Valorizo e respeito a mim mesmo pelo que sou e pelo que posso fazer. Sou abençoado com clareza mental. Para mim, é fácil processar tudo quanto acontece à minha volta.

Essências florais complementares *Cerato* para confiar no próprio conhecimento interior. *Gentian* para seguir em frente mesmo em face de obstáculos. *Larch* para banir o pessimismo e os bloqueios. *Rock Rose* para ter confiança e enfrentar o pânico.

Pedras complementares Calcita dourada, citrino, crisoprásio limão/cidra, jade verde-claro, peridoto, serpentina, topázio amarelo, turmalina amarela.

Sobre a planta   O limão-siciliano é uma árvore cítrica perene que alcança de 3 a 6 metros de altura, com flores brancas que se desenvolvem em frutos amarelados.

Componentes químicos   Acetato de nerila, cimeno, geraniol, limoneno, mirceno, neral, pineno, sabineno, terpineno, terpineol, terpineno.

Usos espirituais   O limão-siciliano pode conectar você com a natureza divina, ativando laços abençoados com ela. Quanto mais você se conscientizar desse aspecto de seu corpo espiritual, mas perceberá os benefícios da ligação com a consciência superior.

Usos mentais   O limão-siciliano aguçará sua lucidez, ajudando-o a se concentrar no trabalho, sobretudo quando precisar dar atenção a detalhes importantes. Graças a ele, você verá as coisas sob diversos ângulos, obtendo perspectiva mais ampla. Use o limão-siciliano para tomar consciência dos padrões repetitivos de pensamentos autolimitadores que o estão deixando paralisado. Em seguida, concentre-se nos pensamentos positivos em substituição às crenças negativas. Inale esse óleo essencial enquanto repete as afirmações da página anterior.

Usos emocionais   Use o óleo de limão-siciliano em misturas sinergéticas para levantar o ânimo. Ele lhe dará mais autoconfiança quando estiver empenhado em elevar sua autoestima. O limão-siciliano afasta a tristeza e alivia os sintomas da depressão. A energia dourada desse óleo ajuda a remover os obstáculos e as emoções negativas que atravancam seu caminho para a felicidade.

Usos físicos   A natureza purificadora do limão-siciliano limpa e desintoxica. Esse óleo é um grande auxílio para quem quer perder peso, além de melhorar a função digestiva. Use o limão para recuperar a vitalidade após uma doença prolongada, a fim de combater o cansaço físico e renovar o corpo em todos os níveis. É um tônico para o sistema circulatório e, em uma mistura sinergética com orégano, abaixa a pressão de veias varicosas. O limão-siciliano é um bom aliado, em aromaterapia, para advogados, banqueiros, contadores, cuidadores, donas de casa, infectologistas, líderes, pilotos e qualquer profissional que precise de concentração total e constante.

Propriedades terapêuticas   Adstringente, antianêmico, antibactericida, antibiótico, antidepressivo, antiesclerótico, antiescorbútico, antiespasmódico, antiestresse, antifúngico, antilítico, antineurálgico, antioxidante, antiparasitário, antiprurítico, antirreumático, antisséptico (forte), antitussígeno, antiviral, aperiente, calmante, carminativo, cefálico, cicatrizante, coagulante, depurativo, descongestionante, desinfetante, desintoxicante, diaforético, digestivo, diurético, emoliente, estimulante (sistemas linfático e circulatório), estomáquico, febrífugo, hemostático, hepático, hipotensor, inseticida, laxante, purificador do sangue, refrescante, refrigerante, revigorante (sistema imunológico), rubefaciente, sedativo, tônico, vivificante.

Orientação divina   Você está tentando obter mais lucidez? Reconhece seu poder pessoal? Tem consciência de seu brilho? Então, aceite sua magnificência. Você tem capacidade para se concentrar e permanecer alerta. Insista naquilo que faz bem para aumentar sua autoestima. Esteja certo de que é seguro ser forte de maneira amável. Emita sua luz para alcançar seu pleno potencial!

Para sua segurança   Esse óleo é fototóxico; portanto, evite exposição direta à luz solar quando o usar topicamente.

Dicas úteis:
Os antigos egípcios usavam o limão-siciliano no peixe e na carne para evitar a intoxicação alimentar. Ele foi introduzido na Europa pelos Cruzados, durante a Alta Idade Média. Diz-se que, quando o aroma do limão-siciliano é difundido no ar de um escritório, os funcionários se concentram mais e cometem menos erros.

MANJERICÃO
Lucidez Criativa

Nome botânico	*Ocimum basilicum*
Notas	cabeça a coração
Método de extração	destilação a vapor
Partes usadas	flores e extremidades floridas
Fragrância	fresca, pura
Cor	verde
Chakras	básico, frontal, umbilical
Signo astrológico	Leão
Planeta	Sol
Números	0, 1, 10
Animais	baleia branca, bicho-preguiça, búfalo branco, elefante, golfinho
Elemento	Ar

Afirmação Sou o governante de meu próprio reino. Expresso meu poder pessoal com graça. Tenho lucidez. Se me distraio, volto a me concentrar sem esforço. Vejo a vida de uma perspectiva bem ampla. Estou são e salvo.

Essências florais complementares *Cerato* para decisão. *Clematis* para concentração. *Mimulus* para coragem. *Walnut* para afastar pessoas perigosas e aceitar mudanças. *Wild Oat* para aumentar a capacidade de decisão e ação.

Pedras complementares Charoíta, quartzo esfumaçado.

Sobre a planta Com mais de 150 variedades, o manjericão é um arbusto que alcança 50 centímetros de altura e tem flores brancas, azuis ou púrpura.

Componentes químicos Cariofileno, estragol, eugenol, isoeugenol, metil-eugenol, ocimeno.

Usos espirituais O manjericão pode ser usado para ajudá-lo a se lembrar da abundância espiritual e despertar sua conexão com os guias e anjos protetores, inclusive os Arcanjos Miguel e Sabrael. Use-o como ingrediente em uma mistura de proteção contra a inveja. Pode ser empregado como parte de uma mistura sinergética para evocar lembranças de vidas passadas, a fim de despertar a consciência na atual. Ajuda a invocar o Arcanjo Metatron, para que ele ilumine nosso processo evolutivo. No caso de uma mistura para evocar lembranças de vidas passadas, use-o com óleos complementares, como limão-siciliano e alecrim, para incrementar a clareza mental e a memória.

Usos mentais O manjericão ajuda a incrementar a clareza mental e a memória. Pode mudar a visão que você tem de si mesmo, sobretudo em relação à autoestima e à capacidade de realizar grandes feitos. *Basilicum* (manjericão) vem do grego *basileus*, que significa "rei", e de *basilikos*, que significa "real"; então, use esse óleo para reconhecer a realeza que há em você. Empregue a lei da atração e use-o para reforçar sua crença na própria capacidade de atrair prosperidade. Ele põe ordem em pensamentos caóticos e lança luz sobre circunstâncias confusas ou situações complicadas.

Usos emocionais O manjericão nos ajuda a entender nossos sentimentos quando estamos dominados por emoções confusas e violentas. Combate a ideia de que nossos problemas emocionais são causados pelos outros e devolve-nos o controle das emoções, ajudando-nos a recuperar o equilíbrio. Também nos ajuda a aumentar nossa capacidade de estabelecer limites e ampliar nosso poder pessoal. Estimula a coragem e a confiança. Auxilia nos casos de distúrbios mentais, segundo

Valerie Ann Worwood em seu livro *The Fragrant Mind*; e eu mesma pude constatar isso quando cuidei de meu pai.

Usos físicos Use o manjericão para atrair prosperidade e capacidade de empreendimento. Uma vez que promove o pensamento lúcido, ele aperfeiçoa suas ideias e o modo de pô-las em prática. Use-o para obter sucesso nos negócios. Ele é benéfico para enfrentar desafios negativos e ajuda a manter o foco em bons projetos. É um ótimo aliado, em aromaterapia, para banqueiros, comerciantes, conselheiros matrimoniais, corretores, diretores financeiros, empreendedores, flebotomistas, líderes, profissionais da lei, terapeutas de regressão.

Propriedades terapêuticas Abortivo, afrodisíaco, analgésico, antibactericida, antibiótico, antidepressivo, antiespasmódico, antiestresse, antifebril, antisséptico, antitussígeno, antivenenoso, aperiente, carminativo, cefálico, diaforético, digestivo, emenagogo, estimulante, estomáquico, estrogênico, galactagogo, inseticida, laxativo, nervino, purificador do sangue, revitalizante, sedativo, sudorífico, tônico, vermífugo.

Orientação divina Você sente que a vida escapou do controle? Está tentando afastar pensamentos negativos, pessoas negativas e/ou situações negativas? Saiba que está são e salvo. Mergulhe em si mesmo e invoque sua realeza interior para reinar sobre seu destino. Quando você exerce seu poder pessoal, transforma sua vida.

Para sua segurança Use com moderação e apenas ocasionalmente, pois o manjericão inibe a coagulação do sangue, é potencialmente carcinogênico e, às vezes, irrita peles sensíveis e mucosas. Mulheres grávidas ou que estão amamentando não devem usá-lo. Não é recomendável para jovens com menos de 16 anos.

Dicas úteis:
Em algumas culturas, o manjericão é usado para proteger a casa e colocado na porta da frente e/ou dos fundos. Essa erva culinária é ideal para ser plantada em horta familiar. É muito usada em pratos italianos. Uso o manjericão como ingrediente de uma mistura preparada para enfrentar desafios e ter sucesso em empreendimentos arriscados. Essa erva é consagrada às divindades hindus Krishna e Vishnu.

MANJERONA
Respire Fundo e Saiba Que Tudo Vai Bem

Nome botânico	*Origanum majorana*
Nota	coração
Método de extração	destilação a vapor
Partes usadas	extremidades floridas e folhas
Fragrância	herbácea, leve de especiarias, medicinal, penetrante, quente
Cores	azul-escura, magenta, preta, púrpura
Chakras	coronário, cardíaco, frontal, laríngeo, umbilical
Signos astrológicos	Escorpião, Libra, Touro
Planetas	Ceres, Júpiter, Mercúrio
Números	8, 822
Animais	cachorro, cavalo, pombo
Elementos	Ar, Terra

Afirmação Estou seguro. A proteção me cerca, afastando tudo que não contribui para o meu bem maior. Tenho coragem e autoconfiança para criar meu mundo. Minhas emoções são equilibradas. Sou lúcido e alegre. Os acontecimentos do passado afetam positivamente meu presente e futuro. Eliminei toda a carga emocional negativa que pudesse estar em meu passado.

Essências florais complementares *Cherry Plum* para quando o peso da vida é tão intenso que parece prenunciar uma crise nervosa. *Rescue Remedy* para alívio imediato da histeria ou do trauma. *Star of Bethlehem* para enfrentar o choque e o estresse.

Pedras complementares Ágata magenta, azeviche, calcita cobaltoana, calcita rosa, cianita, esmeralda, olho de tigre vermelho, quartzo esfumaçado, turmalina negra.

Sobre a planta A manjerona é um arbusto nativo do Mediterrâneo com folhas verde-claras e flores brancas ou púrpura. Alcança cerca de 60 centímetros de altura.

Componentes químicos Acetato de linalila, cimeno, hidrato de sabineno, linalol, sabineno, terpineno, terpineol, terpinoleno.

Usos espirituais A manjerona ajudará você a eliminar medos subconscientes e reforçará sua fé. Use-a para invocar o Arcanjo Auriel e pedir-lhe que o livre de preocupações, pensamentos negativos e medos; o Arcanjo Jofiel para obter sabedoria e beleza; e o Arcanjo Miguel para receber proteção. Use-a para invocar também Afrodite, deusa do amor e da beleza; assim, você sintonizará sua mente e seu coração espiritual com os chakras frontal e cardíaco, para atrair seu parceiro romântico espiritual (mas lembre-se de que a manjerona é anafrodisíaca). Esse óleo essencial ajuda a recuperar boas lembranças e os puros ensinamentos da Atlântida.

Usos mentais A manjerona descontrai o corpo mental, afastando os pensamentos repetitivos e/ou negativos associados a medos, fobias e obsessões. Ela o ajudará também a ser verdadeiro, com amor e beleza.

Usos emocionais A manjerona acalma a histeria e ameniza as emoções de modo que você possa perceber o que está sentindo. Ajuda a minimizar a paranoia e os medos – conhecidos e desconhecidos –, reforçando a crença em si mesmo. Use-a para recuperar a força interior e a coragem quando se sentir emocionalmente fraco e vulnerável. Em *The Fragrant Mind*, Valerie Ann Worwood afirma que a manjerona ajuda a curar a dependência do álcool, acalma a agressividade, alivia o delírio, interrompe as crises histéricas e elimina fobias.

Usos físicos   A manjerona é uma boa amiga na hora de dormir, pois estimula a respiração saudável e o sono profundo, reparador. Inale seus vapores para relaxar e esquecer os acontecimentos do dia. A manjerona alivia dores de cabeça e sinusite, descongestionando as vias aéreas para eliminar os sintomas da bronquite e da pneumonia. Abaixa a pressão sanguínea. Use-a para aliviar o incômodo das picadas de insetos. Esse óleo essencial é um bom aliado, em aromaterapia, para advogados, agentes de viagem, atletas, conselheiros matrimoniais, conselheiros, especialistas em reabilitação de drogados, especialistas no tratamento de insônia, maratonistas, otorrinolaringologistas, planejadores matrimoniais, pneumologistas, praticantes de feng shui, profissionais da lei.

Propriedades terapêuticas   Anafrodisíaco, analgésico, antibactericida, antiespasmódico, antiestresse, antifúngico, antioxidante, antisséptico, antitussígeno, antiviral, calmante, calorífico, carminativo, cefálico, cordial, descongestionante, desintoxicante, diaforético, digestivo, diurético, emenagogo, estomáquico, febrífugo, galactagogo, hipotensor, laxante, nervino, restaurador, sedativo, tônico (coração), vasodilatador (arterial), vulnerário.

Orientação divina   Você está amando? Está, no momento, vivendo um romance? Decida-se, então, a criar felicidade e harmonia. Verá que amigos leais e solidários começarão a se multiplicar à sua volta – tão logo se decida a aceitar o amor em sua vida. Permita que um novo relacionamento romântico evolua ou que o existente se aprimore.

Para sua segurança   Evite se tiver pressão sanguínea baixa. Não use se estiver grávida ou amamentando.

Dicas úteis:
Na mitologia grega, Afrodite teria criado a manjerona. Seu uso no Egito remonta ao ano 1000 a.C. Gregos e romanos coroavam os noivos com manjerona no dia do casamento. A manjerona seca era usada em travesseiros, na Europa medieval, para promover o sono.

MELISSA
Pegam-se Mais Abelhas com Mel

Nome botânico	*Melissa officinalis*
Nota	coração
Método de extração	destilação a vapor
Partes usadas	folhas
Fragrância	cítrica, doce
Cores	amarela, azul-pastel, branca, rosa
Chakras	básico, esplênico, umbilical
Signo astrológico	Touro
Planeta	Vênus
Número	4
Animais	abelha, bicho-preguiça, borboleta, falcão
Elementos	Ar, Terra

Afirmação   Estou em contato com os poderes curativos da paz interior e da gentileza. Posso ajudar meus semelhantes com vibrações de amor por meio de minha presença, as minhas palavras e dos meus atos. Sou gentil para comigo mesmo, pois sei que a gentileza melhora todas as situações da vida.

Essências florais complementares   *Impatiens* para abordagem mais descontraída da existência. *Oak* para exaustão. *Vervain* para aliviar a tensão e promover a serenidade. *Vine* para estimular a gentileza e a compaixão.

Pedras complementares   Ágata magenta, ametista, calcita azul, calcita dourada, calcita mel, citrino, malaquita, topázio dourado.

Sobre a planta A melissa é um arbusto perene da família da hortelã que chega a 1 metro de altura. Tem folhas serrilhadas e pequenas flores brancas ou rosa.

Componentes químicos Acetato de geranila, cariofileno, citronelato de metila, citronelial, copaeno, geranial, germacreno, metil-heptan-2-ona, neral, nerol, octeno-3-ol, óxido de cariofileno, terpineol.

Usos espirituais A melissa incrementa a capacidade de meditar e visualizar. A imaginação é a chave para melhorar a intuição e facilitar uma conexão mais profunda com a esfera angélica e os entes queridos do Outro Lado. Esse óleo o deixará aberto às mensagens e à orientação, aumentando confiança em que não está "inventando" sua experiência intuitiva. Use a melissa como instrumento, no período de sono, para receber sonhos de cura e profecia.

Usos mentais A melissa ajuda a reequilibrar a mente após a perda de funções como pensamento, memória e raciocínio. Tem sido usada para a demência, não a doença em si, mas o grupo de sintomas causados por vários problemas de saúde. É benéfica para relaxar e acalmar a agitação associada à demência, doença de Alzheimer e à desorientação.

Usos emocionais A melissa tem efeito calmante, portanto é útil em casos de ansiedade, distúrbio do déficit de atenção e distúrbio do déficit de atenção com hiperatividade. Acalma emoções violentas em geral. Como alivia o estresse, pode reduzir a pressão sanguínea. Use-a para recobrar o ânimo e banir a tristeza. Ela alivia também os sintomas da depressão.

Usos físicos A melissa ajuda a curar feridas e a combater a inflamação. Adicione-a a uma mistura sinergética, com bergamota, eucalipto *radiata*, gerânio, lavanda e *ravensara*, para aliviar a dor e curar o herpes.

Dei essa combinação a muitos familiares e amigos, e todos disseram ter obtido resultados impressionantes. Acrescente essa mistura sinergética ao óleo de coco e friccione-a na sola dos pés antes de ir para a cama ou antes de começar o dia. A melissa é um grande auxiliar do sono. Melhora a digestão e alivia a flatulência, a indisposição gástrica e o inchaço abdominal. Use-a para combater as cólicas menstruais e as dores em geral. A melissa é um bom aliado, em aromaterapia, para ambientalistas, apicultores, comunicadores angélicos, cuidadores e cuidadores de asilos.

Propriedades terapêuticas Analgésico, antibactericida, antibiótico, anticonvulsivo, antidepressivo, antiespasmódico, antiestresse, anti-inflamatório, antioxidante, antiparasitário, antiprurítico, antisséptico, antiviral, aperiente, calmante, carminativo, cefálico, citofilático, colerético, diaforético, digestivo, emenagogo, estomáquico, febrífugo, galactagogo, hipotensor, inseticida, nervino, sedativo, tônico, vivificante, vulnerário.

Orientação divina Você tem estado ocupado o tempo todo? É viciado em trabalho? Ou só se ocupa o necessário? Encontre equilíbrio entre descontração e produtividade. Reserve um tempo para aspirar a doçura da vida à sua volta. Lembre-se de que suas atividades são mais produtivas e agradáveis quando você tem tempo para apreciá-las.

Para sua segurança Pode irritar a pele. Não use se estiver grávida ou amamentando.

Dicas úteis:
A melissa é conhecida também como bálsamo ou bálsamo-menta. O médico suíço-alemão do Renascimento, Paracelso, chamava-a de "elixir da vida". Durante a Idade Média, usavam-na no chão das casas para disfarçar ou remover maus odores, por suas propriedades inseticidas e antissépticas, e para afastar o mal. As ervas usadas com essa finalidade eram chamadas "ervas purificadoras".

MIRRA
Estabilize e Preserve

Nome botânico	*Commiphora myrrha*
Nota	base
Método de extração	destilação a vapor
Parte usada	casca
Fragrância	amadeirada, escura, opulenta, quente, resinosa, rica, semelhante à do cogumelo, lembra madeira molhada
Cores	branca, cinza, marrom, preta
Chakras	básico, coronário
Signos astrológicos	Câncer, Libra
Planetas	Lua, Vênus
Números	17/8
Animais	cachorro, camelo
Elementos	Água, Ar

Afirmação Tenho a proteção divina. Tudo vai bem, a vida é ótima. Se me distraio, logo concentro novamente meus esforços. Respeito minha firme conexão com a Mãe Terra. Harmonizo minha consciência com a gentileza, a compaixão e a boa vontade para com todos. Meu foco são a compaixão e a delicadeza.

Essências florais complementares *Heather* para se concentrar e estar presente na conexão com os outros. *Star of Bethlehem* para recuperação após uma morte ou experiência traumática. *Walnut* para equilibrar emoções em períodos de mudança. *White Chestnut* para propiciar o sono e eliminar pensamentos repetitivos.

Pedras complementares   Ágata marrom, amonita, calcita mel, calcita verde, cristal Ísis, quartzo transparente, quartzo esfumaçado, turmalina negra.

Sobre a planta   A mirra é uma árvore nativa da África e da Ásia que chega, em média, à altura de 4 metros Pode também ser um arbusto pequeno, espinhoso, que gosta de terreno pedregoso.

Componentes químicos   Bourboneno, cadineno, cadinol, cariofileno, elemeno, furanodieno, furanoeudesma, germacreno, isofuranogermacreno, lindestreno, metoxifuranodieno.

Usos espirituais   A mirra é especialmente benéfica para a pessoa ter os pés no chão. Use-a como proteção em cerimônias e rituais espirituais. Considerada um óleo bíblico, a mirra ajudará você a se harmonizar com a Consciência Crística e com a sabedoria da Mãe Maria, de Maria Madalena (o Cristo feminino), de Ísis (deusa da transformação e da vida) e dos arcanjos. Sumos-sacerdotes usam-na para a unção. Esse óleo é útil para fumigar ou banir a negatividade.

Usos mentais   Use a mirra para estabilizar os pensamentos e fixar a atenção nas vibrações de segurança. Ela o ajudará a mergulhar em si mesmo para descobrir verdades de maneira equilibrada. Resolverá problemas quando seus pensamentos se desgarrarem, precisando ser contidos para que você os compreenda. A mirra ajuda a eliminar a dúvida e a preocupação em presença do caos e/ou da confusão. Com ela, você se sentirá seguro e estável.

Usos emocionais   A mirra ajuda a curar, estabilizar e controlar emoções violentas. Cauteriza feridas energéticas oriundas de traumas. Combine-a com quartzo esfumaçado, olíbano e lavanda em uma mistura sinergética para se acalmar no nível energético, após um episódio traumático. Use a mirra para lançar luz sobre os problemas, observá-los e deixar que essa luz transforme e transmude emoções e sentimentos arraigados que o impedem de realizar seu pleno potencial.

Usos físicos A mirra é relaxante físico. É útil em uma mistura sinergética para acalmar e permitir um sono tranquilo. Como fixador, estabiliza a fragrância das misturas sinergéticas. Segundo o livro *Fragrance and Wellbeing*, de Jennifer Peace Rhind, a mirra ajuda a curar feridas e úlceras das gengivas e da boca. Suaviza tecidos inflamados. Tem sido tradicionalmente usada para baixar os níveis de açúcar no sangue. É uma boa aliada, em aromaterapia, para advogados, aqueles que ajudam os moribundos a passar desta realidade para a próxima e outros que se comunicam com entes queridos falecidos, cuidadores, dentistas, juízes, profissionais da lei, trabalhadores em asilos.

Propriedades terapêuticas Adstringente, analgésico, antidiabético, antiespasmódico, antifúngico, anti-inflamatório, antipútrico, antisséptico (forte) (gengivas infeccionadas), antitussígeno, aperiente, carminativo, cicatrizante, depurativo, desodorizante, diurético, emenagogo, estimulante (sistema digestório), estomáquico, fixador, hemostático, hipoglicêmico, refrescante, rejuvenescedor (células epidérmicas), revigorante (sistema imunológico), revitalizante (pele), secante, sedativo, sudorífico, tônico (estômago), tonificante (limpa e adstringe a pele), vulnerário.

Orientação divina Acha que, tem estado muito disperso? Sente-se confuso? Então, conecte-se e ponha os pés no chão. Concentre-se no que é importante na vida. Trace um círculo de proteção para se manter no rumo certo. Você ouve pessoas mortas ou se considera pronto para ajudar quem está prestes a renascer na próxima realidade?

Para sua segurança   A mirra é potencialmente tóxica em altas concentrações; portanto, use-a com moderação. Não use se estiver grávida ou amamentando.

> *Dicas úteis:*
> Os antigos egípcios usavam a mirra, em combinação com canela, cedro e outras resinas, no processo de embalsamamento. A literatura bíblica narra que, antes da crucificação, deram a Jesus Cristo mirra misturada com vinho (poção entorpecente), para, até certo ponto, aliviar seu martírio.

NARDO
O Cristo Feminino

Nome botânico	*Nardostachys jatamansi*
Notas	coração a base
Método de extração	destilação a vapor
Partes usadas	raízes
Fragrância	bolorenta, lembrando a raiz de valeriana e o cheiro de meias sujas, pesada, terrosa, turfosa
Cores	azul-marinho, azul-pastel, magenta, marrom, turquesa, verde
Chakras	básico, coronário
Signos astrológicos	Aquário, Peixes, Virgem
Planetas	Juno, Netuno, Urano, Vênus
Número	7
Animais	libélula, peixe
Elemento	Terra

Afirmação   Sou amor. Sintonizo minha consciência com a gentileza, a compaixão e a boa vontade para com todos. Meu foco é na bondade. Tenho por intenção e objetivo sentir compaixão e tolerância, vivenciando o amor. Estou em contato com os poderes curativos da paz interior e da empatia. Posso ajudar meus semelhantes vibrando amor com minha presença, minhas palavras e meus atos.

Essências florais complementares   *Chestnut Bud* para afastar preocupações e melhorar o sono. *Vervain* para combater a tensão e a hiperatividade. *Vine* para acalmar a agressividade e aumentar a compaixão e a bondade.

Pedras complementares   Ágata magenta, angelita, calcedônia azul, calcita azul, celestita, crisocola, dumortierita.

Sobre a planta   Nativa da Ásia e dos Himalaias, cresce à altitude de 2.700/4.500 metros de altura. É uma planta florífera com flores rosa, em forma de sino, que chega à altura de 60 centímetros.

Componentes químicos   Ácido fórmico, ácido propiônico, calameneno, cariofileno, cubebol, diidroionona, epoxiledeno, gurjuneno, hexadeceno, isômero de nardol, isômero de selineno, nardol, nerolidol, selineno.

Usos espirituais   Use o nardo para ser receptivo à sua intuição e aceitar a parte de si mesmo capaz de imaginar um modo melhor de vida para todos os seres. O nardo pode ajudar pessoas altamente intuitivas a lidar com a irrupção de energias. Graças às vibrações calmantes do nardo, a paz interior e os cuidados consigo mesmo são possíveis mesmo quando se está em presença de vibrações negativas de outras pessoas. Alguns arquétipos desse óleo são Cristo, Mãe Maria, Kuan Yin, Ísis e Maria Madalena. Os arcanjos associados são Tzafquiel e Uriel. Use esse óleo para aguçar a percepção de seus propósitos espirituais. Ele ajudará você a absorver os puros ensinamentos da Atlântida.

Usos mentais   A energia arquetípica do nardo encarna compaixão, paz interior, fomento e grande sabedoria. Meditando com esse óleo por aliado, você começará a perceber a diferença entre informação, conhecimento e sabedoria. Ele lhe lembra que, quando você se esforça para obter sabedoria, obtém igualmente informação e conhecimento. A vibração calmante desse óleo essencial refreia a tagarelice interior, ajudando-o a identificar as muitas imagens mentais e as conversas que ocorrem dentro de você.

Usos emocionais   O nardo ajudará a acalmar e equilibrar suas emoções, aumentando a maturidade emocional. Ele controla emoções violentas como histeria, raiva, hostilidade e irritabilidade. Promove sentimentos de bondade e compaixão. Lembra a Divina Mãe em nosso interior, que ouve e conhece a verdade, aceitando-nos incondicionalmente. Use-o para intensificar a reciprocidade tanto positiva quanto negativa. Utilize a energia desse óleo para dar força às suas intenções por intermédio do coração e do timo (parte superior do coração).

Usos físicos   O nardo é sedativo. Relaxa os músculos, ajuda a adormecer, reduz a ansiedade e a tensão física. Também conhecido como espicanardo, ajuda a superar dificuldades do parto. O efeito curativo desse óleo alivia condições relacionadas ao estresse, do qual se diz que é a fonte de todos os distúrbios e doenças. O nardo estimula o crescimento do cabelo. Atua como fixador para estabilizar os óleos voláteis em misturas. É um bom aliado, em aromaterapia, para acupunturistas, advogados, aromaterapeutas, bibliotecários, cabeleireiros, cirurgiões cardíacos, clarividentes, comunicadores angélicos, cuidadores de asilos, especialistas em insônia, leitores intuitivos, líderes visionários, mães, místicos, neurologistas, pais, quiropráticos, treinadores físicos.

Propriedades terapêuticas   Analgésico, antibactericida, antibiótico, anticonvulsivo, antiespasmódico, antifúngico, anti-inflamatório, antioxidante, antiparasitário, antisséptico, aperiente, calmante, cardiotônico, carminativo, depurativo, desodorizante, digestivo, diurético, emenagogo, febrífugo, hepático, laxante, nervino, sedativo, tônico.

Orientação divina   Você tem tentado compreender tudo o que se passa ao seu redor? Está se recuperando de um período de perturbação ou distúrbio emocional? Procure ter experiências calmantes, como a meditação. Observe os signos e símbolos que o cercam e tente entender seu significado.

Para sua segurança   Não use se estiver grávida ou amamentando.

> *Dicas úteis:*
> O nardo vem sendo usado, há milhares de anos para promover o sono e relaxar os músculos. Integra a família valeriana e é conhecido também como "raiz de almíscar". Alguns relatos históricos afirmam que o nardo foi o óleo da jarra em alabastro usado por Maria Madalena para lavar os pés de Jesus Cristo, preparando-o para o martírio.

NÉROLI
Alegria no Momento Presente

Nome botânico	*Citrus aurantium*
Notas	cabeça a coração
Método de extração	destilação a vapor
Partes usadas	flores
Fragrância	doce, exótica, floral, metálica
Cores	branca, coral, pêssego, rosa
Chakras	cardíaco, coronário
Signos astrológicos	Escorpião, Libra
Planetas	Juno, Lua, Plutão, Vênus
Números	7, 11
Animais	búfalo branco, pavão
Elemento	Água

Afirmação   Sou muito bom em tudo. Tenho forças para fazer qualquer coisa que planejo com boas intenções. Sou gentil comigo mesmo. Gosto de relacionamentos afetuosos. Sou abençoado com vibrações estimulantes aonde quer que vá.

Essências florais complementares   Chestnut Bud para ter lucidez e romper o padrão dos equívocos repetitivos. *Elm* para aumentar a autoconfiança. *Oak* para a autonutrição. *Walnut* para aceitar as mudanças naturais e os ciclos da vida.

Pedras complementares   Ágata laço azul, angelita, calcita cobalto, calcita rosa, kunzita, pedra da lua, quartzo transparente, quartzo girassol, quartzo rosa, rodocrosita, selenita.

Sobre a planta   A árvore da *Citrum aurantium*, uma laranja amarga, é nativa da Itália e chega a 9 metros de altura.

Componentes químicos   Acetato de geranila, acetato de linalila, acetato de nerila, farnesol, geraniol, limoneno, linalol, mirceno, nerol, nerolidol, ocimeno, pineno, sabineno, terpineol.

Usos espirituais   O néroli facilita o contato com todos os anjos e Mestres Ascensionados. Garante que você se alinhe com as vibrações superiores antes da prática da canalização, da mediunidade e de qualquer outro tipo de trabalho espiritual. Use-o para invocar o Arcanjo Auriel e pedir-lhe que o assista na conexão com o Divino Feminino e na eliminação de medos subconscientes; o Arcanjo Muriel no reequilíbrio de suas emoções; e o Arcanjo Jofiel na visão e no conhecimento de sua própria beleza. Use-o também para pedir a assistência de Kuan Yin (deusa da compaixão e do perdão) e da Mãe Maria para ajudá-lo a se sentir forte e seguro. Esse óleo essencial ajuda a recuperar boas lembranças e os puros ensinamentos da Atlântida.

Usos mentais   O néroli promove, com delicadeza e sem estardalhaço, a coragem e a força mental durante períodos de desafio. Ajuda a trazer paz e serenidade à mente. Segundo Wanda Sellar em *The Directory of Essential Oils*, o néroli "acalma os estados altamente emocionais, a histeria e o choque".

Usos emocionais   O néroli pode ajudá-lo a superar agressões verbais, mentais e emocionais induzindo sua memória a fazer afirmações positivas sempre que surgirem pensamentos velhos e negativos. Ele o fará se lembrar de que você é bom em tudo. Mostra-se especialmente útil para reequilibrar emoções descontroladas associadas à perimenopausa e à menopausa. Pode ajudar em períodos de tristeza, quaisquer que sejam eles – rompimento, morte de um ente querido, coisas perdidas, saudade de seu eu mais jovem, e assim por diante.

Usos físicos   O néroli é o melhor amigo da mulher para aliviar o desconforto do ciclo menstrual. Seus componentes relaxantes descontraem os músculos. Funciona bem para acalmar crianças irrequietas. É útil em uma mistura sinergética para aliviar o estresse do dia a dia, acalmar e proporcionar um sono profundo. O aroma doce é afrodisíaco e promove a fertilidade devido aos efeitos relaxantes, que intensificam a resposta sexual. É um bom aliado, em aromaterapia, para especialistas em fertilidade, ginecologistas, mães, místicos, músicos e pais.

Propriedades terapêuticas Adstringente, afrodisíaco, analgésico, antibactericida, antidepressivo, antiespasmódico, antiestresse, antifúngico, antisséptico, antiviral, calmante, carminativo, cicatrizante, citofilático, cordial, desodorizante, digestivo, emoliente, euforizante, hipnótico, hipotensor, purificador do sangue, regenerativo (células da pele), sedativo, tônico, vivificante.

Orientação divina Você percebe que é bom em tudo? Acredite nisso e aceite seu poder. Precisa de mais doçura na vida? É gentil consigo mesmo em palavras e pensamentos? Trate-se com brandura. Seja seu melhor amigo e o melhor amigo que puder para os outros. Ame e aceite sua natureza emocional.

Para sua segurança Não há contraindicações conhecidas.

> *Dicas úteis:*
> A árvore recebeu esse nome em homenagem à princesa italiana do século XVI, Nerola, que aromatizava suas roupas e seu material de escrita com esse óleo. As flores são associadas à pureza do matrimônio. É um dos ingredientes das águas de colônia. Comumente usado pelas prostitutas na Europa do início do século XX, o néroli ganhou a reputação de afrodisíaco.

NIAOULI
Resgate e Cumpra os Acordos da Alma

Nome botânico	*Melaleuca quinquenervia, Melaleuca viridiflora*
Notas	cabeça a coração
Método de extração	destilação a vapor
Partes usadas	folhas
Fragrância	forte, canforada, lembrando desinfetante, herbácea, medicinal, penetrante, pura
Cores	amarela, branca, dourada, laranja, verde
Chakras	básico, esplênico, laríngeo, umbilical
Signos astrológicos	Escorpião, Leão, Virgem
Planetas	Plutão, Sol, Terra
Número	0
Animais	aligátor, falcão, rã
Elemento	Água

Afirmação   Compreendo os fatores que controlam minha vida. Sei que estou no controle. Tenho o poder de brilhar como uma estrela!

Essências florais complementares   *Crab Apple* para aliviar a sensação de estar contaminado ou infectado. *White Chestnut* para clarear a mente. *Wild Oat* para lembrar o modo de vida correto e o caminho da alma.

Pedras complementares   Calcita dourada, moldavita, septariana, vanadinita.

Sobre a planta   O *niaouli* é uma árvore perene da Austrália com flores estercúleas brancas e folhas coriáceas; cresce à beira da água e tem altura de 1 a 27 metros.

Componentes químicos   Cineole, ledol, nerolidol, viridiflorol.

Usos espirituais   A vibração do *niaouli* ajudará você a perceber melhor o objetivo da alma. A energia desse óleo elimina as teias da consciência para ajudar você a despertar e reconhecer que essas teias são, na verdade, um tecido interconectado que o faz mergulhar em si mesmo para identificar os acordos da alma feitos para esta vida. Com esse óleo, você pode invocar ancestrais, mestres-guias e anjos da guarda, que o ajudarão a processar ideias e lhe darão instruções para melhor percorrer seu caminho na Terra durante esta vida.

Usos mentais   O *niaouli* clareia a mente, ajudando a melhorar o foco e a concentração. Pode eliminar os pensamentos compulsivos que prejudicam a clareza e a ordem. A vibração energética desse óleo ajudará você a enfrentar os problemas mais prementes da vida, dando tranquilidade à parte de sua mente que desperdiça tempo com comportamentos compulsivos. O aroma do *niaouli* fornece energia boa para você conseguir lucidez de propósito. Use-o em quantidades bem pequenas – uma gotinha aqui e ali – para visualizar, imaginar e lembrar que você está seguindo seu caminho de maneria consciente. Ele bloqueia padrões de pensamento repetitivo e lhes dá outra configuração.

Usos emocionais   As propriedades purificadoras desse óleo podem ser aproveitadas para controlar emoções negativas, especialmente aquelas surgidas durante doenças prolongadas ou períodos longos de recuperação. A energia do *niaouli* aumenta a força emocional, de modo que a sensação de estar doente pode se reverter e você voltará ao caminho da saúde vital e do bem-estar. Use-o para desintegrar os estados emocionais que se implantaram firmemente nos chakras umbilical e básico.

No entanto, em vez de desintegração total, o *niaouli* desestabiliza a negatividade associada às más lembranças ou experiências. Assim, esse óleo ajudará você a recuperar as lições obtidas da experiência, tornando-o, com isso, uma pessoa bem mais poderosa.

Usos físicos   O *niaouli* ajuda a tratar de infecções epidérmicas e queimaduras, cortes e furúnculos. Combate parasitas intestinais. Tem sido usado em aidéticos para reforçar a função imunológica. Use o *niaouli* para combater infecções do sistema respiratório, inclusive bronquite, pneumonia, sinusite e sintomas da asma. É um bom aliado, em aromaterapia, para contadores, cuidadores, dentistas, donas de casa, enfermeiros, infectologistas, manicures, otorrinolaringologistas, podólogos e treinadores.

Propriedades terapêuticas   Analgésico, antibactericida, antiespasmódico, antiparasitário, antirreumático, antisséptico, antitussígeno, cicatrizante, descongestionante, diaforético, estimulante (circulação para os tecidos), febrífugo, inseticida, regenerativo (tecido epidérmico), revigorante, tônico (sistema respiratório), vulnerário.

Orientação divina   Você acha que está mesmo perseguindo o objetivo de sua alma? Conhece suas forças? É hora de tornar-se a pessoa que deve ser. Cultive forte senso do eu e concretize plenamente seu potencial. Cumpra seus sonhos, desejos e acordos para irradiar excelência.

Para sua segurança   Não use em excesso, pois esse óleo pode afetar o sistema nervoso. Não use se estiver grávida ou amamentando.

Dicas úteis:
Dadas as poderosas propriedades antibactericidas e antissépticas, o *niaouli* tem longa história de uso nas alas de obstetrícia. Às vezes, é usado em pasta de dentes e em *sprays* para o hálito.

OLÍBANO
Os Sábios

Nome botânico	*Boswellia carteri*
Notas	base a coração
Método de extração	destilação a vapor
Parte usada	resina da árvore
Fragrância	amadeirada, balsâmica, doce, resinosa, rica, seca; evoca museus de arte ou igrejas
Cores	branca, magenta, púrpura.
Chakras	cardíaco, coronário, frontal
Signos astrológicos	Aquário, Peixes
Planetas	Urano, Vênus
Números	11, 22, 33, 44
Animais	todos, principalmente elefantes
Elementos	Ar, Fogo

Afirmação   Concentro-me na empatia e na delicadeza. Diariamente, minha intenção é viver, amar e agir com compaixão e tolerância para com todas as pessoas que encontro. Estou em contato com os poderes curativos da paz e da bondade interiores. Posso ajudar meus semelhantes emitindo vibrações de amor com minha presença, minhas palavras e minhas ações.

Essências florais complementares   *Elm* para sentimentos de depressão e para aumentar a confiança e a concentração. *White Chestnut* para calar a tagarelice incessante da mente. *Wild Oat* para concretizar objetivos.

Pedras complementares   Ágata magenta, ágata púrpura, ametista, apofilita verde, cianita.

Sobre a planta   Nativa do clima quente e seco do Mediterrâneo, o olíbano é uma árvore pequena que não ultrapassa os 6 metros de altura.

Componentes químicos   Alfapineno, alfatujeno, betacariofileno, limoneno, mirceno, paracimeno, sabineno.

Usos espirituais   O olíbano é o óleo de escolha para a prática da meditação. Ajudará você a cultivar a compaixão, a paz interior, a tolerância e o amor. O colocará em contato com a consciência superior. O olíbano aguça a percepção da experiência espiritual e mística da Unidade do universo. A unidade da consciência superior é chamada também de superconsciência (yoga), consciência objetiva (Gurdjieff), consciência búdica (teosofia), consciência cósmica, consciência divina (sufismo e hinduísmo) e consciência crística (Novo Pensamento). É um óleo perfeito para conselheiros espirituais, facilitadores de meditação, leitores intuitivos, oradores e praticantes de reiki. Use-o para contatar o Arcanjo Tzafquiel para compreensão e atenção, e o Arcanjo Uriel para iluminação e paz.

Usos mentais   Use esse óleo para limpar a mente da tagarelice incessante. O resultado é a lucidez. Deixe que o aroma do olíbano transforme automaticamente pensamentos e sentimentos em compreensão mais profunda de si mesmo. O olíbano leva as experiências da vida a níveis superiores de clareza, ajudando você a se concentrar rapidamente e a aquietar os pensamentos. É ótimo para quem quer se concentrar e manter os pés no chão.

Usos emocionais   O olíbano provoca sensação de calma e paz interior, aquietando emoções violentas e sentimentos desequilibrados. Promove a respiração profunda, ajudando a acalmar a histeria. Inale o olíbano em uma mistura sinergética com óleos de bergamota, limão-siciliano, manjerona e outros para aliviar sentimentos de ansiedade e sintomas de depressão. Em *The Fragrant Mind*, Worwood afirma que o olíbano pode ajudar a pessoa a combater os vícios, a agressão e o medo das mudanças, assim como a encarar com naturalidade a morte, a descontrair-se e a perdoar, além de fazer frente à tristeza e aos ataques de pânico.

Usos físicos   Use o olíbano para todos os problemas respiratórios. Ele é benéfico para abrir as vias respiratórias. É perfeito para o processo de cura durante a recuperação de pneumonia, pleurisia, bronquite, congestão dos seios da face e distúrbios similares. O olíbano fortalece o sistema imunológico e, ao que se sabe, alivia a artrite. É um bom aliado, em aromaterapia, para acupunturistas, conselheiros, conselheiros espirituais, facilitadores/praticantes de meditação, leitores intuitivos, místicos, oradores, pneumologistas, praticantes de reiki, profissionais da saúde.

Propriedades terapêuticas   Abortivo, adstringente, analgésico, antibactericida, antibiótico, antidepressivo, antiespasmódico, anti-inflamatório, antioxidante, antisséptico, antitussígeno, calórico, carminativo, cefálico, cicatrizante, citofilático, digestivo, diurético, emenagogo, emoliente, estimulante (células, sistema imunológico), fixador, nervino, purgativo, rejuvenescedor (pele), revitalizante, sedativo, tônico, tonificante (pele), vivificante, vulnerário.

Orientação divina   Deseja ter visão melhor ou compreensão mais profunda de determinada situação? Decida-se a meditar ou a ficar sentado em silêncio. Faça isso com frequência. Abra a consciência e ouça a verdade da sua alma, acatando-a sem julgamento. A clareza mental e a autoaceitação são as recompensas da prática regular de meditação.

Para sua segurança   Não se conhecem contraindicações.

Dicas úteis:
O olíbano é uma resina muito valorizada há mais de cinco mil anos. Os antigos egípcios usavam os restos carbonizados e triturados do olíbano, chamados *kohl*, como delineadores. Essa resina é tradicionalmente associada aos Três Reis Magos, que, segundo alguns historiadores, eram sacerdotes-astrólogos da Babilônia, do culto de Zoroastro. Um dos presentes ao menino Jesus foi olíbano.

ORÉGANO
Vitalidade

Nome botânico	*Origanum vulgare*
Notas	coração a cabeça
Método de extração	destilação a vapor
Partes usadas	folhas
Fragrância	amadeirada, antisséptica, canforada, especiarias, herbácea, resinosa
Cores	azul, verde
Chakras	coronário, esplênico, laríngeo
Signos astrológicos	Câncer, Gêmeos, Peixes
Planetas	Lua, Mercúrio, Netuno
Números	2, 8, 22
Animais	coruja, marisco
Elementos	Água, Ár

Afirmação   Sou automotivado, forte, firme na intenção de obter o próximo objeto desejado e ser produtivo. Sou forte, saudável e resistente de corpo, mente e espírito. Vivo com energia, vigor e vitalidade. Minha paixão pela vida é sincera e dinâmica.

Essências florais complementares   *Gorse* para remover a energia pesada e banir sentimentos de desesperança. *Olive* para combater a exaustão mental. *Walnut* para ajudar a mudar a mentalidade. *White Chestnut* para obter paz mental.

Pedras complementares   Ágata musgo verde, cornalina, esmeralda, jaspe vermelho, larimar, olho de tigre azul, pedra-de-sangue, prasiolita, rubi, turmalina melão.

Sobre a planta   O orégano é uma planta mediterrânea que atinge uma altura de 1 a 2 metros. Tem folhas verde-escuras e flores rosa, púrpura ou brancas.

Componentes químicos   Cariofileno, carvacrol, cimeno, mirceno, pineno, terpineno, timol.

Usos espirituais   Em uma mistura sinergética, o orégano é bom para abrir e clarear o chakra laríngeo, por intermédio do qual recebemos e interpretamos a comunicação com o Universo. Sua alta vibração ajuda a abrir um portal para experiências místicas baseadas nas consciências superior e cósmica. Com intenção firme, use o orégano para contatar o Arcanjo Uriel, pedindo iluminação e conexão com a consciência universal.

Usos mentais   Diz-se que o orégano ajuda a corrigir os desequilíbrios mentais. Possui forte vibração, com capacidade de afastar formas-pensamento que geram realidade negativa por meio da paranoia. É tônico para os nervos. Use um pouco de orégano em uma mistura sinergética para melhorar a atitude quando a imaginação estiver provocando fraqueza no corpo. Já se demonstrou que o orégano alivia alguns dos sintomas da doença de Alzheimer.

Usos emocionais   O orégano combate sistemas de crenças fantasiosos que atraem a doença graças à lei da atração, de modo que é especialmente útil em casos de hipocondria. Com forte aroma medicinal, ajuda a combater sensações de fraqueza e desânimo. Ajuda também a afastar a ideia de que as coisas nunca vão melhorar em nenhum nível – corpo, mente ou espírito.

Usos físicos   O orégano é ótimo para o alívio das infecções respiratórias, inclusive bronquite, resfriados e gripes. Diluído em óleo carreador, melhora a circulação e alivia a dor causada pela flebite ou por veias varicosas, além de amenizar a tensão e as dores musculares. O orégano combate a candidíase, os vermes intestinais e os parasitas do trato intestinal. É eficaz para o intestino irritável. É diurético. Aumenta a energia da mente e das emoções, mas também a vitalidade e a resistência físicas. É um bom aliado, em aromaterapia, para *chefs* de cozinha, dentistas, médicos vasculares, neurologistas e otorrinolaringologistas.

Propriedades terapêuticas   Anafrodisíaco, analgésico, antibactericida, antibiótico, antiespasmódico, antifúngico, anti-inflamatório, antiparasitário, antirreumático, antisséptico, antitóxico, antitussígeno, antiviral, aperiente, balsâmico, calorífico, carminativo, colagogo, colerético, citofilático, desinfetante, diaforético, diurético, emenagogo, estimulante (nervos), estomáquico, febrífugo, hepático, hipnótico, laxante, rubefaciente, sudorífero, tônico, vulnerário.

Orientação divina   Você precisa de um pouco mais de ânimo na vida? Tem se sentido cansado ultimamente? É hora de melhorar a resistência e a saúde geral. Recarregue os centros energéticos e renove a paixão por uma vida vibrante!

Para sua segurança   O orégano contém uma toxina dérmica que pode irritar a pele e as mucosas. Precisa, por isso, ser bem diluído em óleo carreador para aplicação tópica.

> *Dicas úteis:*
> Os antigos gregos e romanos usavam o orégano para neutralizar e curar picadas venenosas, uso que persistiu até a Idade Média na Europa. O orégano é uma erva culinária muito conhecida, utilizada em receitas gregas e italianas, mas também palestinas, libanesas, egípcias, sírias, portuguesas, espanholas, filipinas e latino-americanas.

PALMAROSA
Deixe-se Levar pela Corrente

Nome botânico	*Cymbopogon martini*
Nota	cabeça
Método de extração	destilação a vapor
Partes usadas	folhas de grama antes do florescimento (frescas ou secas)
Fragrância	fresca, frutada, penetrante, rósea
Cores	laranja, pêssego, rosa, verde
Chakras	cardíaco, esplênico, umbilical
Signos astrológicos	Câncer, Libra
Planetas	Lua, Vênus
Número	8
Animais	água-viva, aranha, falcão, peixe-anjo
Elemento	Água

Afirmação   Tenho a mente lúcida e respeito meus ritmos naturais. A meditação não me exige esforço e eu a pratico regularmente. Sou grato por estar em paz. Sinto-me são e salvo. A divina proteção me envolve o tempo todo. Estou em sintonia e conexão com o momento presente.

Essências florais complementares   *Elm* para reconhecer que há sempre tempo para tudo. *Rock Water* para ter equilíbrio. *Walnut* para manter fluxo de energia equilibrado.

Pedras complementares   Azeviche, brucita, kunzita, quartzo rosa, unaquita.

Sobre a planta   A *palmarosa* é uma grama aromática que chega a quase 3 metros de altura. Tem flores vermelhas.

Componentes químicos Acetato de geranil, cariofileno, elemol, farnesol, geranial, linalol, mirceno, ocimeno, óxido de cariofileno.

Usos espirituais A *palmarosa* limpa o campo áurico quando você precisa acalmar e higienizar seu espaço energético. É útil na prática de meditação para expandir a esfera do amor. Use esse óleo quando quiser invocar a assistência dos Arcanjos Chamuel, Gabriel, Haniel e Metatron para comunicação, orientação e harmonização com os objetivos da alma.

Usos mentais A *palmarosa* é útil para aliviar e eliminar a pressão da mente. Ajuda a multiplicar os caminhos mentais para que você possa, gerar novas ideias com mais facilidade. Estimula o fluxo de combustível básico para que a mente produza pensamentos criativos e descubra soluções fora da norma.

Usos emocionais A *palmarosa* é boa para reduzir o estresse e a ansiedade. Recorra a ela quando estiver tentando, com sinceridade, se livrar de problemas. Esse óleo pode eliminar qualquer tipo de ansiedade que você esteja sentindo e permitir que os negócios decorram com facilidade. Acrescente-o a misturas sinergéticas para eliminar sentimentos de insegurança/falta de confiança, combater a tristeza e aliviar os sintomas da depressão. O óleo de *palmarosa* infunde vibração positiva ao campo energético, devolvendo-lhe o equilíbrio.

Usos físicos A *palmarosa* é ideal como adição a uma mistura sinergética para amenizar a tensão pré-menstrual e corrigir os desequilíbrios hormonais. É uma alternativa agradável para o combate a infecções fúngicas como o pé de atleta. Ajuda nos problemas relacionados ao estresse e acalma a irritação nervosa. Diz-se que reequilibra a digestão e a flora intestinal. Age como catalisadora para o apetite e ajuda quem sofre de anorexia. É uma boa aliada, em aromaterapia, para conselheiros, conselheiros de saúde mental, facilitadores/praticantes de meditação, gastroenterologistas, neurologistas e treinadores.

Propriedades terapêuticas   Abortivo, adstringente, afrodisíaco, analgésico, antibactericida, antiespasmódico, antiestresse, antifúngico, antiparasitário, antisséptico, antiviral, aperiente, calmante, carminativo, cicatrizante, citofilático, digestivo, emenagogo, emoliente, estimulante (sistemas digestório e circulatório), febrífugo, nervino, refrescante, regenerativo (células da pele), sedativo, sudorífico, tônico, vivificante.

Orientação divina   Você precisa de visão mais ampla dos sentimentos? Chora quando a emoção o domina? É sempre bom olhar as coisas de pontos de vista diferentes. Deixe-se levar pela corrente e encontre sua própria maneira de perceber a realidade.

Para sua segurança   Não há contraindicações conhecidas.

> *Dicas úteis:*
> A *palmarosa* é, às vezes, chamada gênio indiano. Pertence à mesma família do capim-limão e da citronela.

PALO SANTO
Madeira Santa

Nome botânico	*Bursera graveolens*
Notas	cabeça a coração
Método de extração	destilação a vapor
Partes usadas	galhos secos e madeira
Fragrância	amadeirada, almiscarada, fresca, mentolada, muito forte, resinosa
Cores	cinza, marrom, preta, vermelho-metálico
Chakras	todos
Signo astrológico	Escorpião
Planeta	Plutão
Número	5
Animais	cão, corvo, lagarto
Elementos	Ar, Terra

Afirmação   Tenho consciência das conexões energéticas entre mim e os outros. Removo, automaticamente, os laços doentios que afetam minha mente, minhas emoções, meu corpo e meu espírito. Tenho foco e os pés no chão.

Essências florais complementares   *Aspen* contra o medo do desconhecido. *Chicory* para aliviar as preocupações com a segurança de amigos e familiares. *Mimulus* para superar medos conhecidos. *Rescue Remedy* para superar os medos do dia a dia.

Pedras complementares   Azeviche, hematita, obsidiana negra, turmalina negra.

Sobre a planta   Nativa do México, do Peru, do Equador e da Venezuela, o palo santo é uma árvore que chega a 18 metros de altura. Tem casca preta, folhas verdes e flores miúdas.

Componentes químicos   Carveol, carvona, germacreno, limoneno, mentofurano, muuroleno, pulegona, terpineol.

Usos espirituais   O palo santo é muito bem apreciado nos círculos xamânicos. Purifica a energia de um círculo sagrado ou prática cerimonial, invocando a energia dos ancestrais para que una forças com o praticante do xamanismo. Use o palo santo com a sálvia e o cedro em práticas espirituais ou meditação. Use-o para invocar o auxílio do Arcanjo Sabrael, quando quiser superar o ciúme e as forças negativas. Esse óleo o ajudará a fazer contato com os anciãos e curandeiros, vivos ou em espírito, de culturas indígenas, sobretudo as de herança latino-americana. O palo santo é ótimo para limpar energias ruins ou negativas e sustar ataques psíquicos (energia negativa enviada por outros). Use esse óleo para descobrir a origem da energia negativa. Ele é benéfico durante jornadas xamânicas e pode ser usado como amuleto de proteção e instrumento para revelar verdades espirituais profundas.

Usos mentais   O palo alto o ajudará a voltar ao centro quando você sentir que perdeu o equilíbrio. Poderá ajudá-lo também a concentrar-se e afastar medos ou distrações, para que você continue perseguindo seus objetivos. Esse óleo limpa a energia mental negativa associada a ciúme, ideias negativas, tagarelice mental confusa e desordem geral.

Usos emocionais   O palo santo ajuda a combater as emoções tenebrosas, negativas, de modo que possam ser eliminadas. Use esse óleo em uma mistura sinergética com sálvia, cedro, lavanda e manjerona caso você tenha reagido exageradamente a uma situação ou pessoa e queira entender o motivo dessa atitude negativa. Permita que o aroma e os componentes energéticos desse óleo o ajudem a localizar a fonte do problema emocional, para que você comece a enfrentá-lo. O palo santo reduz a ansiedade e o estresse, melhorando o humor.

Usos físicos Use o palo santo, que é descongestionante, para desobstruir as vias aéreas. Adicione-o às misturas para aliviar a dor e reduzir a inflamação. Ele acalma o sistema imunológico e restaura o corpo e a mente após um período de doença ou estresse. Ajuda a reduzir as dores e as inflamações. Esse óleo também pode servir como repelente de insetos. É um bom aliado, em aromaterapia, leitores intuitivos, praticantes de feng shui e de xamanismo.

Propriedades terapêuticas Analgésico, anti-inflamatório, antimicrobiano, diurético, inseticida.

Orientação divina Você precisa romper os laços energéticos que o prendem aos ancestrais ou ao passado? Ainda tem questões pendentes? Reserve um tempo para reconhecer os padrões repetitivos, herdados dos pais ou de outros membros da família e implantados por sua criação. Depois que identificar os sistemas de crenças e hábitos contraídos em tenra idade, você conseguirá desatar essas amarras com o passado. Desligue os mecanismos que estão comprimindo sua vida.

Para sua segurança Não use se estiver grávida ou amamentando.

Dicas úteis:
O palo santo corre perigo no Peru e está ameaçado no Equador. É conhecido também como "madeira santa". Pertence à mesma família do olíbano, mirra e do elemi. Conheci o palo santo quando estudava com um mestre espiritual peruano que o queimava no início de cada aula.

PATCHOULI
Amor e Dinheiro

Nome botânico	*Pogostemon cablin*
Nota	base
Método de extração	destilação a vapor
Partes usadas	folhas
Fragrância	almiscarada, doce, *hippy*, lembrando o vinho, musgosa, sensual, terrosa
Cores	amarela, âmbar, marrom, verde
Chakras	básico, cardíaco, esplênico
Signos astrológicos	Aquário, Peixes
Planeta	Urano
Números	1, 2, 11
Animais	gorila, pavão
Elementos	Água, Ar

Afirmação   Minha energia é abundante! Motivo a mim mesmo para ser produtivo. Minhas tarefas e meus projetos criativos são completados com facilidade. Cuido da Terra e reservo um tempo para curtir a natureza. Minha conexão com as fadas é forte. Conheço minha verdade interior e confio nela. Medito regularmente.

Essências florais complementares   *Clematis* para se concentrar e ter os pés no chão. *Hornbeam* para automotivação. *Walnut* para permanecer com os pés no chão mesmo em caso de mudanças constantes.

Pedras complementares   Ágata-árvore, ágata marrom, ágata musgo verde, jaspe kambaba, rubi, turmalina verde.

Sobre a planta   O *patchouli* é um arbusto grande, denso, hirsuto, que chega a 1 metro de altura. Tem flores leves, púrpura, e folhas oblongas.

Componentes químicos Aromadendreno, bulneseno, cadineno, cariofileno, guaieno, patchuleno, pogostol, seychelleno.

Usos espirituais O *patchouli* ajudará você a aguçar a consciência para ficar mais lúcido e presente no momento atual. Use-o em práticas espirituais para ter lampejos de iluminação ou despertar a consciência. Ele o ajudará a entrar em contato com a sabedoria espiritual dos guardiães, ou forças dévicas, do reino vegetal. Use-o em práticas xamânicas para abrir um portal de acesso ao mundo das fadas, dos gnomos e dos elfos. Acrescente uma gota de *patchouli* a um *spray* aromático-energético para realizar movimentos conscientes na prática de yoga.

Usos mentais O aroma terroso do *patchouli* dá firmeza. Traz concentração e promove a ação, eliminando a preguiça. O aroma do *patchouli* aguça a percepção de problemas ou desafios, permitindo que você os veja de uma perspectiva mais elevada, aumentando, assim, a objetividade e a capacidade de captar o cenário inteiro.

Usos emocionais O *patchouli* é vivificante e pode ajudar você a passar da tristeza à alegria. Use-o em misturas sinergéticas com outros óleos vivificantes como bergamota, limão-siciliano e pau-rosa para aumentar a autoconfiança e a autoestima. O *patchouli* também pode ajudá-lo a se sentir emocionalmente seguro, pois fortalece o senso do eu.

Usos físicos O *patchouli* é bom para repelir pulgas, piolhos e mosquitos, sobretudo em combinação com o eucalipto *radiata*. Tem sido usado para picadas de cobras e é um ótimo repelente de insetos. Reduz ou inibe o crescimento de várias bactérias e fungos. Atrai tanto o amor quanto o dinheiro. Funciona bem como fixador em misturas sinergéticas, para estabilizar a fragrância. É um bom aliado, em aromaterapia, para arboristas, arquitetos paisagistas, jardineiros, neurologistas, terapeutas sexuais e praticantes/instrutores de yoga.

Propriedades terapêuticas   Adstringente (forte), calmante, afrodisíaco, alterativo, analgésico, antibactericida, antibiótico, antidepressivo, antiemético, antiestresse, antiflogístico, antifúngico, anti-inflamatório, antiparasitário, antisséptico, antitóxico, antiviral, carminativo, cicatrizante (forte), citofilático, descongestionante, desodorizante, diaforético, digestivo, diurético, estimulante (em pequenas quantidades) (nervos), estomáquico, febrífugo, fixador, inseticida, laxante, nervino, regenerativo (tecido epidérmico), sedativo (em grandes quantidades), tônico (útero).

Orientação divina   Você quer ver e entender melhor uma situação? Combine consigo mesmo um tempo para meditar ou permanecer sentado em silêncio. Faça isso com frequência. Abra sua consciência, ouça a verdade da alma e aceite-a sem julgamento.

Para sua segurança   Tem efeito estimulante quando usado em excesso e sedativo quando usado com moderação.

> *Dicas úteis:*
> O *patchouli* é usado para aromatizar a tinta nanquim.

PAU-ROSA
Magnificência Espiritual

Nome botânico	*Aniba rosaeodora*
Notas	cabeça a coração e base
Método de extração	destilação a vapor
Parte usada	madeira
Fragrância	amadeirada, doce, floral, leve, rósea, suave
Cores	amarela, marrom, verde-oliva
Chakras	cardíaco, esplênico
Signos astrológicos	Leão, Sagitário
Planetas	Júpiter, Sol
Número	7
Animais	falcão, leão, libélula
Elemento	Água

Afirmação   Concentro-me em meus bons atributos e amplifico-os. Tenho coragem de seguir em frente com alegria e entusiasmo. Irradio minha magnificência. Sou autoconfiante. Sou valorizado pelos outros e por mim mesmo. Atraio dinheiro.

Essências florais complementares   *Elm* para concentração no momento presente e elevação da autoestima. *Mustard* para aliviar a depressão. *White Chestnut* para banir os pensamentos repetitivos que impedem a paz interior e a autoconfiança.

Pedras complementares   Ágata púrpura, citrino, heliodoro, kunzita, lepidolita, pedra do sol, topázio dourado.

Sobre a planta   O pau-rosa é uma árvore perene que alcança mais de 30 metros de altura. É encontrada nas zonais tropicais da América, nas Índias Ocidentais e nas florestas tropicais do Brasil.

Componentes químicos   Cineol, linalol, óxido de linalol, terpineol.

Usos espirituais   O pau-rosa pode ajudá-lo na intenção de estreitar os laços com o Divino e maximizar a capacidade intuitiva, inclusive os dons sensoriais da clariaudiência, claricognoscência, clarissenciência e clarividência. Inale esse óleo para se lembrar do operador de milagres que há dentro de você e de sua magnificência espiritual inata. Ele o ajudará a ter forte senso do eu, de modo que possa acender sua fagulha divina.

Usos mentais   Em combinação com bergamota e limão-galego, o pau-rosa forma um trio de óleos excelente para aumentar a lucidez e ter visão otimista da vida. Ele ajudará você a sair da depressão (como auxiliar de outras terapias) e renovará sua autoconfiança. Use-o para ter coragem de pôr bons pensamentos em ação. Quando se tornar consciente de seus pensamentos, com a ajuda desse óleo, você poderá se livrar de pensamentos superados e substituí-los por outros que enfoquem a vida que quer viver.

Usos emocionais   O pau-rosa aumenta a alegria e a autoestima, sendo bom para aliviar os sintomas da depressão. Combate o estresse e acelera a reabilitação após períodos de fraqueza, graças às propriedades estimulantes e rejuvenescedoras. O pau-rosa lhe dará coragem para aceitar a pessoa magnificente que de fato é. Também é útil quando você procura absorver tudo quanto ocorre em sua vida e na vida das pessoas que o cercam. Esse óleo aguça a percepção de valor nos relacionamentos amorosos e românticos.

Usos físicos O pau-rosa ajuda a aliviar os sintomas da depressão e das doenças mentais oriundas das mudanças de humor. Por ser um óleo antifúngico, combate a cândida. Aumenta a força vital interior. Faz com que você persiga apaixonadamente um objetivo, com a motivação necessária para que as coisas sejam realizadas. Agir no mundo físico exige dinheiro e vitalidade; assim, tendo esse óleo como aliado, sintonize-se com a vibração dos recursos de que precisa para realizar um plano ou projeto. É um bom aliado, em aromaterapia, para banqueiros, conselheiros, conselheiros matrimoniais, epidemiologistas, construtores, corretores, inventores, psicólogos, planejadores matrimoniais e treinadores.

Propriedades terapêuticas Afrodisíaco, analgésico, antibactericida, anticonvulsivo, antidepressivo, antifúngico, antiparasitário, antisséptico (garganta), antiviral, calmante, cefálico, desodorizante, emoliente (pele), estimulante (sistema imunológico), euforizante, inseticida, regenerador (tecido da pele), tônico, vivificante.

Orientação divina Tem estado abatido ultimamente? Precisa de um pouco de estímulo na vida? Precisa de um pouco de brilho e entusiasmo? É chegado o momento de perseguir seus objetivos e alcançar a prosperidade. Você está pronto para assumir seu poder e ser tudo aquilo que deve ser. Está sintonizado com a magnificência e a coragem de mostrar-se em todo seu esplendor!

Para sua segurança Não há contraindicações conhecidas.

Dicas úteis:
Antes da ampla difusão da destilação, cavacos de pau-rosa eram usados como lenha nas destilarias. Os indígenas brasileiros faziam canoas com essa madeira. O aroma das lascas de madeira lembra a flor primaveril lírio do vale.

PETITGRAIN
Exuberância Alegre

Nome botânico	*Citrus aurantium*
Notas	coração a cabeça
Método de extração	destilação a vapor
Partes usadas	brotos novos, folhas e galhos
Fragrância	cítrica, doce, exótica, floral
Cores	amarela, branca, laranja, rosa, verde
Chakras	cardíaco, esplênico
Signos astrológicos	Leão, Sagitário
Planetas	Júpiter, Sol
Número	9
Animal	pelicano
Elemento	Fogo

Afirmação   Minhas luzes brilham intensamente. Sou autoconfiante. Os outros e eu mesmo reconhecemos meu valor e minhas qualidades. Meu coração emite as luzes da compaixão, da bondade e do amor.

Essências florais complementares   *Cerato* para orientação e autoconfiança. *Elm* para superar sentimentos de depressão. *Larch* para confiança. *Willow* para pensar positivamente.

Pedras complementares   Aventurina verde, calcita dourada, citrino, cornalina, pedra do sol, quartzo rosa, quartzo transparente, rodocrosita, selenita.

Sobre a planta   O *Citrus aurantium* é uma laranja amarga, nativa da Itália, que chega a 9 metros de altura.

Componentes químicos Acetato de geranila, acetato de linalina, acetato de nerila, geraniol, limoneno, linalol, mirceno, ocimeno, pineno, terpineol.

Usos espirituais O óleo de *petitgrain* é de primeira escolha para vivificar, acalmar e proporcionar experiências tranquilas de meditação. Ajuda a reduzir a tagarelice incessante da mente, ensejando uma experiência de meditação positiva. Seu aroma agradável é desodorizante natural, sendo, por isso, benéfico em aulas de yoga e em outras práticas para equilibrar os odores da transpiração. Esse óleo essencial ajuda a recuperar boas lembranças e os puros ensinamentos de Atlântida.

Usos mentais Esse óleo lança luz sobre os obstáculos mentais. Use-o para a manifestação e para ativar o poder da mente em criar realidade. Ele ativa os processos de pensamentos criativos, podendo ajudar a ter inspiração. Acalma a mente, alivia o estresse mental, corrobora a atividade mental e multiplica os pensamentos positivos. Acrescente esse óleo a uma mistura sinergética ou use-o como nota única para ativar bons pensamentos, postura jovial e grandes doses de otimismo.

Usos emocionais O óleo essencial de *petitgrain* possui aroma calmante e, portanto, ameniza sentimentos agitados. É um ingrediente perfeito em misturas sinergéticas para fugir da tristeza, aumentando o poder pessoal e a percepção.

Usos físicos O óleo de *petitgrain* é ótimo em uma mistura para garantir um sono tranquilo. Dadas as propriedades calmantes, melhora a respiração e pode ser usado para aliviar espasmos musculares. Também ajuda na digestão. Use-o para se livrar da acne e de espinhas isoladas. É um de meus óleos favoritos para acrescentar a misturas sinergéticas que refrescam e desodorizam o ar. É um bom aliado, em aromaterapia, para *coaching* de vida, consultores de saúde mental, facilitadores/praticantes de meditação, massoterapeutas, músicos, neurologistas e veterinários.

Propriedades terapêuticas   Adstringente, antidepressivo, antiespasmódico, antiestresse, antisséptico, antiviral, calmante, desodorizante, digestivo, estimulante (sistema digestório), estomáquico, fixador, nervino, refrescante, sedativo, tônico, vivificante.

Orientação divina   Você tem se sentido melancólico? Precisa de mais ânimo? Precisa de mais brilho e entusiasmo? Este é o momento da prosperidade e da consecução de objetivos. Você está pronto para assumir seu poder e ser aquilo que deve ser. Está em sintonia com a magnificência e a coragem, pronto para se mostrar na plenitude do esplendor!

Para sua segurança   Não há contraindicações conhecidas.

> *Dicas úteis:*
> *Petitgrain* significa "pequeno grão", originalmente derivado do fruto, não das folhas. Esse óleo é usado com frequência em perfumaria, para acrescentar aroma exótico às fragrâncias. É um dos ingredientes de minhas misturas de óleos criadas para aumentar a autoconfiança e aliviar alguns dos sintomas da depressão.

PIMENTA-DA-JAMAICA
Gratidão por Tudo o Que Existe

Nome botânico	*Pimenta dioica*
Nota	coração
Método de extração	destilação a vapor
Partes usadas	bagas
Fragrância	forte e de especiarias; mistura de cravo-da-índia, canela e cardamomo; lembra especiarias de Ação de Graças
Cores	dourado, marrom,
Chakras	todos
Signos astrológicos	Capricórnio, Leão
Planetas	Saturno, Sol
Número	88
Animais	águia, peru
Elemento	Fogo

Afirmação Sou grato pela abundância e prosperidade em minha vida. Aprecio meus amigos e familiares leais, solidários. Todas as coisas de que preciso e que desejo estão à minha disposição. Sou uma bênção para os outros, tanto quanto para mim mesmo. Amor, fortuna e plenitude me vêm naturalmente. Recebo muitas bênçãos.

Essências florais complementares *Elm* para cansaço passageiro e sensação de depressão. *Hornbeam* para sensação de peso e cansaço. *Oak* para recuperar a juventude.

Pedras complementares Todas as pedras, sobretudo amazonita, aventurina verde, calcopirita, cobre, esmeralda, galena, hematita, pirita, turmalina negra.

Sobre a planta A pimenta-da-jamaica é uma árvore perene que atinge altura de 10 a 25 metros. Tem folhas perfumadas e flores brancas pequenas, que se transformam em bagas.

Componentes químicos Eugenol, metil-eugenol, limoneno, cineol, felandreno, terpinoleno, cariofileno, selineno.

Usos espirituais A pimenta-da-jamaica é um dos aromas associados ao Arcanjo Miguel. Esse óleo essencial é um bom acréscimo às misturas para meditação. Ajuda a melhorar a qualidade da respiração porque abre as vias respiratórias. Aquece o espírito e tem forte relação com o Divino Masculino.

Usos mentais A pimenta-da-jamaica ajuda a incrementar a lucidez e a concentração, dando solidez aos pensamentos e relaxando a mente o bastante para o exame das ideias. Melhora a capacidade mental em períodos de cansaço. Para a maioria das também evoca lembranças agradáveis de conforto materno.

Usos emocionais A pimenta-da-jamaica possui aroma tranquilizador e provoca a sensação de calma e relaxamento nas horas de estresse emocional. O poder desse óleo sugere energia forte e positiva que nos ampara em situações difíceis. Dá ânimo quando nos sentimos abatidos ou apáticos. Aspire esse óleo essencial enquanto repete a afirmação da página anterior.

Usos físicos A pimenta-da-jamaica possui efeito sedativo sobre os nervos e, por isso, alivia a dor. Sua qualidade anestésica só tem efeito local; não afeta o sistema nervoso central. É ótima para as dores articulares e as resultantes de picadas de insetos. É uma boa aliada, em aromaterapia, de padeiros, neurologistas e profissionais da lei.

Propriedades terapêuticas Adstringente, afrodisíaco, analgésico, antidepressivo, antioxidante, antisséptico, carminativo, digestivo, estimulante, estomáquico, relaxante, rubefaciente, sedativo, tônico.

Orientação divina Tem sentido confusão mental? Está pronto para aceitar a prosperidade e a paz interior? Tome consciência de sua força mental, física, emocional e espiritual. Há inúmeras pessoas, lugares e situações pelas quais sente gratidão. É hora de atentar para aquilo que é bom.

Para sua segurança Evite a pimenta-da-jamaica em casos de doenças do fígado e hemofilia; pode irritar a pele e as mucosas.

> *Dicas úteis:*
> A pimenta-da-jamaica é chamada também de murta-pimenta, pimenta dioica e pimenta-de-coroa. Muito usada como ingrediente para tempero da carne-seca caribenha e para colônias pós-barba.

PIMENTA-DO-REINO
Entre em Ação

Nome botânico	*Pipper nigrum*
Nota	cabeça
Método de extração	destilação a vapor
Partes usadas	bagas antes do amadurecimento
Fragrância	apimentada; especiarias lembrando, às vezes, o cravo-da-índia; fresca, masculina, quente, seca
Cores	branca, dourada, preta, vermelha
Chakras	básico, coronário, frontal
Signo astrológico	Áries
Planeta	Marte
Números	17/8, 27
Animais	antílope, golfinho, raposa
Elemento	Ar

Afirmação   Tenho lucidez e concentração. Visualizo meus objetivos e minhas aspirações sem nenhum esforço. Sou seguro. Avanço na vida com confiança e propósito. Agradeço o fato de minha força vital me proporcionar a energia e a motivação para viver plenamente!

Essências florais complementares   *Gentian* para transformar atitudes negativas em positivas e entusiasmo. *Olive* para combater o estresse mental e a exaustão. *Sweet Chestnut* para aumentar a resistência e a força. *Wild Oat* para ativar os processos mentais relativos à carreira e à vida.

Pedras complementares   Cianita, diamante Herkimer, heliodoro, pietersita, quartzo rutilado, quartzo transparente canalisador, quartzo tabular, selenita.

Sobre a planta A pimenta-do-reino é uma trepadeira tropical nativa da Índia que chega a 3 metros de altura. Possui folhas verde-escuras em forma de coração e flores brancas afiladas que se transformam em bagas.

Componentes químicos Bisaboleno, cariofileno, careno, copaeno, cubebeno, farneseno, limoneno, pineno, sabineno.

Usos espirituais A pimenta-do-reino ativa o terceiro olho. Abre a mente para o reino do espírito e propicia a conexão com os mestres espirituais. Use-a em misturas sinergéticas para aprimorar a capacidade intuitiva. Esse óleo enriquece o dom sensorial da clarividência ou a visão psíquica. A pimenta-do-reino encorajará você a acreditar no próprio conhecimento (claricognoscência) e a agir para ter visões (clarividência) e ouvir a voz interior (clariaudiência). Invoque o Arcanjo Raziel enquanto inala esse óleo essencial para aceitar seus dons de intuição e profecia. Ele ajuda a recuperar boas lembranças e os puros ensinamentos de Atlântida.

Usos mentais A pimenta-do-reino estimula a mente a acelerar os processos de pensamento e combate a morosidade. Use-a para estimular a memória e a clareza mental. Como ingrediente principal de uma mistura sinergética, ela aguça a mente para transações de negócios.

Usos emocionais A pimenta-do-reino aumenta a força emocional e a resistência em momentos sensíveis ou de desafio. Sua poderosa vibração ajuda a eliminar emoções negativas, lançando forte luz na escuridão. Use esse óleo para se sentir mais valorizado e aumentar a autoestima.

Usos físicos A pimenta-do-reino aumenta a energia e a resistência física. Ajuda também a baixar a febre e a estancar hemorragias. Junte-a a uma mistura sinergética com óleo de semente de aipo e outros óleos analgésicos para amenizar a dor do reumatismo e da gota. A pimenta-do-reino é uma boa aliada, em aromaterapia, para ambientalistas, atores, artistas, *designers* gráficos, epidemiologistas, escritores e qualquer profissional criativo (inspira a fazer o melhor) místicos e músicos.

Propriedades terapêuticas   Afrodisíaco, analgésico, antibactericida, anticolinergético, anticonvulsivo, antídoto, antiemético, antiespasmódico, antisséptico, antitóxico, antitussígeno, aperiente, cardíaco, carminativo, desintoxicante, diaforético, digestivo, diurético, estimulante (circulação, rins), estomáquico, febrífugo, inseticida, rubefaciente, sedativo, tônico, tonificante (músculos), vasodilatador.

Orientação divina   Você precisa de mais lucidez e acuidade mental? Torne-se, com a ajuda desse óleo, consciente de seus pensamentos. Você pode eliminar os pensamentos ultrapassados e substituí-los por aqueles que se concentram na vida que deseja viver.

Para sua segurança   Pode irritar a pele (grau baixo a moderado).

Dicas úteis:
A pimenta-do-reino é um dos temperos mais antigos de que se tem notícia. Era usada na Índia há mais de quatro mil anos para tratar infecções urinárias e problemas de fígado. Os gregos a usavam para combater a febre; os romanos, para pagar impostos. Em *Fragrance and Wellbeing*, Jennifer Peace Rhind informa que a pimenta-do-reino, com o coentro, dá a nota de especiarias ao perfume *Miss Dior*, da Dior.

PINHO
Ar da Montanha

Nome botânico	*Pinus sylvestris*
Nota	coração
Método de extração	destilação a vapor
Partes usadas	agulhas e pinhas
Fragrância	conífera, fresca, lembrando a floresta, pura, refrescante, verde
Cores	marrom, verde, verde-azulada, vermelha, turquesa
Chakra	básico
Signos astrológicos	Capricórnio, Sagitário
Planetas	Terra, Júpiter
Número	3
Animais	porco-espinho, tartaruga
Elementos	Ar, Terra

Afirmação Diariamente, passo um tempo proveitoso na natureza. Mantenho conexão íntima com a Mãe Natureza e seus amorosos recursos para a cura natural. Tenho equilíbrio em todos os aspectos de minha vida. A vibrante energia verde-esmeralda das plantas e árvores alimenta e restaura meu corpo, minha mente e meu espírito.

Essências florais complementares *Mimulus* para sensibilidade exagerada. *Rock Rose* para força e capacidade de enfrentar desafios. *Willow* para perdoar e esquecer o passado.

Pedras complementares Ágata-árvore, ágata musgo verde, calcita vermelha, *howlita*, obsidiana negra, turquesa.

Sobre a planta   O pinheiro é uma árvore perene que dá pinhas. Alcança até 40 metros de altura. Tem folhas verde-azuladas em forma de agulhas.

Componentes químicos   Borneol, acetato de bornila, acetato de terpinila, cadineno, canfeno, dipenteno, felandreno, pineno, silvestreno.

Usos espirituais   O pinho possui energia protetora de grande benefício para pessoas intuitivas. Ajuda a criar um filtro para deter e afastar energias psíquicas negativas e influências indesejáveis. Acrescente o pinho a um vapor aromático-energético para obter proteção. Com esse óleo em mãos, invoque os ancestrais. Ele é ótimo para você se conectar com a sabedoria espiritual das culturas nativas. Inale o óleo de pinho para ampliar a compreensão dos ensinamentos da espiritualidade dos nativos norte-americanos e seguir a Boa Estrada Real (a estrada do equilíbrio). Sua energia estreita os laços com a Mãe Terra e com a espiritualidade centrada no solo. É bom para uso em Círculos Sagrados e altares inspirados nas cerimônias dos nativos norte-americanos. O pinho ajudará você a se sintonizar com as forças dévicas e os espíritos da natureza.

Usos mentais   O pinho ampara a mente em períodos de condições adversas. Protege e fortalece a mente, não deixando você sucumbir à negatividade que, às vezes, o surpreende quando está em casa, no escritório ou a qualquer momento de sua vida. A vibração protetora do pinho ergue uma barreira contra a intrusão telepática de pensamentos negativos alheios.

Usos emocionais   O pinho ajuda muito em períodos de crises emocionais potenciais. Auxiliará você a se livrar de sentimentos de mágoa, autopiedade e amargura. Use-o se for uma pessoa muito receptiva – como uma esponja – aos sentimentos dos outros, pois ele o impedirá de absorver as emoções alheias.

Usos físicos O pinho ajuda a limpar os rins e a eliminar problemas de congestão de pele, como a psoríase e o eczema. Ajuda também a purificar o sistema linfático, removendo o excesso de fluidos do corpo. É antisséptico e proporciona alívio de doenças respiratórias como asma, bronquite, resfriado, sinusite e tosse. Use-o para amenizar a dor, o cansaço e as dores musculares, assim como os sintomas do reumatismo. O óleo de pinho aumenta a vitalidade e estimula as glândulas adrenais. É ótimo para a limpeza da casa. É um bom aliado, em aromaterapia, para ambientalistas, arboristas, arquitetos paisagistas, donas de casa, ecologistas, fazendeiros, floristas, infectologistas, jardineiros e profissionais da lei.

Propriedades terapêuticas Analgésico, antibactericida, antiescorbútico, antiespasmódico, antiflogístico, antifúngico, antineurálgico, antiparasitário, antirreumático, antisséptico (forte), antitussígeno, antiviral, colagogo, colerético, depurativo (rins), diurético, descongestionante, desodorizante, estimulante (sistemas nervoso e circulatório; glândulas adrenais), hipertensor, inseticida, laxante, refrescante, restaurador, revitalizante, rubefaciente, sudorífico, tônico, vulnerário.

Orientação divina Tem se sentido disperso ultimamente, incapaz de se concentrar no que é importante? Olhe para dentro de si mesmo e verá o reflexo de tudo quanto ocorre à sua volta. Descubra qual parte do reflexo de fato lhe pertence e qual parte pertence aos outros. Priorize suas intenções e concentre-se em uma coisa por vez. Ter os pés no chão é importante para você realizar seus objetivos com sinceridade e propósito. Procure conhecer os ensinamentos dos nativos norte-americanos.

Para sua segurança Pode irritar a pele. Não use se estiver grávida ou amamentando.

Dicas úteis:
Os antigos egípcios usavam a resina do pinho no processo de embalsamamento. Tanto eles quanto os romanos usavam pinhas como amuletos da fertilidade. As nozes, também chamadas *pignoli* (pinhões), são um dos principais ingredientes do molho *pesto* e de pratos tradicionais italianos.

RAVENSARA
O Grande Vazio, o Grande Mistério

Nome botânico	*Ravensara aromatica*
Nota	cabeça
Método de extração	destilação a vapor
Partes usadas	folhas
Fragrância	amadeirada, canforada, herbácea
Cores	dourada, metálico-brilhante, preta, verde
Chakras	básico, coronário, laríngeo, umbilical
Signos astrológicos	Escorpião, Libra,
Planetas	Plutão, Vênus
Números	0, 5
Animais	abutre, coruja, corvo, urso
Elemento	Fogo

Afirmação   Concentro-me e permaneço concentrado até terminar uma tarefa. Completo qualquer uma que tenha iniciado. Presto atenção ao que ocorre à minha volta e ouço pacientemente o que eu mesmo e os outros têm a dizer. Presto atenção também às minhas necessidades e às dos outros.

Essências florais complementares   *Agrimony* para romper padrões emocionais e angústia. *Chestnut Bud* para detectar se e quando os mesmos erros estão sendo cometidos e aprender com a experiência. *White Chestnut* para eliminar pensamentos repetitivos.

Pedras complementares   Ágata-árvore, ágata musgo verde, obsidiana dourada brilhante, obsidiana negra.

Sobre a planta   A *ravensara* é uma árvore alta (chega a 18 metros de altura). Tem casca e folhas aromáticas.

Componentes químicos   Cadineno, canfeno, careno, cariofileno, cimeno, cineol, copaeno, elemeno, estragol, felandreno, isoledeno, limoneno, linalol, mirceno, ocimeno, pineno, sabineno, terpineno, tujeno.

Usos espirituais   A vibração e o aroma da *ravensara* levam você para o centro de si mesmo: ao lugar da verdade e da sabedoria. Nos ensinamentos dos nativos norte-americanos, a energia associada à *ravensara* liga-se ao Grande Vazio ou Grande Mistério, com base no qual todas as coisas foram criadas. Use-a para iluminar a consciência e receber níveis mais elevados de mensagens ou sonhos proféticos, oriundos de uma parte mais profunda de seu ser. Concentre-se no chakra umbilical ao usar esse óleo; assim, você sonhará com base na porção criativa da percepção.

Usos mentais   Esse óleo essencial ajudará você a se concentrar e a permanecer com os pés no chão. Use-o para dissipar a energia dispersa e as formas-pensamento negativas, bem como para afastar a energia negativa. Ele limpa os recessos mais profundos da mente e, quando usado com propósito firme, ajuda a inibir pensamentos repetitivos e resistentes. Por fim, ajuda a serenar a mente e atrair a paz interior.

Usos emocionais   A *ravensara* pode ser usada para ajudá-lo durante crises emocionais. Fortalece o sistema imunológico tanto físico quanto emocional, aumentando sua capacidade de combater o desgaste energético emocional e os padrões profundamente arraigados. Use esse óleo quando emoções negativas o perturbarem. Ele identifica e anula a exibição inconsciente de programas que perpetuam padrões negativos.

Usos mentais   A *ravensara* é o óleo de escolha para combater os germes que afetam o sistema respiratório. Alivia a sinusite e a congestão dos brônquios, além de combater infecções bacterianas. Esse óleo antiviral, dadas as fortes propriedades imunológicas, é eficaz no combate a potenciais agressões virais resistentes. Use-o com eucalipto, *tea tree* e cravo-da-índia para uma poderosa mistura sinergética contra o resfriado e a gripe. A *ravensara* é uma boa aliada, em aromaterapia, para cuidadores, dentistas, donas de casa, enfermeiras, infectologistas, manicures, otorrinolaringologistas, podólogos, pneumologistas, praticantes de xamanismo e profissionais da área da saúde.

Propriedades terapêuticas   Analgésico, antibactericida, antibiótico, antiespasmódico, antisséptico, antitóxico, antitussígeno, antiviral, carminativo, colagogo, colerético, diurético, estimulante, febrífugo, sedativo, tônico.

Orientação divina   Sua mente conserva lembranças tóxicas? Você está ingerindo alimentos pouco saudáveis, que contêm toxinas prejudiciais ao sistema imunológico? É hora de dar os passos necessários para livrar a mente de pensamentos tóxicos. É hora de afastar lembranças antigas, que estão interferindo em sua capacidade de ser feliz. Use a intuição para encontrar as orientações de que necessita.

Para sua segurança   Não use se estiver grávida ou amamentando.

> *Dicas úteis:*
> Em Madagascar, as sementes de *ravensara* são chamadas noz-moscada, embora a *ravensara* não seja a noz-moscada tradicional. Em *Essential Aromatherapy*, Worwood informa que a casca da *ravensara* é usada para fabricar certo tipo de rum.

ROSA
Tudo o Que É

Nome botânico	*Rosa damascena*
Notas	base a coração
Método de extração	destilação a vapor
Partes usadas	flores
Fragrância	doce, floral, profunda
Cores	branca, rosa, vermelha
Chakra	cardíaco
Signos astrológicos	Câncer, Libra, Touro, Virgem
Planetas	Plutão, Vênus
Números	0, 4
Animais	cisne, pombo, unicórnio
Elementos	todos

Afirmação   Sou amor. Tudo que me rodeia e tudo que recebo é amor. Olho para dentro de mim e amo todos os aspectos de meu ser exatamente como são. Atraio afeto, alegria e felicidade para minha vida e sinto-me reconfortado. As bênçãos estão sempre presentes. Um cortejo de anjos e guias espirituais sempre atende ao meu chamado.

Essências florais complementares   *Holly* para se recuperar de uma crise; ele estimula o amor-próprio e a compaixão. *Honeysuckle* para atrair a felicidade e o amor. *Olive* para inspirar o descanso e o rejuvenescimento. *Water Violet* para preservar uma sólida conexão com os semelhantes.

Pedras complementares   Calcita rosa, danburita, kunzita, quartzo rosa, rodocrasita, rodonita.

Sobre a planta   A rosa de damasco é um arbusto que atinge até 2 metros de altura. Tem flores aromáticas rosa ou vermelho-claras, com múltiplas pétalas.

Componentes químicos   Alcanos e alcenos, citronelol, eugenol, eugenol de metila, farnesol, feniletanol, geraniol, nerol, terpineno.

Usos espirituais   A rosa nos lembra que o amor é a resposta para tudo. Use-a para irradiar amor em vasta circunferência à sua volta. Como o chakra cardíaco é o centro da consciência, o amor é aquilo que você realmente é. A rosa será útil na prática de meditação para expandir a esfera de amor. Use o óleo essencial de rosa para pedir a santa Teresa de Lisieux ajuda na manifestação de milagres. Esse óleo está associado aos anjos da guarda, à Mãe Maria, a Nossa Senhora de Guadalupe, a Kuan Yin (deusa do perdão e da compaixão), e aos Arcanjos Chamuel, Gabriel, Haniel e Metatron. Ajuda a recuperar boas lembranças e os puros ensinamentos de Atlântida.

Usos mentais   A rosa ajuda a manter o foco e a atenção no chakra cardíaco e no amor. Imagine que tudo que você é, tudo que faz e tudo que atrai é amor, enquanto acolhe esse aroma no campo energético.

Usos emocionais   A rosa simboliza o amor e a beleza. Ajudará você a atrair relacionamentos saudáveis e românticos, assim como amizades solidárias e afetuosas, além de bons colegas de trabalho. Se você mantiver esse aroma em seu campo, estimulará a bondade, a compaixão e a tolerância. A rosa também reduz o estresse e as preocupações, ajudando a combater a ansiedade e os sintomas da depressão. Use a rosa quando precisar de incentivo. Ela aumenta a alegria e a felicidade.

Usos físicos   A rosa é usada nos cuidados da pele, para regeneração e redução de cicatrizes, rugas e estrias. Devido à influência estimulante e calmante sobre a mente e as emoções, é benéfica para reduzir a inflamação e a pressão sanguínea. É uma boa aliada, em aromaterapia, para apicultores, cardiologistas, clarividentes, comunicadores angélicos, conselheiros matrimoniais, dermatologistas, esteticistas, mães, planejadores matrimoniais e terapeutas sexuais.

Propriedades terapêuticas   Adstringente, colagogo, digestivo, diurético, hepático, rejuvenescedor (cicatrizes e estrias), tônico, vasodilatador.

Orientação divina   Você está procurando mais amor? Saiba que pode dar amor e abrir-se ainda mais para receber amigos e familiares afetuosos e solidários. Você está pronto para incrementar o amor, bem como os milagres que ocorrem à sua volta. Determine o modo como deseja ser amado e comece por se amar dessa maneira.

Para sua segurança   Não há contraindicações conhecidas. Convém não usar no primeiro trimestre de gravidez.

> *Dicas úteis:*
> Essa flor é conhecida também como rosa-repolho e rosa francesa. O médico árabe do século X, Avicena, teria sido o primeiro a destilar o óleo de rosa. São necessários 30 kg de pétalas para fabricar 30 ml de óleo! Fato interessante, as pétalas devem ser colhidas antes do nascer do sol. As rosas simbolizam tradicionalmente um casamento feliz, por isso são usadas nos buquês das noivas. Seu aroma é associado à Mãe Maria, pois tanto esse aroma quanto aparições de rosas são comumente relatados em associação com manifestações divinas.

SÁLVIA
Bolhas

Nome botânico	*Salvia officinalis*
Nota	cabeça
Método de extração	destilação a vapor
Partes usadas	brotos, flores e folhas
Fragrância	amadeirada, canforada, doce, forte, fresca, pungente, verde
Cores	amarela, lavanda, marrom, verde
Chakras	básico, esplênico, umbilical,
Signo astrológico	Escorpião
Planetas	Lua, Plutão
Números	16/7
Animais	cobra, tartaruga
Elementos	Fogo, Terra

Afirmação   Sou uma pessoa firme e segura. Nada me fere. Tudo está bem. Tenho à minha volta gente confiável. Sou abençoado e conto sempre com a proteção divina. Vivo dentro em uma bolha de bondade e bem-estar.

Essências florais complementares   *Mimulus* para sensibilidade exagerada à energia. *Rescue Remedy* para combater o medo. *Red Chestnut* para afastar a impressão de que algo ruim vai acontecer.

Pedras complementares   Ágata marrom, ágata musgo verde, ametista, ametrino, azeviche, calcita dourada, hematita, lápis-lazúli, obsidiana arco-íris, obsidiana floco de neve, quartzo esfumaçado, quartzo turmalinado, turmalina verde, vanadinita.

Sobre a planta A sálvia é uma planta perene do Mediterrâneo que alcança 1 metro de altura. Tem folhas cinzento-esverdeadas e pequenas flores cor de lavanda.

Componentes químicos Acetado de bornila, borneol, canfeno, cânfora, cariofileno, cineole, pineno, tujona.

Usos espirituais A sálvia é o óleo de escolha para afastar a energia negativa do espaço e campo energético pessoal. Use-a para inserir sua prática espiritual no cotidiano. Mantenha-a por perto para garantir proteção enquanto faz leituras ou outro tipo de cura espiritual. Esse óleo propicia atenção, percepção e visão periférica, importantíssimas na prática espiritual.

Usos mentais O óleo de sálvia ajudará você a transformar a composição mental de seus pensamentos. Use-o, portanto, para reestruturar ideias e dar-lhes nova vida, graças a uma reviravolta positiva. No nível vibracional, ele pode desfazer modos de pensamento antigos e repetitivos, permitindo-lhe reconstituí-los com nova roupagem. A sálvia ajudará você a se sintonizar com a sabedoria e a inspiração, fazendo-o ver a diferença entre sabedoria e conhecimento.

Usos emocionais Use a sálvia para eliminar estados emocionais firmemente enraizados nos chakras umbilical e básico. Em vez da desintegração total, ela desestabiliza a negatividade associada a lembranças ou experiências perturbadoras. Portanto, o óleo de sálvia o ajudará a reintegrar as lições obtidas da experiência, tornando-o, em virtude disso, uma pessoa mais poderosa. A sálvia reduz a ansiedade e acelera sua vibração. Ajuda a aliviar os sintomas da depressão.

Usos físicos Ao longo dos tempos, a sálvia tem sido usada para equilibrar os hormônios reprodutores femininos a fim de eliminar ou reduzir problemas como infertilidade, tensão pré-menstrual e sintomas da menopausa. É estimulante, acelera o fluxo de sangue no cérebro e pode aumentar a pressão sanguínea. O óleo de sálvia é usado para reduzir a transpiração excessiva. Minimiza a lactação. É uma boa aliada, em aromaterapia, para bibliotecários, *chefs* de cozinha, clarividentes, conselheiros, conselheiros espirituais, curadores espirituais, doulas, flebotomistas, ginecologistas, juízes, leitores intuitivos, músicos, neurologistas, praticantes de reiki, praticantes de xamanismo, praticantes/facilitadores de meditação, profissionais da lei, psicólogos, varejistas *New Age*.

Propriedades terapêuticas Adstringente, antibactericida, antidepressivo, antidiabético, antiespasmódico, antifúngico, antigalactagogo, anti-inflamatório, antioxidante, antiparasitário, antirreumático, antisséptico, antissudorífico, antitussígeno, antiviral, aperiente, calorífico, carminativo, cicatrizante, colagogo, depurativo, desinfetante (forte), digestivo, diurético, emenagogo, estimulante (cérebro, sistema circulatório, glândulas adrenais), estomáquico, tônico (sistema digestório), estrogênico, euforizante, febrífugo, hemostático (sangramentos das gengivas), hepático, hipertensor, inseticida, laxante, nervino, purificador do sangue, vulnerário.

Orientação divina Você tem medo de ser traído ou sente-se ameaçado de alguma maneira? Está cercado de pessoas negativas ou pouco confiáveis? Encontra-se, às vezes, em situações duvidosas? Concentre-se em combater a negatividade, envolva-se em um manto afetuoso de proteção e saiba que seus anjos e outros guias espirituais velam por você.

Para sua segurança Pode afetar adversamente o sistema nervoso central. Não use se estiver grávida ou amamentando.

Dicas úteis:
Como seu nome implica, a sálvia (*sage*, "sábio" em inglês) possui a vibração da sabedoria. Ao longo da história, tem sido consumida não apenas pelo sabor agradável, mas também em virtude da crença de que a ingerir traz sabedoria. As folhas de sálvia eram usadas, no século XVII, na remoção de verrugas. Foram queimadas em cerimônias de purificação durante milhares de anos. Desde tempos antigos, essa erva era conhecida por afastar o mal. A sálvia é considerada um ingrediente essencial na cozinha, em associação com a salsa, o alecrim e o tomilho (fato popularizado na canção "Scarborough Fair").

SÁLVIA ESCAREIA
Euforia

Nome botânico	*Salvia sclarea*
Notas	cabeça a coração
Método de extração	destilação a vapor
Partes usadas	flores e folhas
Fragrância	balsâmica, doce (nota de cabeça), forte, herbácea, lembrando a noz, lembrando o tabaco (nota de coração)
Cores	amarela, azul, cobalto
Chakras	esplênico, frontal, umbilical
Signos astrológicos	Câncer, Peixes
Planetas	Lua, Netuno
Número	1
Animais	cavalo, beija-flor
Elementos	Ar, Água

Afirmação   Aceito minhas emoções e instauro o equilíbrio em minha vida. A energia nutritiva me cerca. De muitos modos, atraio diariamente paz interior e grande alegria. Tenho coragem de seguir em frente com jovialidade e entusiasmo.

Essências florais complementares   *Oak* para relaxar após excesso de atividade. *Vervain* para compensar a alta tensão e a hiperatividade. *Vine* para conter a agressividade. *Walnut* para enfrentar as dificuldades em tempos de mudança.

Pedras complementares   Azurita, calcita dourada, citrino, crisocola, lápis-lazúli, lepidolita, pirita, quartzo rosa, sodalita, sugilita, topázio dourado.

Sobre a planta   Nativa da Europa, a sálvia esclareia é uma planta das mais aromáticas que chega a 1 metro de altura. Suas flores são azuis, rosa ou brancas.

Componentes químicos   Acetato de linalil, biciclogermacreno, cariofileno, copaeno, esclareol, germacreno, linalol.

Usos espirituais   A sálvia esclareia é um ótimo óleo essencial para se usar na contemplação, meditação e prece. Use-o para o alívio da tagarelice mental incessante e para a obtenção de estado meditativo profundo. A sálvia esclareia o ajudará a permanecer calmo ao receber orientação intuitiva, deixando-o descontraído o bastante para observar e interpretar como essa orientação se aplica à sua vida. Inale esse óleo e invoque o Arcanjo Auriel para ajudá-lo a se livrar de medos inconscientes. Invoque o Arcanjo Camael para se livrar da raiva, da agressão e das emoções violentas. A sálvia esclareia o ajudará a cultivar maneiras de amar e ser amado sem sentimento de carência. Use esse óleo para aprimorar a verdadeira compreensão do desapego. Ele pode ajudá-lo a estreitar relacionamentos saudáveis graças à consciência da natureza mutável da realidade.

Usos mentais   A sálvia esclareia o ajudará a cultivar mentalidade sem julgamentos intransigentes, permitindo que você relaxe e deixe os outros viverem a própria vida. Quando você não julga os outros e a si mesmo, torna-se um observador objetivo.

Usos emocionais   A sálvia esclareia relaxa, reconforta, consolida sentimentos e emoções. Substitui a energia da histeria pela sensação de bem-estar e euforia. É especialmente benéfica quando as emoções são violentas. Use-a para acalmar e combater a raiva ou a frustração. Ela ajuda a conter as crises emocionais provocadas pela tensão pré-menstrual, pela menopausa e outros problemas relacionados aos hormônios. Graças a esse óleo, você reconhecerá e aceitará as *percepções* ligadas aos hormônios como corretas, e vai expressá-las de modo aceitável para outras pessoas.

Usos físicos A sálvia esclareia ajuda a equilibrar a saúde física geral porque concorre para aliviar o estresse e a ansiedade. Use-a para recuperar as forças após uma doença. Esse óleo reduz a pressão sanguínea, a dor de cabeça e a enxaqueca porque alivia a tensão. Reduz também a transpiração. A sálvia esclareia é excelente para proporcionar sono profundo. Esse óleo é um bom aliado, em aromaterapia, para conselheiros de saúde mental, cuidadores de asilos, conselheiros matrimoniais, doulas, especialistas em fertilidade, especialistas em reabilitação de dependentes químicos, facilitadores/praticantes de meditação, ginecologistas e terapeutas sexuais.

Propriedades terapêuticas Adstringente, afrodisíaco, analgésico, anticonvulsivo, antidepressivo, antiespasmódico, antiestresse, anti-inflamatório, antisséptico, antissudorífico, antiviral, aquecedor, balsâmico, calmante, carminativo, curativo (pele), desodorizante, digestivo, emenagogo, emoliente, estimulante (contrações uterinas), estomáquico, estrogênico, euforizante, fixativo, hipotensor, nervino, refrescante, regenerativo (pele, células), relaxante (forte), revitalizante, sedativo, tônico, tonificante.

Orientação divina Você está enfrentando alguma situação incômoda? Apega-se a um pensamento, a uma lembrança ou a uma experiência de vida que não sai da sua cabeça? É hora de esquecer as situações do passado – de 5 minutos ou 5 anos atrás – para encontrar a paz interior e a verdadeira felicidade. Procure reduzir a inquietação emocional, física e mental. Tente a visualização e a meditação para acalmar cada aspecto da vida e do corpo.

Para sua segurança A sálvia esclareia tem efeito sedativo; evite-a se for dirigir e quando precisar ficar alerta. Evite-a também se ingerir bebida alcoólica, pois pode provocar náuseas. Não a use se tiver pressão sanguínea baixa. O uso deve ser moderado e ocasional, pois o excesso pode causar dor de cabeça. Não use se estiver grávida ou amamentando.

> *Dicas úteis:*
> No folclore, a sálvia esclareia é chamada "olho claro". Uso-a como ingrediente essencial em minhas misturas para relaxamento e fertilidade.

SÂNDALO
Prece, Contemplação e Sabedoria

Nome botânico	*Santalum album*
Nota	base
Método de extração	destilação a vapor
Parte usada	cerne da madeira
Fragrância	amadeirada, exótica, persistente, sutil
Cores	todo o espectro
Chakras	todos
Signos astrológicos	Aquário, Peixes
Planetas	Netuno, Urano
Números	9, 822
Animais	búfalo branco, elefante, falcão, rato
Elementos	Água, Ar

Afirmação   Minha cabeça e meu coração estão em sintonia com o Divino. Sou um operador de milagres. Espalho amor e bem-estar a todos os seres. Sou equilibrado, alinhado, saudável e forte. Para mim, é fácil permanecer no centro de meu poder e irradiar amor. Abro-me para a energia curativa do amor e das preces que os outros me endereçam e envio preces e bem-estar a todos os seres necessitados.

Essências florais complementares   *Gorse* para aumentar a fé e o otimismo. *Holly* para eliminar sentimentos agressivos e ciúme, pondo bondade nas palavras e nos atos. *Impatiens* para tolerância e paciência consigo mesmo e com os outros.

Pedras complementares   Ametista, ametista *druzy*, angelita, *howlita*, jade, quartzo transparente, rodocrosita, selenita, serpentina, turmalina rosa.

Sobre a planta   O sândalo é uma árvore perene originária da Ásia que chega a cerca de 9 metros de altura. Tem flores pequenas que produzem frutos.

Componentes químicos   Bergamotol, bisabolol, bulnesol, dendrolasina, farnesol, curcumeno, guaiol, lanceolol, nerolidol, nuciferol, santaleno, santalol.

Usos espirituais   O sândalo é muito apreciado por seus benefícios durante a meditação, pois acalma a mente. Sua fragrância é usada em cerimônias religiosas budistas e hinduístas, assim como em práticas yogues, espirituais e metafísicas. Pulseiras de contas e rosários são, às vezes, feitos com sândalo. Ele ajudará você a entrar em sintonia com a essência vibracional de Buda e Kuan Yin (deusa do perdão e da compaixão). O sândalo aumentará sua fé e confiança nas buscas espirituais. Fortalece a crença no poder da prece.

Usos mentais   O sândalo acalma e aquieta a mente. Ajuda a direcionar os processos mentais para o autoaperfeiçoamento, a autopercepção e a autoaceitação. É uma ferramenta para ativar o sábio erudito interior e o intelecto voltado para a sabedoria. É benéfico para desviar o pensamento de tudo quanto não se harmonize com a vibração do amor.

Usos emocionais   O sândalo ajudará você a se harmonizar com a compaixão, a paz interior, a tolerância e o amor. Ele o induzirá, tal como você é, a amar-se e a amar ao próximo total e completamente! Esse óleo o ajudará a conhecer maneiras positivas de integrar situações e emoções à sua vida. Use-o para descobrir a fonte daquilo que o está perturbando e obter uma perspectiva nova, mais leve, das coisas.

Usos físicos   O sândalo é um bom fixador em misturas sinergéticas, pois ajuda a estabilizar o aroma. Use-o para combater infecções do peito, da garganta e da bexiga. Ele alivia a tensão nervosa, o estresse e a ansiedade, além de promover a cura energética de todos os tipos de doenças. O sândalo ajuda a reequilibrar o corpo, recuperando-o da exaustão nervosa. É um bom aliado, em aromaterapia, para facilitadores/praticantes de meditação, líderes visionários e terapeutas, principalmente os praticantes da técnica da liberdade emocional (TLE), ou *tapping* (ferramenta psicológica terapêutica para a cura do estresse emocional), místicos e terapeutas sexuais..

Propriedades terapêuticas Adstringente, afrodisíaco, analgésico, antibactericida, antidepressivo, antiespasmódico, antiestresse, antiflogístico, antifúngico, anti-infeccioso, anti-inflamatório, antiprurítico, antisséptico, antitussígeno, antiviral, calmante, carminativo, cicatrizante, descongestionante, desodorizante, diaforético, diurético, emoliente, estimulante, estomáquico, euforizante, febrífugo, fixador, inseticida, relaxante, sedativo, tônico.

Orientação divina Você tem orado por ajuda? Está em sintonia com todas as formas de vida, visíveis e invisíveis? Recorra à sua capacidade inata de intuir aquilo de que necessita, sempre que precisar. Reconheça sua intuição e confie na percepção que tem dos próprios sentimentos, assim como dos sentimentos dos outros.

Para sua segurança Não há contraindicações conhecidas.

> *Dicas úteis:*
> Uma das madeiras aromáticas mais antigas de que se tem notícia, o sândalo é mencionado na literatura védica de 500-300 a.C. É o aroma arquetípico da Índia, e seu nome em sânscrito é *chandana*. Essa madeira resiste bem aos cupins. Os antigos egípcios usavam o sândalo no processo de embalsamamento.

SEMENTE DE AIPO
Mande Embora

NOME BOTÂNICO	*Apium graveolens*
NOTAS	coração a base
MÉTODO DE EXTRAÇÃO	destilação a vapor
PARTES USADAS	sementes
FRAGRÂNCIA	fresca, leve de especiarias, quente, semelhante à do aipo, terrosa
CORES	amarela, laranja, verde, verde-oliva
CHAKRAS	esplênico, umbilical
SIGNOS ASTROLÓGICOS	Áries, Câncer, Capricórnio
PLANETAS	Marte, Plutão, Saturno
NÚMERO	22
ANIMAIS	bicho-preguiça, caranguejo, cobra
ELEMENTOS	Ar, Água

Afirmação   A boa sorte e as bênçãos dos outros me deixam feliz. Para mim, é fácil ficar calmo. Mando embora o que não mais me serve e deixo-me levar pela corrente. Todas as minhas articulações são saudáveis e não me incomodam. Esqueço a raiva de modo saudável e equilibrado. Todas as toxinas são facilmente processadas e removidas do meu corpo. Os acontecimentos passados afetam positivamente meu presente e meu futuro.

Essências florais complementares   *Holly* para eliminar sentimentos de cólera, amargura e ciúme. *Oak* para recuperação e renovação após períodos de luta. *White Chestnut* para impedir falas e pensamentos repetitivos. *Willow* para eliminar a autopiedade, o ressentimento e a amargura.

Pedras complementares Ametrina, citrino, crisocola, crisoprásio amarelo, cobre, cornalina, heliotropo, malaquita, peridoto.

Sobre a planta O aipo é uma planta bienal que chega de 30 a 60 centímetros de altura. Tem flores verdes e brancas que produzem as sementes.

Componentes químicos Butilideneftalida, limoneno, linalol, lingustilida, mirceno, pentul-benzeno, pineno, sedanenolida, selineno.

Usos espirituais Use o óleo de semente de aipo para aumentar a capacidade de entrar em contato com o Cosmos para obter sabedoria, conhecimento e informações novas que possam ser aplicados à prática espiritual de meditação, prece e contemplação. Adicione o óleo de semente de aipo a uma mistura sinergética para invocar o Arcanjo Camael, com a intenção de se harmonizar com o amor e a aceitação (o contrário de raiva e agressão).

Usos mentais O óleo de semente de aipo é energeticamente benéfico quando a pessoa está trabalhando em uma invenção, fórmula ou projeto que requeira multiplicidade de ideias para completar a tarefa. É bom para escritores, músicos e inventores que se sintam sem ideias ou estagnados. Também é bom quando a pessoa não consegue pensar com clareza por se sentir ferida, o que a torna desconfiada ou enciumada. Invoque o Arcanjo Sabrael para se livrar do ciúme. Use esse óleo com a intenção de alcançar paz interior e livrar-se de formas-pensamento que, no fim, apenas conseguirão magoá-lo.

Usos emocionais O óleo de semente de aipo pode ser adicionado a uma mistura sinergética para você superar inseguranças e ciúme ou quando precisar ter coragem de estabelecer limites com os outros. Pode ajudá-lo caso você se sinta magoado com a traição de um amigo ou com o fim de um relacionamento. Transforma emoções negativas e livra-o da opressão que outros possam estar exercendo em seu corpo emocional.

Usos físicos   O aipo é usado principalmente para livrar o corpo do excesso de água por meio da excreção de urina. (Lembrete: use esse óleo em um veículo e aplique-o à sola dos pés. Não ingira este nem qualquer outro óleo essencial.) É bom para baixar a pressão sanguínea. Os componentes do óleo de semente de aipo ajudam a limpar o fígado, o baço e a bexiga. Acelera a eliminação de ácido úrico, aliviando os sintomas da gota e da nevralgia. Sabe-se que alivia os sintomas da artrite reumatoide. Promove o sono. A semente de aipo é uma boa aliada, em aromaterapia, para consultores de perda de peso e gastroenterologistas.

Propriedades terapêuticas   Abortivo, afrodisíaco, analgésico, antiartrítico, anticonvulsivo, antiescorbútico, antiespasmódico, antiflogístico, antilítico, antioxidante, antirreumático, aperiente, carminativo, colagogo, depurativo, diaforético, digestivo, diurético, emenagogo, estimulante (contrações uterinas), estomáquico, hepático, hipotensor, nervino, sedativo, tônico, vulnerário.

Orientação divina   Você recebe sinais claros e mensagens compreensíveis de outros e do Universo? Sente-se estagnado? Tem pensamentos repetitivos sobre feridas do passado? Então, é hora de limpar seu canal. Permita que a sabedoria flua através de você e elimine o que já não serve a seu mais alto bem. Acredite em si mesmo. Confie em sua capacidade de adquirir o conhecimento e a sabedoria universais.

Para sua segurança   Nenhuma contraindicação conhecida.

Dicas úteis:
Em tempos antigos, a medicina ayurvédica prescrevia sementes de aipo para gripe, resfriado, edema, indigestão, artrite e outras enfermidades.

SEMENTE DE ANIS (ERVA-DOCE)
Integração

Nome botânico	*Pimpinella anisum*
Nota	cabeça
Método de extração	destilação a vapor
Partes usadas	sementes
Fragrância	doce, quente, semelhante à do alcaçuz; lembra os pratos italianos
Cores	verde, laranja, amarela
Chakras	coronário, esplênico, umbilical
Signos astrológicos	Áries, Câncer, Escorpião, Leão, Virgem
Planetas	Júpiter, Lua, Netuno, Sol
Número	3
Animais	bicho-preguiça, borboleta, mariposa
Elemento	Ar

Afirmação Avanço na vida sem dificuldade, aplicando as lições de meu passado como degraus positivos para o futuro. Meu sistema digestório é saudável. Com facilidade, absorvo e processo tudo que vejo à minha volta. Não encontro problema em me concentrar e permanecer alerta.

Essências florais complementares *Holly* para combater o medo do próprio ciúme e o dos outros. *Honeysuckle* para observar o passado e usar as lembranças para ir em frente. *Larch* para aumentar a autoconfiança e a coragem. *Walnut* para a mudança e a integração. *Willow* para perdoar e esquecer ofensas passadas.

Pedras complementares Apatita, citrino, cornalina, crisocola, jade, peridoto, quartzo rosa.

Sobre a planta A erva-doce é uma planta florífera herbácea, anual, com folhas aveludadas. Alcança 1 metro ou mais de altura. As flores são brancas e produzem as sementes.

Componentes químicos Anetol, limoneno, estragol, álcool anisílico, himacaleno, anisaldeído, isoeugenil metil-butirato.

Usos espirituais As sementes de anis ajudam na prevenção de pesadelos. Coloque algumas gotas em um tecido sob o travesseiro e firme a intenção de ter bons sonhos. Use-as em uma mistura sinergética para se proteger e aprimorar a intuição ou abrir o chakra frontal.

Usos mentais Use as sementes de anis para obter clareza mental e restaurar a atenção da mente fatigada. Esse óleo melhora a capacidade de ouvir, fazendo com que a mente fique mais atenta e concentrada. Inale-o enquanto repete a afirmação da página anterior.

Usos emocionais Use as sementes de anis ao recapitular fatos para executar uma tarefa de cura e transformação. Recapitular significa recordar os sistemas de crenças que já não lhe servem e precisam ser eliminados. Esse óleo é perfeito para mulheres que se preparam para a maternidade, mas ainda não estão grávidas (ver "Para sua segurança", na página seguinte). Adicione algumas gotas a uma mistura aromático-energética para firmar a intenção da fertilidade e dar um passo em direção à maternidade consciente, antes da concepção.

Usos físicos As sementes de anis combatem os sintomas da asma, da bronquite, da cefaleia, das cólicas estomacais, do estresse, da flatulência, da indigestão, das náuseas, de picadas de insetos e da tosse. Têm muita afinidade com o sistema digestório. Esse óleo equilibra a absorção de açúcar e diminui sua concentração no sangue. É um estimulante geral para os sistemas cardíaco, respiratório e digestório, mas atua também como sedativo para esses sistemas. Tem sido usado em combinação com ilangue-ilangue para eliminar piolhos. Esse óleo é ainda um bom aliado, em aromaterapia, para cozinheiros e padeiros, pois estimula o espírito criativo da arte culinária. As sementes de anis são um bom auxiliar para profissionais da lei e mães.

Propriedades terapêuticas Analgésico, antiespasmódico, antisséptico, antitussígeno, aperiente, calmante, carminativo, digestivo, diurético, emenagogo, estimulante, estomáquico, galactagogo, hipoglicêmico.

Orientação divina Você não se sente capaz de integrar aquilo que está acontecendo em sua vida? Acha difícil *encarar* desafios? A incapacidade de processar o que acontece à sua volta costuma se manifestar como indigestão ou problemas estomacais. Às vezes, quando não conseguimos nos livrar de um pensamento, sentimento ou emoção inquietante, ficamos sujeitos à constipação.

Para sua segurança Use pouco ou ocasionalmente: o uso excessivo pode ser carcinogênico. Às vezes, irrita a pele. Utilize com cuidado caso esteja tomando medicação contra o diabetes, pois afeta os níveis de açúcar no sangue. Evite o uso em casos de endometriose ou câncer dependente de estrógeno. Não use se estiver grávida ou amamentando.

> *Dicas úteis:*
> Usado medicinalmente desde tempos pré-históricos, a erva-doce é um ingrediente fundamental em aromaterapia. Seu emprego como tempero remonta à Idade Média. A semente de anis pertence à família da salsa e seu gosto lembra o do alcaçuz. Os egípcios a utilizavam no pão; os romanos, como afrodisíaco. Entre os gregos, era consumida como calmante do sistema digestório, e muitas avós italianas colocam-no em chás para indigestão ou resfriado, além de enriquecer seus molhos de tomate e outros pratos tradicionais.

TANGERINA
Doce Paz e Conforto

Nome botânico	*Citrus reticulata*
Nota	cabeça
Método de extração	prensagem a frio
Parte usada	casca do fruto
Fragrância	adocicada, cítrica, doce
Cores	laranja, rosa
Chakras	cardíaco, esplênico, umbilical
Signos astrológicos	Áries, Aquário, Leão, Libra
Planetas	Sol, Urano, Vênus
Números	7, 11, 22, 44, 52
Animais	beija-flor, dragão, lagarto, libélula, raposa
Elementos	Ar, Fogo

Afirmação   Conto com inúmeros auxiliares espirituais, que me assistem em todas as áreas da vida. A todo instante, recebo orientação e inspiração de meus anjos e outros guias espirituais. Sou abençoado com vibrações vivificantes aonde quer que vá!

Essências florais complementares   *Aspen* para medos indefinidos. *Clematis* para concentração. *Mimulus* para coragem. *Red Chestnut* para paz.

Pedras complementares   Angelita, calcita laranja, calcita rosa, celestita, cornalina, hematita, kunzita, morganita, quartzo transparente.

Sobre a planta   Nativa da China, a tangerina é uma árvore de frutos cítricos que alcança altura de 7 metros.

Componentes químicos   Cimeno, limoneno, mirceno, pineno, terpineno, terpinoleno, tujeno.

Usos espirituais   A tangerina ajuda você a se conectar com seus anjos da guarda, que agem e reagem de acordo com formas-pensamento e pedidos específicos. Como os seres humanos têm livre-arbítrio, os anjos precisam ser solicitados a ajudar ou a intervir em nosso benefício. Ao inalar o óleo de tangerina, imagine uma conexão clara com seu anjo da guarda e peça determinada assistência ou orientação. O óleo de tangerina promove a paz interior, a segurança e os bons sonhos em nível vibracional. Use-o para invocar o Arcanjo Miguel e pedir inteligência, acuidade e perspectiva; o Arcanjo Gabriel, para pedir inspiração e orientação, interpretação de sonhos e conhecimento interior; o Arcanjo Auriel, para se aproximar do Divino Feminino e eliminar os medos subconscientes. Esse óleo essencial ajuda a recuperar boas lembranças e os ensinamentos puros da Atlântida.

Usos mentais   A tangerina é vivificante e insufla energia nos pensamentos. Ajuda você a trocar a aparência negativa pela positiva – a grande transição de copo meio vazio para copo *cheio* (e não apenas meio cheio, convém observar). Como os parentes cítricos, a tangerina promove lucidez e aguça a mente.

Usos emocionais   Use a tangerina em situações nas quais precisa obter sensação de segurança. Com seu aroma doce e sua energia, ela é especialmente indicada em misturas para crianças pequenas que sentem medo no escuro ou na hora de dormir. Esse óleo possui efeito calmante e a vibração de um doce. A tangerina estimula sonhos agradáveis e alivia o estresse emocional resultante de pesadelos.

Usos físicos   A tangerina promove sono repousante devido às propriedades sedativas. Fortalece o fígado e facilita a digestão, pois estimula a produção do suco gástrico. Pode ser usada para aumentar o apetite. Melhora a circulação e alivia espasmos. A tangerina é um bom aliado, em aromaterapia, para comunicadores angélicos, consultores de saúde mental, crianças, empreendedores, músicos, padeiros, pais e praticantes de feng shui.

Propriedades terapêuticas Adstringente, antidepressivo, antiemético, antiespasmódico, antiestresse, antisséptico, antitussígeno, aperiente, calmante, carminativo, citofilático, colagogo, depurativo, descongestionante, digestivo, diurético, emoliente, estimulante (sistemas linfático e digestório), estomáquico, hipnótico, revitalizante, sedativo, tônico, vivificante.

Orientação divina Você está pronto para atrair o melhor de tudo? Acha que o melhor ainda está por vir? Decida-se de uma vez a manifestar o bem agora mesmo, neste instante.

Para sua segurança Esse óleo é fototóxico; portanto, evite a exposição direta à luz do sol quando o usar topicamente.

> *Dicas úteis:*
> As tangerinas, assim como as outras mexericas, são símbolos de abundância e boa sorte. São tradicionalmente oferecidas como presentes durante o Ano-Novo chinês. Em algumas casas, costuma-se, por tradição, colocá-las nas meias de Natal.

TEA TREE
Limpeza e Clareza

Nome botânico	*Melaleuca alternifolia*
Notas	cabeça a coração
Método de extração	destilação a vapor
Partes usadas	folhas
Fragrância	especiarias, forte, herbácea, lembrando desinfetante, medicinal, pura
Cores	amarela, branca, verde
Chakras	cardíaco, frontal, laríngeo
Signo astrológico	Aquário
Planeta	Urano
Números	11, 222
Animais	falcão, golfinho
Elemento	Ar

Afirmação   Peço e aceito, conscientemente, a ajuda de meus anjos e outros guias espirituais. Minha vida decorre sem obstáculos, com graça. A energia da cura, do amor e do bem-estar flui por mim. A meditação é parte integrante do meu dia. Meus chakras coronário, frontal e laríngeo estão equilibrados e alinhados. Minha intuição continua intacta.

Essências florais complementares   *Crab Apple* para afastar o medo de contaminação ou infecção. *Gorse* para revitalizar a fé e curar doenças. *Star of Bethlehem* para se recuperar após um choque.

Pedras complementares   Ágata laço azul, angelita, aragonita, calcedônia azul, calcita dente-de-cão, calcita laranja, olho de tigre azul, ônix azul ou verde, sodalita, turquesa.

Sobre a planta A *tea tree* (também chamada maleleuca) é uma árvore perene que chega à altura de 8 metros. Tem casca ressecada, de textura semelhante à do papel, e flores brancas.

Componentes químicos aromadendreno, cadineno, cimeno, cineole, globulol, ledeno, limoneno, pineno, sabineno, terpinena, terpineno, terpineol, terpinoleno, viridiflorol.

Usos espirituais A *tea tree* facilita a entrada e o processamento da inspiração divina, da luz da cura e da verdadeira sabedoria. É especialmente benéfica para ensinar a consciência superior a ser um canal divino do amor de Deus e a conectar-se com o Arcanjo Gabriel, para receber o dom espiritual da clariaudiência. O aroma fresco da *tea tree* deixa você atento no dia a dia, o que ajuda na prática espiritual da auto-observação. Use esse óleo com a intenção de captar o significado de karma, causa e efeito, retribuição, consequências espirituais e benefícios da ação ou omissão.

Usos mentais Use a *tea tree* com a intenção consciente de absorver e emitir sabedoria, vibrações e comunicação, inclusive a de mente para mente. Ela pode recolocar os sentidos em dia após um choque.

Usos emocionais A *tea tree* estimula a expansividade para você avaliar a profundidade das emoções. Abre o coração e o diafragma para você compreender e aceitar os sentimentos, eliminando os tóxicos e permitindo que fique livre e presente em todos os seus relacionamentos.

Usos físicos Esse óleo essencial é útil para curar infecções. Possui fortes propriedades antissépticas, sendo reconhecido por combater infecções e fungos. Use-o antes e depois de uma cirurgia para fortalecer o sistema imunológico, pois ele é eficaz como agente antiviral e germicida. Mostra-se especialmente benéfico para o alívio de dores de garganta, de dente, de ouvido e sinusite. A *tea tree* alivia o incômodo das picadas de insetos e diz-se que expele parasitas intestinais. É uma boa aliada, em aromaterapia, para advogados, dentistas, dermatologistas, donas de casa, enfermeiros, infectologistas, mães, manicures, oradores, otorrinolaringologistas, pedicuros, pneumologistas.

Propriedades terapêuticas   Analgésico, antibactericida, antibiótico, anti-inflamatório, antimicrobiano, antiparasitário, antiprurítico, antisséptico (forte), antitussígeno, antiviral, carminativo, cicatrizante, cordial, descongestionante, diaforético, estimulante, inseticida, refrescante, revitalizante, sudorifico, vulnerário.

Orientação divina   Você tem olhado para as coisas de um só ângulo? Sente necessidade de ficar acima de uma situação para descobrir a verdade e ver com maior clareza? É hora de buscar uma nova perspectiva de vida. Chegou o momento de você acreditar em suas escolhas e reconhecer que são boas. Confie em sua capacidade de ver e compreender as situações com clareza.

Para sua segurança   Pode irritar a pele.

> *Dicas úteis:*
> Devido à casca ressecada, de textura semelhante à do papel, a *tea tree* é parte de um grupo de árvores conhecidas em inglês como *paperbacks* ("brochuras"). Suas propriedades e seu valor são reconhecidos há séculos pelos aborígines da Austrália.

TOMILHO, VERMELHO
Força Interior

Nome botânico	*Thymus vulgaris*
Notas	cabeça a coração
Método de extração	destilação a vapor
Partes usadas	folhas e extremidades floridas
Fragrância	especiarias, forte, herbácea, intensa, medicinal
Cores	amarela, azul, vermelha
Chakras	frontal, coronário, laríngeo
Signo astrológico	Gêmeos
Planeta	Mercúrio
Número	7
Animais	baleia, elefante, falcão
Elemento	Ar

Afirmação Tenho muita força interior. Estou com os pés no chão, focado e sintonizado com o Universo. Dou continuidade aos meus projetos. Conto sempre com a proteção divina. Mesmo as situações a princípio aparentemente negativas são transformadas para revelar o bem que encerram.

Essências florais complementares *Elm* para superar as sensações de cansaço, depressão e inadequação. *Gorse* para aprofundar a fé em que a força e a felicidade voltarão. *Rock Water* para força e harmonia interior. *Sweet Chestnut* para combater o cansaço e a escuridão, substituindo-os por força interior e luz.

Pedras complementares   Ágata musgo verde, amazonita, ágata laço azul, ametista, calcita azul, cobre, cornalina, esmeralda, galena, quartzo tabular, turquesa.

Sobre a planta   O tomilho é uma planta aromática que atinge altura de 30 centímetros. Tem folhas pequenas e flores rosa ou púrpura-claras.

Componentes químicos   Acetato de mirtenila, cariofileno, limoneno, linalol, mirceno, mircenol, ocimenona, pineno, sabineno, terpinena, terpineno, terpineol, tujanol.

Usos espirituais   Use o tomilho para invocar o Arcanjo Haniel e pedir-lhe que aumente sua determinação e o ajude a cumprir os objetivos da alma. O tomilho fortalece e aumenta a coragem, auxiliando-o a viver a vida em consonância com os verdadeiros compromissos da alma. Ele o ajudará a se lembrar de quem de fato é e o estimulará a viver a vida plenamente. Afasta energias psíquicas que possam tentar interferir em seus objetivos mais importantes. Acrescente-o a misturas para desviar e remover forças negativas oriundas do campo energético e do espaço físico. Use-o para se manter concentrado no caminho do espírito e na verdade espiritual pessoal. A vibração do tomilho facilita a comunicação telepática. Esse óleo essencial ajuda a recordar os puros ensinamentos da Atlântida.

Usos mentais   O tomilho aguça a memória e a concentração. Clareia a mente e, literalmente, ativa as células cerebrais, permitindo um fluxo fácil de percepção e foco mental. Use o tomilho para permanecer concentrado e em ação, de modo a poder, com mais facilidade, integrar o material em sua consciência e tê-lo sempre disponível quando precisar recuperá-lo.

Usos emocionais Acrescente o tomilho a uma mistura sinergética quando se sentir emocionalmente exausto. Ele o ajudará a remover obstáculos emocionais e sentimentos que o deixam desanimado. O tomilho é bom para aliviar os sintomas da depressão. Esse óleo poderoso aumenta a força interior, predispondo-o a superar sentimentos de vulnerabilidade e a empoderar-se.

Usos físicos O que mais se destaca no tomilho é a capacidade de combater a infecção. Use-o em uma mistura sinergética para problemas de garganta como a tonsilite e a laringite e também para a bronquite. É eficaz para reduzir os sintomas da asma. Evita a proliferação de germes. Aumenta a pressão sanguínea. É um bom aliado, em aromaterapia, para *chefs* de cozinha, dentistas, dermatologistas, donas de casa, enfermeiros, infectologistas, mães, manicures, otorrinolaringologistas e pneumologistas.

Propriedades terapêuticas Adstringente, afrodisíaco, analgésico, antibactericida, antibiótico, antidepressivo, antiespasmódico, antifúngico, anti-inflamatório, antimicrobiano, antioxidante, antiparasitário, antiprurítico, antiputrefaciente, antirreumático, antisséptico, antitóxico, antitussígeno, antivenenoso, antiviral, aperiente, balsâmico, broncodilatador, calorífico, cardíaco, carminativo, cicatrizante, citofilático, contrairritante, diaforético, digestivo, diurético, emenagogo, estimulante, estomáquico, febrífugo, hipertensor, inseticida, nervino, rubefaciente, sedativo, sudorífico, tônico, vivificante.

Orientação divina Você se lembra de quem de fato é? Está buscando forças para enfrentar a vida? Pois saiba que é forte o bastante para superar qualquer desafio que surgir à sua frente. Não se esqueça de que está sempre seguro e tem muita força interior.

Para sua segurança   O uso prolongado pode ter efeito tóxico. Pode irritar a pele. Não use em mucosas ou partes íntimas. Evite caso tenha pressão sanguínea alta. Não use se estiver grávida ou amamentando.

> *Dicas úteis:*
> O uso do tomilho era bastante comum no antigo Egito, na Grécia e em Roma. Os antigos egípcios usavam-no no processo de embalsamamento e, devido às propriedades germicidas, era um dos óleos considerados benéficos durante a peste na Europa. Davam-no aos cavaleiros antes dos torneios, na Idade Média. O tomilho, originalmente, não era usado como tempero, mas queimado para aromatizar o ambiente.

VETIVER
Tranquilidade e Paz

Nome botânico	*Vetiveria zizanioides*
Nota	base
Método de extração	destilação a vapor
Partes usadas	raízes
Fragrância	almiscarada, terrosa
Cores	amarela, azul-escuro, marrom, verde
Chakra	básico
Signos astrológicos	Capricórnio, Touro
Planetas	Ceres, Saturno, Terra, Vênus
Números	4, 44
Animal	minhoca
Elemento	Terra

Afirmação   Tudo vai bem. Sinto-me calmo, relaxado, em paz. Estou com os pés no chão, focado e energizado. Com energia e tempo de sobra, realizo o que preciso e quero realizar. Vivo uma vida espiritual, tranquila. Reservo um tempo para aproveitar diariamente a natureza. Tenho conexão íntima com a Mãe Natureza e seus amáveis instrumentos de cura natural.

Essências florais complementares   *Clematis* para manter o foco no momento presente. *Oak* para ter tempo de descansar e renovar-se. *Rock Water* para obter equilíbrio e flexibilidade.

Pedras complementares   Ágata-árvore, ágata marrom, hematita, jaspe tigre ferro, olho de tigre dourado, pirita, sodalita, sugilita.

Sobre a planta   O *vetiver* é um capim tropical que chega à altura de 2,5 metros. Tem folhas agudas, flores pequenas e raízes aromáticas.

Componentes químicos   Ácido cusênico, ácido isocusênico, ácido pré-cusênico, amorfeno, cadineno, cadinol, calacoreno, cânfora de zimbro, ciclocopacanfano, colacoreno, cubenol, cusimol, cusimona, cusinol, elemol, eremofila, espirovetiva, eudesma, eudesmo, eudesmol, funebrana, intermedeol, isovalencenol, pré-ziza, sálvia, selina, selineno, vetiselinenol, vetispireno, vetiveneno, vetivona, ziza.

Usos espirituais   O *vetiver* é um perfeito óleo essencial para a conexão com espíritos elementais, forças dévicas e reino das fadas. Quando usado em pequenas quantidades, ajudará você a se manter lúcido durante as práticas espirituais. É um óleo excelente para buscas espirituais e rituais centrados na terra, além de jornadas xamânicas. Ajuda a limpar o campo áurico. Use-o para harmonizar sua energia com o Arcanjo Rafael, para sempre ter os pés no chão e curar-se, e com o Arcanjo Turiel, para estreitar sua conexão com a natureza.

Usos mentais   O *vetiver* pode ser útil para manter você com os pés no chão. É um bom companheiro quando se procura permanecer concentrado nos objetivos pessoais. Aumenta a capacidade de captar conhecimento e sabedoria da consciência universal. Mantém os pensamentos sintonizados com a verdade pessoal. Além disso, pode ajudá-lo a acessar mais prontamente o vasto acervo de informações guardadas na própria mente. O *vetiver* é calmante. Alivia o estresse e a tensão.

Usos emocionais   O *vetiver* o incentivará a ir para a natureza a fim de reequilibrar emoções e sentimentos intempestivos, bem como respostas impensadas. Ele acalma as emoções e os nervos ao mesmo tempo que melhora o humor para você se sentir mais focado e equilibrado. O *vetiver* ajudará você a dominar as emoções em períodos de descontrole emocional. Segundo Valeria Ann Worwood em *The Fragrant Mind*, ele é uma boa ferramenta para combater o vício em drogas, o esgotamento, a histeria, a tristeza, a obsessão, a raiva, a repressão e o estresse.

Usos físicos O *vetiver* promove sono profundo e reparador, ajudando a aliviar o cansaço. Ajuda também a equilibrar o sistema reprodutor. Acrescente esse óleo a uma mistura sinergética para manter o corpo firme no momento presente, com os pés conectados à Mãe Terra por meio de suas raízes firmemente entranhadas. Ele é fixador de perfumes e estabiliza a natureza volátil das misturas de óleos essenciais. O *vetiver* relaxa músculos contraídos e ameniza dores. É repelente de insetos. Também pode melhorar a digestão. É um bom aliado, em aromaterapia, para aromaterapeutas, arquitetos, arquitetos paisagistas, bibliotecários, cardiologistas, empreiteiros, ecologistas, herbalistas e jardineiros.

Propriedades terapêuticas Abortivo, adstringente, afrodisíaco, analgésico, antibactericida, antiespasmódico, antiestresse, anti-inflamatório, antiparasitário, antisséptico, calmante, cardiotônico, carminativo, desintoxicante, diaforético, diurético, emenagogo, emético, estimulante (sistema imunológico), estomáquico, inseticida, nervino, revitalizante, rubefaciente, sedativo, tônico.

Orientação divina Você está enfrentando alguma situação difícil? Procure reduzir as dificuldades emocionais, físicas e mentais. Pratique visualização e meditação para acalmar cada aspecto de sua vida e de seu corpo. Paz e tranquilidade serão suas, se pedi-las. Conecte-se à imagem de raízes firmemente arraigadas no solo. Lembre-se de que tem flexibilidade para se curvar diante do ímpeto de uma tempestade – mental, física, espiritual e emocionalmente. Faça com que suas experiências de vida o ajudem a crescer de maneira notável. Não se esqueça de suas raízes, mas lembre-se de que pode subir e alcançar alturas ainda maiores.

Para sua segurança   Não há contraindicações conhecidas.

> *Dicas úteis:*
> O capim *vetiver* é comumente pendurado em maços nas janelas ou posto dentro de colchões para afugentar mosquitos.

PARTE TRÊS

Apêndices

Apêndice A

―∞―

Receitas de Aromaterapia para Usos Específicos

Tenho dado muitas aulas sobre aromaterapia, ao longo dos anos. A parte favorita dessas aulas, para todos, é o tempo que passam preparando fórmulas baseadas nos objetivos e nas intenções dos participantes. Para iniciar o processo, é importante estabelecer por que você quer criar a mistura, sempre tendo em mente seus aromas preferidos. Como se viu ao longo do livro, há muitos óleos que podem ajudar com o mesmo tipo de problema ou intenção. Determine seu objetivo em cada nível – espiritual, mental, emocional e físico. Leve em conta quaisquer contraindicações de dado óleo essencial (as escolhas são muitas, de modo que não há necessidade de usar um que possa não ser adequado ao seu problema).

Você precisará ter também, sempre à mão, frascos e tampas de boa qualidade (1 dracma [1,772 g], 5 ml e/ou 10 ml), pipetas e os óleos essenciais escolhidos (ver a seguir). Compre apenas óleos medicinais genuínos e de boa qualidade (são os que eu uso). Em seguida, dê os seguintes passos:

1. Determine seu objetivo para a mistura em todos os níveis – físico, espiritual, mental e emocional.
2. Especifique quais óleos atendem a seus objetivos em todos os níveis. Escolha de 3 a 10 óleos.
3. Tenha sempre um caderno à mão para anotar os óleos que vai usar.
4. Com a pipeta, pingue algumas gotas do primeiro óleo no frasco. Aspire o aroma antes de acrescentar o próximo. Ajuste o aroma usando maior ou menor quantidade de determinado óleo.
5. Anote quantas gotas usou para cada óleo a fim de recriar a mistura em outra ocasião, se quiser.
6. Quando a mistura estiver pronta, escreva o nome dela em um rótulo e cole-o no frasco.

Seguem alguns exemplos de receitas desenvolvidas em diversas aulas ao longo dos anos, as quais considero fórmulas poderosas para o corpo, a mente e o espírito. As quantidades fornecidas equivalem às gotas a serem usadas. Mas você mesmo pode, se quiser, ajustar as receitas de acordo com suas necessidades e os óleos escolhidos.

Fórmula do cuidador

Bergamota para preservar a lucidez e o foco 8

Laranja para alegria e encorajamento 34

Olíbano para se sintonizar com a natureza espiritual da pessoa que está sendo cuidada 30

Vetiver para reforçar o foco e estabilizar o aroma 2

Ilangue-ilangue para conservar a calma e a paz interior 3

Redução do estresse e alívio do desconforto muscular

Bergamota para aumentar a autoconfiança e a autoestima 18

Camomila para combater o estresse e promover sono tranquilo 1

Capim-limão para aliviar a dor muscular 13

Gerânio para induzir uma sensação de paz 4

Lavanda para acalmar e relaxar 45

Patchouli para maior autovalorização e fortalecimento do corpo emocional 3

Melhores experiências de meditação

Camomila para gerar senso de conexão com guias e anjos 2

Cedro para eliminar pensamentos negativos e aprofundar a prática espiritual 12

Eucalipto para estimular a respiração e limpar o espaço energético .. 3

Lavanda para obter tranquilidade e paz interior 60

Olíbano (principal óleo da meditação) para ter experiências místicas 21

Patchouli para ter vislumbres súbitos de iluminação e despertar 3,5

Sálvia para afastar a negatividade e as influências externas negativas 12

Para integrar mente, corpo e espírito no trabalho

Alecrim para despertar a consciência espiritual, melhorar a memória e estar sempre no presente 12

Grapefruit para aguçar a memória e a lucidez em alinhamento com os anjos 60

Manjerona para preservar a calma durante experiências angustiantes 20

Sálvia para evitar danos e contar com a proteção divina 20

Mudança radical e emprego novo

Limão-siciliano para promover a doçura, limpar e purificar 40

Limão-galego para conservar visão positiva e aumentar a autoconfiança 60

Pau-rosa para reconhecer o próprio valor e multiplicar os bons atributos 15

Sálvia para afastar a negatividade e atrair pessoas e situações confiáveis 6

Estabilidade, recuperação da saúde física e capacidade intuitiva

Jacinto para trazer cura, reconforto e doçura à vida 80

Limão-siciliano para restaurar a confiança e a vitalidade após doença prolongada 44

Patchouli para firmeza e vitalidade física, além de estabilização do aroma 5

Sintonização

Bergamota para abrir caminhos para a consciência superior, os guias espirituais e os anjos 45
Cedro para aprofundar a prática espiritual e ter visões proféticas 9
Olíbano para estimular experiências espirituais e místicas 30
Sálvia esclareia para acalmar o nervosismo associado à recepção de orientação intuitiva 3

Alegria na meia-idade

Grapefruit para trazer luz e clareza 10
Jacinto para aceitar a doçura da vida e esquecer o passado 25
Laranja para reconhecer o próprio potencial ilimitado 28
Patchouli para estimular a libido e estabilizar a mistura 2
Petitgrain para aumentar a autoconfiança diante das mudanças da vida 40

Paz e serenidade

Jacinto para acrescentar aroma floral e afastar a tristeza 16
Lavanda para promover a calma 60
Manjerona para combater o medo e as fobias e aumentar a proteção 16
Olíbano para estabelecer conexão espiritual e obter proteção 4
Sálvia esclareia para aliviar o estresse e promover sensação de serenidade 6

Relaxamento

Bergamota para elevar o nível de alegria 25

Funcho para ajudar a encarar a exacerbação das emoções 6

Lavanda para amenizar as preocupações e promover o relaxamento 15

Limão-siciliano para melhorar o humor e dissipar as emoções negativas 25

Nardo para relaxar os músculos e aliviar a ansiedade 7

Olíbano para limpar a mente da tagarelice incessante 15

Pau-rosa para clareza mental e visão positiva............................... 25

Petitgrain para acalmar e eliminar a agitação, aumentando a autoconfiança.. 25

Espaço sagrado

Eucalipto para afastar a energia negativa e limpar o espaço físico .. 15

Manjerona para afastar a energia negativa e aumentar a proteção .. 60

Niaouli para desinfetar o ar.. 9

Olíbano para afastar a energia negativa e invocar a proteção espiritual 9

Ravensara para manter o foco e a consciência da situação 30

Sálvia para afastar a energia negativa...................................... 30

Durma bem, fique positivo

Funcho para afastar preocupações e lembranças infelizes 6

Lavanda para limpar e serenar a mente, reconfortar o coração, suavizar e acalmar emoções violentas, caóticas, aliviar dores musculares e equilibrar os hormônios 15

Lift Me Up Blend, da Crystal Garden, para estimular pensamentos positivos e autoconfiança.. 75

Nardo para promover a calma e a paz interior; aliviar a histeria, a raiva, a hostilidade, a irritabilidade; relaxar os músculos e aliviar o estresse antes de dormir 7

Olíbano para se sintonizar com a compaixão, a paz interior, a tolerância e o amor... 15

Limpar o chão

(Acrescente 5 gotas dessa mistura a 475 ml de água e esfregue o chão como de hábito. Use o produto com cuidado, pois com o tempo ele pode afetar o revestimento.)

Hortelã-pimenta por suas propriedades antibactericidas, santibióticas, antissépticas, antivirais, e inseticidas.. 5

Limão-siciliano por suas propriedades antifúngicas, antibióticas, antiparasitárias, antissépticas (fortes) e desinfetantes; refrescante, vivificante.. 10

Pinho por suas propriedades antibactericidas, antifúngicas, antiparasitárias, antissépticas (fortes), antivirais, desodorizantes, inseticidas e refrescantes 20

Limpar a casa

(Use de 3 a 5 dos óleos listados para criar uma mistura poderosa. Acrescente 5 gotas dessa mistura a 475 ml de água em um frasco de *spray*.)

Cravo-da-índia por suas propriedades antibactericidas, santibióticas, antifúngicas, antiparasitárias, antissépticas (fortes), antivirais e inseticidas 1

Laranja por suas propriedades antibactericidas, antifúngicas e antivirais.5

Limão-siciliano por suas propriedades antibióticas, antifúngicas, antiparasitárias, antissépticas (fortes) e desinfetantes; refrescante, vivificante 10

Niaouli por suas propriedades antibactericidas, antiparasitárias, antissépticas e inseticidas 15

Pinho por suas propriedades antibactericidas, antifúngicas, antiparasitárias, antissépticas (fortes), antivirais, desodorizantes e inseticidas; refrescante 20

Sálvia por suas propriedades antibactericidas, antifúngicas, antivirais, desinfetantes (fortes) e inseticidas 10

Tea tree (melaleuca) por suas propriedades antibactericidas, antibióticas, antimicrobianas, antiparasitárias, antivirais e inseticidas; refrescante 5

Desinfetante para o ar e o corpo

Cravo-da-índia para desinfetar a atmosfera de doenças infecciosas.. 1

Eucalipto para desinfetar a atmosfera de doenças infecciosas 25

Lavanda para desinfetar a atmosfera de doenças infecciosas 45

Limão-siciliano para limpar e desintoxicar, restaurar a vitalidade e aliviar a exaustão 25

Ravensara para afastar os germes que atacam o sistema respiratório e combater infecções bacterianas e ataques virais 25

Tea tree para combater infecções, fungos, germes e condições virais 25

Para eliminar o ácaro do pó

(Combine todos os ingredientes em um frasco de *spray*. Borrife a cama diariamente. Lave os lençóis semanalmente em água quente.)

Álcool de cereais (70% a 90%) .... 29 ml

Álcool para assepsia .... 88 ml

Eucalipto *radiata* como inseticida .... 5 ml

Algumas gotas de suas misturas escolhidas podem ser acrescentadas à água-benta, às essências de pedras preciosas ou à água destilada para criar *sprays* energéticos. O Apêndice C fornece exemplos de combinações de cristais para a criação de tinturas destinadas a fortalecer suas intenções. Use as afirmações sugeridas ou crie os próprios pensamentos positivos que combinem com a mistura e estabeleça uma intenção a cada uso. Para reforçar ainda mais o componente energético do *spray*, acrescente Essências Florais de Bach, conforme aparecem no Guia de Remédios Florais de Bach Selecionados, no Apêndice B. As águas-bentas que você recolher durante as jornadas e experiências de vida também intensificam a vibração de paz, compaixão, amor e bem-estar de seu *spray* ou mistura. Uma gota de Essência Floral, Essência de Pedras Preciosas ou Água-Benta afetará positivamente a vibração energética de quantidades grandes ou pequenas das misturas.

APÊNDICE B

Guia de Remédios Florais de Bach Selecionados

O *Rescue Remedy*® ("Floral de Resgate" ou "Floral de Emergência") é, entre os Remédios Florais de Bach, o mais amplamente conhecido. Sua fórmula de cinco flores ajuda a evitar a desintegração do sistema energético da pessoa que sofre de um trauma ou de estresse grave. É ótimo para usar enquanto se aguarda ajuda médica em situações de emergência. Se não puder administrá-lo em água potável, umedeça os lábios com o remédio (todos os Remédios Florais de Bach devem ser tomados oralmente). Se você estiver às voltas com más notícias, medo, acidente ou qualquer tipo de acontecimento trágico, essa combinação floral o ajudará a preservar a integridade energética, para que a cura ocorra. O *Rescue Remedy* melhorará seu cotidiano caso você exerça uma profissão estressante ou traumática, como a de um profissional de UTI, por exemplo, e também aliviará os medos do dia a dia, como o de uma visita iminente ao dentista, uma cirurgia ou um divórcio. É também excelente para você se acalmar ou acalmar alguém sob seus cuidados que presenciou uma cena de violência, na TV ou pessoalmente.

A fórmula de cinco flores inclui *Star of Bethlehem* para trauma, *Rock Rose* para terror ou pânico, *Impatiens* para irritabilidade, *Cherry Plum* para medo de perder o controle e *Clematis* para permanecer presente e conectado.

Embora o *Rescue Remedy*® seja uma fórmula de escolha, pode ser gratificante e eficaz descobrir e usar uma combinação de essências florais específicas para seus problemas pessoais de ordem mental e emocional. As Essências Florais de Bach dividem-se em sete categorias básicas: medo; incerteza; pouco interesse pelas circunstâncias atuais; solidão; excesso de sensibilidade a influências e ideias; desânimo e desespero; e excesso de preocupação com o bem-estar dos outros. Essas categorias facilitam a identificação do que você está sentindo. Você pode perguntar a si mesmo: "Sinto apatia? Estou sensível demais? Preocupo-me demasiadamente com os outros e isso começa a afetar meu próprio bem-estar?". Essa categorização ajudará você a escolher, entre as 38 Essências Florais de Bach, aquela que o auxiliará a recuperar o equilíbrio.

Leia atentamente as descrições de cada essência em todas as categorias e anote quais delas descrevem melhor sua condição. Em um caderno, avalie cada categoria de 1 a 10, sendo 10 o número que descreve mais de perto seus problemas. Então, presenteie-se com a experiência de cura vibracional usando essas essências e veja como elas transformam sua vida.

Acrescente a essência floral apropriada à sua mistura aromaterápica a fim de criar uma fórmula aromático-energética que atenda às suas necessidades. (Depois de acrescentar Essências Florais de Bach a uma mistura de óleos essenciais, você não poderá mais ingeri-las.) A essência floral acrescenta um elemento vibracional à mistura sinergética. A adição das essências florais cria uma mistura aromático-energética que você borrifará no corpo ou em volta dele; isso o ajudará a promover a mudança energeticamente pretendida para os aspectos mental, emocional e espiritual da consciência.

Com as descrições do remédio que se seguem, você encontrará uma afirmação para usar em apoio de sua transformação. Sempre que borrifar sua mistura aromático-energética no ambiente e no corpo ou à volta dele, pense positivamente e afirme o que deseja, em vez de se concentrar na condição em desequilíbrio. Visualize-se restaurado e em consonância com o objetivo pretendido.

Medo

Aspen. É útil para a ansiedade aparentemente sem causa e para o medo indefinido. É benéfico contra o medo do escuro em todas as idades. Ajuda os idosos afetados pela síndrome do pôr do sol ou pelo medo indefinido associado à demência e à doença de Alzheimer. (Testemunhei pessoalmente a eficácia desse remédio em meu pai, quando ele apresentou sintomas de senilidade.)

Pergunte-se: Você está apreensivo, mas não sabe por quê? Sente ansiedade e pavor, mas ignora a fonte desses sentimentos?

Afirmação para *Aspen*: Estou seguro e saudável. Tudo vai bem. Conto com apoio em todas as áreas da vida. Tudo está ótimo!

Cherry Plum. Pode ajudá-lo quando você sente que está prestes a "quebrar-se" ou quando o peso da vida é tão grande ou traumático que chega a pensar que vai ter uma crise nervosa. Essa essência floral é útil caso pense na possibilidade de ferir a si mesmo ou aos outros. É boa para quem tem pensamentos irracionais ou doenças mentais. Nota: se esses sintomas persistirem, recorra à terapia profissional.

Pergunte-se: Sente-se mental, emocional ou fisicamente fora de controle? Está pensando em ferir a si mesmo ou a alguém?

Afirmação para *Cherry Plum*: Estou calmo, tranquilo e lúcido. Respiro fundo e sei que tudo está sob controle.

Mimulus. É perfeito para usar quando você está preocupado ou receoso de alguma coisa da qual tem consciência, por exemplo, um acontecimento iminente ou a obrigação de falar em público. É uma essência boa para quem se preocupa com pequenas coisas e não consegue expressar seus medos ou suas inquietações. O *Mimulus* é de grande ajuda para pessoas que ficam atrapalhadas quando precisam falar em público ou revelar seus medos. É muito útil para quem tem problemas no nível do chakra laríngeo. (Ver a seção sobre chakras no Capítulo 2.)

Pergunte-se: Você está sentindo medo conscientemente – pois sabe bem o que teme –, por exemplo, da morte, do dentista, de altura, de aparecer em público, de provas e outras situações do cotidiano? É muito retraído ou tímido? Acha que é sensível demais?

Afirmação para *Mimulus*: Estou seguro. Para mim, é fácil interagir com os outros. Sou confiante e corajoso. Falo em público sem problemas. Ajudo os outros quando falo diante deles. Estou sempre divinamente protegido.

Red Chestnut. É uma excelente essência para usar quando você se ocupa demais de outra pessoa. Esse é, caracteristicamente, o tipo de preocupação excessiva baseada no medo de que algo ruim vá acontecer a um ente querido. Às vezes, a antecipação de algo ruim não é específica, mas mais geral. Por exemplo, um pai pode ficar receoso de que algo terrível possa acontecer a seu filho. (Essa essência floral me ajudou a banir as preocupações quando cuidei de meus pais idosos.)

Pergunte-se: Você tem se preocupado muito com seus entes queridos? Sua mente se inquieta com o bem-estar deles? Fica estressado pensando que alguma coisa ruim vai acontecer àqueles de quem está cuidando?

Afirmação para *Red Chestnut*: Estou em paz. Minha mente está calma e relaxada. Tenho certeza de que meus entes queridos estão seguros e saudáveis.

Rock Rose. Usado em casos de medo extremo ou terror em uma situação real. É útil se você sentir que sua vida está em perigo. Use-o após um pesadelo horrível que o deixou abalado e talvez até suado. *Rock Rose* é um dos Remédios Florais de Bach que podem ajudá-lo a enfrentar o estresse pós-traumático, quando você sente medos "paralisantes" que o tornam incapaz de pensar ou reagir.

Pergunte-se: Você se sente paralisado pelo medo? Teme por sua vida? Anda tendo pesadelos? É vítima de crises de pânico?

Afirmação para Rock Rose: Tenho poder para controlar meu ambiente. Tenho força e capacidade para enfrentar desafios. Estou relaxado e confiante. Para mim, é seguro ser poderoso de maneira amável.

Incerteza

Cerato. É um bom remédio para quem não consegue tomar decisões e vive pedindo conselhos. Essa essência é útil para aqueles que frequentam videntes ou tendem a repetir a mesma pergunta a intuitivos, embora tenham obtido a mesma resposta inúmeras vezes.

Pergunte-se: Você pede aos outros conselho e confirmação porque não confia na própria capacidade de decidir? Costuma questionar as decisões que tomou? Muda de rumo o tempo todo porque não tem autoconfiança?

Afirmação para *Cerato*: Conheço minha própria verdade e confio na sabedoria que há dentro de mim. Consulto meu íntimo e recebo as respostas. Tenho fé em minha intuição e em meus instintos.

Gentian. Restaura a esperança e a confiança. É de grande ajuda para aqueles que desistem ao menor obstáculo. Essas pessoas são criativas e têm ótimas ideias, mas não conseguem pô-las em prática. Podem ter as melhores intenções, os melhores objetivos para o futuro – e quase sempre encontram desculpas ou pretextos para não concretizá-los.

Pergunte-se: Você já notou que sua atitude negativo impede de concluir uma tarefa? Perde facilmente a coragem ou fica abatido quando as coisas dão errado? Renuncia a um projeto diante da menor demora ou obstáculo?

Afirmação para *Gentian*: Tenho coragem e confiança. Posso realizar qualquer coisa que planejo. Para mim, é fácil enfrentar os desafios que surgem à minha frente. Tenho motivação e entusiasmo.

Gorse. Para aqueles que estão rodeados de energia escura e pesada devido ao senso muito forte de desengano e desespero. Acreditam que a vida jamais melhorará. Acham que não há sentido em enfrentar os problemas e que nem vale a pena tentar. *Gorse* ajuda aqueles que, doentes, pensam que nenhum tratamento funcionará. São extremamente pessimistas.

Pergunte-se: Você acha que pode superar qualquer desafio? Perdeu toda a esperança? Acredita que nada, absolutamente nada pode ser feito para superar sua dor, suas provações e suas tribulações?

Afirmação para *Gorse*: Sempre há ajuda, sempre há esperança. A vida é cíclica, e esses problemas vão passar logo. Vejo-me saudável, feliz e tranquilo. Sei que, a cada dia, fico melhor em todos os aspectos!

Hornbeam. É perfeito para usar quando você se sente sobrecarregado e exausto antes mesmo de começar o dia ou um projeto. Use-o quando se sentir propenso a procrastinar, não devido ao cansaço, mas ao desânimo, oriundo da mesma vibração associada às manhãs de segunda-feira. Esse remédio o ajudará a começar e o motivará, fazendo-o reconhecer que, afinal de contas, o projeto ou a tarefa à mão não são tão ruins assim!

Pergunte-se: Você costuma pôr de lado tarefas de fácil execução? Consegue fazer coisas de que gosta, mas sente-se cansado ou sobrecarregado demais para cumprir obrigações ou responsabilidades não tão agradáveis? Adia porque desanima diante de certas tarefas que, no entanto, poderia executar com facilidade?

Afirmação para *Hornbeam*: Sinto-me cheio de energia e entusiasmo. Estou motivado e fico satisfeito com aquilo que realizo no meu dia a dia. Sou uma pessoa produtiva e gosto de tudo que faço.

Scleranthus. É útil caso você não controle bem o tempo e, assim, perca oportunidades. As mudanças de humor e a falta de credibilidade são, muitas vezes, as causas da incerteza e da indecisão. Esse é um bom remédio para aqueles que apenas com muita dificuldade tomam decisões sobre qualquer coisa. Quer seja uma decisão importante ou não, eles vacilam e acham difícil decidir até sobre questões menores, como o que comer ou vestir.

Pergunte-se: Você é nervoso? Tende a ser irrequieto? Já notou que é uma pessoa mal-humorada? Hesita quando precisa tomar decisões, mesmo as de menos importância?

Afirmação para *Scleranthus*: Estou sempre no lugar certo, na hora certa. Confio naquilo que sei. Tomo decisões com facilidade.

Wild Oat. O remédio perfeito para quem ainda não sabe o que fazer da vida. É recomendado para pessoas que julgam ter um objetivo especial, mas não conseguem descobrir qual é. Ignoram que carreira e que rumo devem seguir na vida. Esse remédio é bom também para quem passa muito tempo pensando em agir, mas evita responsabilidades porque prefere flanar por aí com a desculpa de não saber o que fazer da vida.

Pergunte-se: Você acha que, devido a um bloqueio qualquer, não consegue realizar seus sonhos, embora não saiba bem que sonhos sejam esses? Está sempre à procura do emprego e do rumo certos que lhe trarão alegria?

Afirmação para *Wild Oat*: Recebo orientação e inspiração o tempo todo. Agradeço por meu estilo de vida correto. Sou abençoado por fazer aquilo de que gosto. Sei muito bem qual é meu caminho na vida.

Solidão

Heather. Essa essência floral é útil para quem fala demais e é obcecado pela própria vida e pelas tribulações. Pessoas assim não lhe dão a chance de falar durante uma conversa. Estão geralmente sozinhas ou são solitárias; todos as evitam porque elas não são bons ouvintes e aborrecem os outros.

Pergunte-se: Você deixa que os outros falem de si durante uma conversa? Depois de passar algum tempo com alguém, lembra-se de ter-lhe dado a chance de falar sobre a vida dele? Você é um bom ouvinte ou prefere falar o tempo todo?

Afirmação para *Heather*: Interesso-me bastante pelo bem-estar de meus amigos e familiares. Ouço com atenção. Para mim, é fácil dar atenção aos outros e realmente ouvir o que dizem. Sou equilibrado nas qualidades que exibo ao dialogar.

Impatiens. De grande utilidade para pessoas que se impacientam com quem é tolo ou moroso. Também ajuda a aumentar a tolerância com colegas mais lentos nas tarefas. Ótimo recurso para pessoas inteligentes, mas que se irritam com aquelas que não entendem as coisas tão rapidamente quanto elas. Ajuda muito caso você tenha a tendência de se aborrecer diante de uma conversa pouco interessante ou pouco estimulante. Esse remédio é ótimo para quem costuma falar, agir e pensar rápido demais.

Pergunte-se: Você se irrita fácil demais com pessoas mais lentas do que você física ou mentalmente? Preferiria trabalhar sozinho? Acha que precisa sempre ir mais depressa para cumprir uma tarefa?

Afirmação para *Impatiens*: Há tempo de sobra para fazer as coisas. Sou grato por meus colegas de trabalho. Sou paciente, bondoso e tolerante. Relaxo e aproveito a vida. Reservo um tempo para observar a beleza da natureza e de meu ambiente.

Water Violet. Ótimo para aqueles que são tranquilos e preferem ficar sozinhos ou com poucos amigos. Esse remédio é útil caso você tenha a tendência de ser orgulhoso ou arredio. Se costuma achar que é superior aos outros, então o *Water Violet* pode ajudá-lo a ter equilíbrio para reforçar seus laços com eles. Esse remédio é ideal para desenvolver a confiança e a humildade.

Pergunte-se: Os outros o acham cheio de si e pouco amistoso? Você é reservado e prefere ficar sozinho, sem ninguém para distraí-lo?

Afirmação para *Water Violet*: Estou sintonizado com o momento presente. Interajo bem com meus amigos e familiares. Para mim, é fácil conviver com os outros e confiar neles. Envolvo-me ativamente na vida de meus amigos.

Pouco interesse pelas circunstâncias atuais

Chestnut Bud. Bom para aqueles que repetem sempre os mesmos erros. Esse remédio ajuda muito pessoas que não percebem estar repetindo o mesmo erro porque permitem que as mesmas circunstâncias ocorram. Em outras palavras, nomes e rostos podem mudar, mas a mesma coisa continua acontecendo, pois essas pessoas nunca aprendem a lição. Esse remédio pode auxiliá-lo a reconhecer padrões negativos e a encontrar uma resposta para a pergunta: "Por que isso está acontecendo comigo?".

Pergunte-se: Você vem repetindo o mesmo erro várias vezes? Demora a perceber que escolheu o emprego, os amigos ou os parceiros errados? Tem reconhecido seus erros e aprendido com eles?

Afirmação para *Chestnut Bud*: Aprendo com a experiência. Valorizo muito as lições aprendidas com meus erros e fracassos, usando-as para obter sucesso! Para mim, é fácil identificar os padrões de vida e recorrer a eles para tomar decisões futuras.

Clematis. Essa essência floral é um bom remédio para aqueles que fogem da realidade e do momento presente. Ajuda muito quem é distraído e evita interações com a sociedade. Essas pessoas não estão satisfeitas com as atuais circunstâncias, mas nada fazem para mudá-las. *Clematis* é um ótimo remédio para quem não consegue se concentrar e está um pouco desorientado.

Pergunte-se: Você acha difícil se concentrar, ainda que por pouco tempo? Vive preocupado e ausente da maioria das circunstâncias da vida? Sente-se por fora?

Afirmação para *Clematis*: Estou com os pés no chão e concentrado. Para mim, é fácil estar presente e totalmente comprometido com o momento atual. Sinto-me perfeitamente sintonizado e conectado com meu círculo de familiares e amigos.

Honeysuckle. É benéfico para aqueles que vivem no passado e não têm muita esperança de felicidade no futuro. Você achará esse óleo útil se for muito nostálgico e quiser que as coisas sejam como antes, em vez de aceitar o que acontece agora em sua vida.

Pergunte-se: Você só se concentra no passado e no modo como as coisas eram? Está preso demais ao tempo que se foi, a um antigo sucesso, a um amor de outrora? Essa nostalgia o impede de viver a plenitude do momento presente?

Afirmação para *Honeysuckle*: Sou muito grato pelos amigos e familiares maravilhosos que tenho. Meu futuro só me reserva felicidade. Gozo a vida diariamente, a todo instante!

Mustard. Para quem costuma se sentir triste ou deprimido. *Mustard* é útil caso você ache que uma nuvem escura ou uma vibração negativa o seguem por toda parte, embora não saiba o motivo disso.

Pergunte-se: Você imagina que uma nuvem escura paira sobre sua vida? Às vezes, sente-se deprimido de repente? Tende a ser infeliz?

Afirmação para *Mustard*: Estou repleto de luz e alegria. Sou feliz, inteiro, completo. Encontro prazer e deleite até nas mínimas bênçãos de minha vida. Gosto de sorrir e gargalhar!

Olive. É o remédio que descobri ser muito útil para cuidadores física e mentalmente exaustos a ponto de não terem mais nada a dar. Ajuda a aceitar a necessidade do descanso e a reconhecer que o cotidiano não precisa ser tão extenuante. Esse remédio auxiliará você a se reconciliar com os prazeres da vida.

Pergunte-se: Você acha que tudo exige esforço descomunal? Está cansado devido a um longo período de ansiedade e estresse?

Afirmação para *Olive*: Reservo o tempo necessário para descansar e rejuvenescer. Sou forte e tenho muita energia. Diariamente e de todas as maneiras, meu corpo, minha mente e meu espírito se regeneram e reencontram o equilíbrio.

White Chestnut. Perfeito para eliminar a tagarelice incessante da mente. Use-o quando lhe ocorrerem pensamentos inquietantes que o impeçam de trabalhar ou de sentir-se bem.

Pergunte-se: Você não consegue dormir porque seus pensamentos o mantêm acordado? Falta-lhe paz mental? Tem se preocupado com coisas que, muito provavelmente, nunca vão acontecer? Ocorrem-lhe pensamentos repetitivos que você não consegue interromper?

Afirmação para *White Chestnut*: Minha mente é lúcida. Minhas emoções são controladas. Estou em paz. Tenho a mente serena.

***Wild Rose*:** Bom para os apáticos, que não se interessam por nada. É uma essência útil quando você sente a criatividade em baixa e não tem nem energia nem entusiasmo para a maioria das tarefas. Ajuda a eliminar a sensação de monotonia e incapacidade de aceitar a vida como ela é.

Pergunte-se: Você aceita as coisas como são? Acha a vida monótona? Sente-se infeliz, mas não faz nada para alcançar a felicidade?

Afirmação para *Wild Rose*: Procuro e aceito a alegria de viver. Nunca desisto e sempre encontro maneiras de gozar a vida. Sou otimista. Tento ajudar os outros a serem mais felizes.

Supersensibilidade a influências e ideias

Agrimony. Para aqueles que, não querendo discutir, aceitam o que não lhes convém. Use-o se estiver em uma fase da vida na qual precisa fingir que está feliz e, tudo vai bem, mesmo não sendo isso verdade. Ajudará muito caso você esteja usando drogas ou álcool e não consiga fazer frente aos desafios da vida.

Pergunte-se: Você esconde as preocupações atrás de uma face sorridente, para não revelar sua dor e seus problemas? Bebe ou usa drogas para enfrentar as pressões da vida? Concorda facilmente com os outros para evitar conflitos?

Afirmação para *Agrimony*: Sou descontraído, aberto, honesto. Sinto-me em paz. Só atraio pessoas confiáveis. Comunico com facilidade meus problemas, minhas esperanças e meus desejos.

Centaury. Melhor usá-lo quando você perceber que está ajudando os outros à custa do próprio bem-estar. Deve ser usado caso você deixe os outros tirarem vantagem de sua boa natureza. É o remédio ideal para quem quer mudar o fato de sempre ajudar e nunca ser ajudado.

Pergunte-se: Você se deixa influenciar facilmente por quem tenha personalidade mais forte que a sua? Sente-se tímido e subserviente? Acha difícil dizer "não"? Deixa que outras pessoas se aproveitem de sua boa natureza?

Afirmação para *Centaury*: Tenho forte senso do eu. Sou corajoso. Para mim, é fácil estabelecer limites de maneira cordial. Sou firme e justo. Não encontro dificuldade em me mostrar poderoso.

Holly. Ajudará você quando sentir insegurança e inveja dos outros. Pode auxiliá-lo a se conter quando sentir raiva e agressividade descontroladas. Esse remédio é bom para quem fica magoado por causa da traição de um amigo ou após o fim de um relacionamento. Mostra-se especialmente benéfico quando você não consegue pensar claramente em virtude de sentimentos feridos, o que poderá torná-lo mais desconfiado e ciumento.

Pergunte-se: Você está alimentando sentimentos de desgosto e inveja? Sente raiva dos outros? Acha que todos têm motivos ocultos?

Afirmação para *Holly*: Atraio pessoas confiáveis. Fico feliz com a prosperidade e as bênçãos dos outros. Sinto calma e paz interiores. Estou cheio de amor e compaixão por meus semelhantes e por mim mesmo. Sou uma pessoa bondosa, amável. Minhas palavras são ditas com afeto e bondade.

Walnut. Útil em tempos de mudança, como o fim ou o começo de um relacionamento e a ida para uma nova residência. Bom para transições de ciclos de vida, da puberdade à menopausa. *Walnut* pode ajudar também durante mudanças de carreira ou emprego. Auxiliará você a romper laços ou hábitos. Mostra-se benéfico para as alterações do modo de vida, como a cura de vícios ou de maus hábitos mentais.

Pergunte-se: Você está passando por alguma mudança física, mental, espiritual ou emocional? Está no processo de romper um mau hábito ou vício? Vai mudar de residência ou emprego?

Afirmação para *Walnut*: Os acontecimentos de meu passado influenciam positivamente meu presente e meu futuro. Minhas emoções são equilibradas. Ainda que o mundo inteiro à minha volta esteja mudando constantemente, permaneço concentrado e com os pés no chão. Aceito a mudança e reconheço que ela pode criar melhores condições de vida. Sou grato pelo fluxo equilibrado de energia em meu interior.

Desânimo e desespero

Crab Apple. Um bom remédio quando você está perdendo peso ou combatendo hábitos que o fazem se sentir mal consigo mesmo. Use *Crab Apple* para eliminar comportamentos obsessivo-compulsivos que o impedem de encarar desafios mais prementes. Essa essência floral é benéfica para amenizar a sensação de que se está contaminado ou infectado e quando há tendência a exagerar na higiene.

Pergunte-se: Você lava as mãos obsessivamente, limpa tudo à sua volta e se preocupa demais com germes e infecções? Não gosta de sua aparência e acha que não é atraente? Preocupa-se com imperfeições mínimas e esquece coisas mais importantes?

Afirmação para *Crab Apple*: Sou saudável, inteiro e completo. Meu corpo é perfeito. Tenho o peso ideal para minha altura, constituição e genética. Só me ocupo do que é importante. Sei que estou são e salvo.

Elm. É a essência floral à qual você deve recorrer quando estiver sobrecarregado. Mostra-se especialmente benéfica para pessoas bem-sucedidas que se destacam no trabalho, são eficientes e desempenham funções de responsabilidade. Use a vibração dessa essência para atravessar períodos de muito trabalho, insegurança ou exaustão temporária e sentimentos de depressão.

Pergunte-se: Sente-se sobrecarregado de responsabilidades e tarefas? Anda inseguro, sente-se deslocado e incapaz de lidar seja com o que for? Acha que tem coisas demais a fazer?

Afirmação para *Elm*: Tenho tempo para fazer tudo quanto preciso. Concluo todas as minhas tarefas. Concentro-me no presente. Minha vida flui naturalmente. Relaxo durante o trabalho e gosto do que faço.

Larch. Para quem acha que vai falhar, não tem confiança e tende a ser pessimista. Use esse remédio nas ocasiões em que se sentir inferior e temer o fracasso. Essa essência é benéfica para pessoas que, mesmo secretamente, sabem o que é preciso fazer a fim de obter o resultado pretendido. Aproveite a vibração dessa essência floral quando notar que está perdendo oportunidades por causa desses medos, que lhe parecem um bloqueio.

Pergunte-se: Você acha que tem um bloqueio? Pensa que não é bom o bastante e desanima com frequência? Não tem autoestima e sente-se inferior aos outros? Anda perdendo oportunidades?

Afirmação para *Larch*: Estou sempre no lugar certo, na hora certa. Tenho coragem e confiança no sucesso. Faço o que deve ser feito para concretizar meus objetivos e minhas aspirações. Muita gente reconhece minhas boas qualidades. Vejo o bem dentro de mim. Deixo que os outros vejam minha centelha interior.

Oak. Para quem é superorganizado e acaba exausto por isso. É um remédio para a pessoa forte, confiável e responsável que já não tem mais forças, mas não quer que ninguém a considere fraca. Ela tende a lutar desesperadamente em vez de admitir que precisa de um tempo para se recuperar.

Pergunte-se: Você é irrequieto? Um faz-tudo? Esconde que está esgotado e que precisa de tempo para se cuidar? Embora exausto, continua se esforçando e se desgastando física, mental e emocionalmente?

Afirmação para *Oak*: Gosto de me descontrair na natureza a fim de regenerar e rejuvenescer meu campo energético. Ser vulnerável não me deixa inseguro. Ajudo a mim mesmo e a quem realmente precisa disso. Hoje, começarei a cuidar de mim. Respeito meu corpo e meu espaço sagrado.

Pine. Para aqueles que vivem se desculpando, embora não tenham feito nada de errado. Use a essência floral *Pine* quando estiver com a consciência pesada sem nenhuma base na realidade. Esse remédio o ajudará caso tenha a tendência de assumir a culpa dos outros. Use *Pine* para ajudá-lo a combater sentimentos de culpa a fim de recuperar a paz mental e emocional.

Pergunte-se: Você se sente culpado? Assume a culpa por algo que está errado, mas que nada tem a ver com você? Estabelece objetivos tão altos que jamais poderá alcançá-los?

Afirmação para *Pine*: Sou calmo. Estou em paz. Alcanço facilmente meus objetivos. Sei que meus fortes sentimentos de culpa e autoacusação serão esquecidos tão logo eu os tire de meu corpo. Para mim, é fácil aceitar uma vida feliz. Regenero o amor que sinto por mim mesmo.

Star of Bethlehem. Para o reequilíbrio após o choque. Já testemunhei os benefícios de seu uso após tragédias devastadoras, como a morte de um membro da família em um acidente. Com efeito, esse remédio foi muito procurado após o 11 de Setembro. Ajuda muito em condições que resultam de outros tipos de choque e acontecimentos extremamente estressantes. Embora seja comumente usado logo após o choque, esse remédio é benéfico também no caso de sintomas pós-traumáticos surgidos muitos anos após o evento. É uma das essências incluídas no *Rescue Remedy*.

Pergunte-se: Esteve às voltas com uma morte repentina, um desapontamento, um acidente? Sente-se entorpecido ou à beira de um colapso nervoso?

Afirmação para *Star of Bethlehem*: Sinto-me revitalizado. Estou são e salvo. Tudo vai bem. Uma energia estimulante me cura e equilibra em todos os níveis – mental, físico, espiritual e emocional.

Sweet Chestnut. Ajuda quando você está tão triste e angustiado que nada o consola. É útil para reequilibrá-lo quando você acha que não há esperança para seu sofrimento. Se sentir que chegou ao limite da resistência, use *Sweet Chestnut* para aliviar a tristeza, a dor, a exaustão, a solidão e a escuridão.

Pergunte-se: Sua visão da vida é sombria e desoladora? Está sentindo uma angústia insuportável? Acha que não tem mais forças nem resistência para continuar?

Afirmação para *Sweet Chestnut*: Estou vendo a luz no fim do túnel. Minha mente é serena. Minha fé é forte e me dá apoio. Tenho muita força interior.

Willow. Bom para períodos em que a pessoa se sente obcecada consigo mesma e vítima de autopiedade. Use essa essência caso esteja ressentido e amargo. Ela é útil se você não agradece nada e fica descontente com tudo. Talvez sinta inveja ou raiva da sorte, da riqueza, do sucesso e da felicidade dos outros. Recorra a essa essência quando estiver irritado e com visão sombria das coisas.

Pergunte-se: Você costuma dizer coisas como "Não mereço isso" ou "Por que isso está acontecendo comigo?". Afastou amigos e parentes por causa de sua atitude ressentida? Critica muito os outros, especialmente os que são felizes e ricos?

Afirmação para *Willow*: Esqueço e perdoo injustiças passadas. Aprecio a vida, atraindo pessoas e situações positivas. Sei que meus pensamentos e minhas emoções criam minhas próprias circunstâncias. Sou grato pelo bem que existe em minha vida.

Preocupação excessiva com o bem-estar dos outros

Beech. É ótimo para aumentar a disposição para a tolerância e a aceitação dos outros. Use esse remédio quando se sentir superior aos demais, mostrando-se crítico e arrogante. Essa essência floral o ajudará nas fases em que ficar seriamente irritado por causa do comportamento e do modo de vida de outras pessoas. É ótimo para pessoas perfeccionistas e que julgam estar sempre com a razão.

Pergunte-se: Você pensa com frequência que as outras pessoas nunca fazem as coisas certas? Acha que seu modo de agir é o correto e o dos demais está errado? Fica facilmente irritado com o estilo de vida e o jeito dos outros?

Afirmação para *Beech*: Vivo e deixo viver. Vejo o bem em meus semelhantes. Aceito as imperfeições de todos nós. Sou tolerante e receptivo.

Chicory. Ajudará bastante se você for controlador e gostar de manipular os entes queridos. Esse remédio é para pessoas de vontade forte que criticam e exigem muito. *Chicory* será benéfico caso você tenha a tendência a ser maternal, a mimar e a proteger demais.

Pergunte-se: Você exige que os outros se conformem com suas crenças e seus padrões? Protege demais os entes queridos? Espera muito deles em troca do amor e da atenção que lhes dá? Não gosta de ficar só e quer ser objeto de atenção o tempo todo? Discute muito?

Afirmação para *Chicory*: Todos os meus amigos e familiares estão sãos e salvos. Contam com a proteção divina. Sinto-me tranquilo e sei que tudo vai bem. Meus entes queridos – amigos e familiares – seguem os próprios caminhos e confio em sua capacidade inata de viver sua vida. Permito que todos vivam sua vida.

Rock Water. Para aqueles que se autoimpõem padrões altos demais, trabalhando com afinco e em excesso, a fim de alcançá-los. Se você é fanático por trabalho, exercício ou qualquer outro alvo que tenha escolhido, use esse remédio para ser mais flexível e relaxado. Essa essência floral o ajudará a reconhecer a verdade de que o poder interior é maior que a disciplina extrema e os comportamentos forçados.

Pergunte-se: Você é teimoso? Preocupa-se muito consigo mesmo e, ao mesmo tempo, não relaxa a ponto de se tornar um mártir voluntário? É rígido na decisão de manter dietas, exercícios e outras rotinas?

Afirmação para *Rock Water*: Minha vida é equilibrada. Relaxo com facilidade. Ser vulnerável não abala minha segurança. Cultivo a paz e a harmonia interiores. Deixo-me levar pela corrente.

Vervain. Excelente para períodos de muita tensão e hiperatividade. É um bom remédio para equilibrar e ajudar pessoas demasiadamente determinadas, fanáticas por trabalho e que querem fazer tudo. Use-o quando ultrapassar os limites de sua capacidade e sua mente funcionar rápido demais. Se costuma dizer "sim" a uma multiplicidade de projetos, acha difícil dizer "não" e tenta fazer muitas coisas ao mesmo tempo, use esse remédio até reequilibrar sua vida.

Pergunte-se: Você já tem tarefas suficientes e ainda assume mais compromissos e responsabilidades? Acha que está sofrendo de tensão muscular extrema? Não consegue relaxar? Seu entusiasmo exagerado está afastando os outros?

Afirmação para *Vervain*: Procuro ser só o que sou. As grandes coisas são feitas em silêncio. Às vezes, não agir é muito melhor que agir. Sou calmo, prudente e tolerante. Relaxo com facilidade.

Vine. Para quando você sentir que está sendo excessivamente autoritário e dominador. Esse remédio o ajudará a conter-se quando quiser agredir ou humilhar seus semelhantes. Você talvez seja muito talentoso, inteligente, ambicioso – um líder natural –, e essa essência o ajudará a refrear a agressividade que nasce da falta de compaixão e bondade. Essa rigidez pode se manifestar também sob a forma de pressão sanguínea alta. Para quem é patrão ou líder, essa essência floral ajuda a fazer com que seus atos sejam recebidos com mais consideração e cordialidade.

Pergunte-se: Você sempre se encarrega de projetos, reuniões ou discussões? Tende a acreditar que seu modo de fazer as coisas é o único correto? Você é manipulador e aprecia o poder e a autoridade que exerce sobre os outros?

Afirmação para *Vine*: Falo com bondade e compaixão. Comunico o que está na minha mente de modo gentil. Falo com eloquência e amor. Aceito os outros exatamente como são. Sou generoso com meu tempo e estou totalmente presente com meus amigos, familiares e colegas.

APÊNDICE C

Essências de Pedras Preciosas

Neste apêndice, você encontrará combinações de pedras preciosas para propósitos específicos. São as que eu recomendo para cada finalidade. Reúna-as para criar uma essência vibracional. Adicione a água de Essência de Pedra Preciosa vibracional às suas misturas de aromaterapia para aumentar sua energia e seus propósitos. Não ingira a água de Essência de Pedra Preciosa. Lembre-se de começar estabelecendo o propósito da essência e coloque as pedras na água com intenção definida. Use a intuição e escolha as pedras com as quais você se identifica. Siga as instruções na seção "Como Fazer uma Essência de Pedras Preciosas", no Capítulo 2.

Amor

Invoque o Arcanjo Chamuel para relacionamentos saudáveis e cura.

Ágata Laço Azul – para facilitar a comunicação e ampliar o reconhecimento da orientação angélica.

Aventurina Verde – para atrair boa sorte e bênçãos.

Calcita Rosa – para incentivar a felicidade, a harmonia, o conforto e a boa companhia.

Citrino – para ativar a autoconfiança e melhorar a capacidade de estabelecer limites.

Quartzo Rosa – para atrair romance, bons amigos e amor.

Unaquita – para ativar a bondade, a compaixão e o equilíbrio.

Afirmação para Amor: Eu sou o amor; tudo que me rodeia e atraio é amor. Atraio amor, alegria e felicidade para a minha vida.

Proteção

Invoque o Arcanjo Miguel para proteção, fé e remoção de medos, fobias e obsessões.

Ametista – para ativar a transformação de situações desafiadoras.

Obsidiana floco-de-neve – para aprender a lição e seguir em frente.

Olho de tigre dourado – para repelir ciúmes e as más intenções dos outros.

Quartzo transparente – para ampliar as intenções de bem-estar e de amor.

Sodalita – para ampliar a presença protetora do arcanjo Miguel.

Turmalina negra – para desviar a negatividade e aumentar a segurança.

Afirmação para Proteção: Tudo está bem. Eu me cerco de pessoas confiáveis. Sou abençoado e estou sempre divinamente protegido.

Tudo está bem

Invoque o Arcanjo Uriel para sabedoria, paz e orientação superior.

Aventurina Verde – para dar boa sorte, boa fortuna e aumentar o fluxo de entrada de dinheiro.

Citrino – para ampliar a coragem e a confiança e melhorar a consciência da prosperidade.

Granada – para reforçar suas intenções, motivar-se e agir.

Jade – para ampliar as bênçãos da prosperidade.

Olho de tigre vermelho – para ficar focado no objetivo e desviar distrações negativas.

Pirita – para criar uma base sólida e fazer o que você gosta.

Afirmação para Tudo Está Bem: Sou abençoado com a abundância. Tenho sorte e valorizo minha prosperidade. Sou grato por todas as minhas habilidades criativas e empresariais. Ganho muito fazendo o que gosto.

Desenvolva a intuição

Invoque o Arcanjo Gabriel para obter inspiração, mensagens psíquicas e interpretação dos símbolos dos sonhos.

Ametista – para melhorar o sonho e as mensagens psíquicas que chegam pelos sonhos.

Angelita – para se comunicar com anjos, arcanjos e grandes mestres, ouvi-los e se conectar com eles.

Pedra da lua – para ampliar a perspectiva, a receptividade e a consciência dos ciclos da vida.

Quartzo transparente – para concentração e clareza mental.

Selenita – para aumentar a conexão com a consciência superior e os guias espirituais.

Sodalita – para melhorar e incentivar a meditação, a contemplação e a oração.

Afirmação para Desenvolva a Intuição: Sou extremamente intuitivo. Recebo mensagens divinas o tempo todo. É fácil para mim interpretar as mensagens e a orientação que recebo. Sou profundamente clarividente.

Comunicação angélica

Invoque o Arcanjo Miguel para atrair um cortejo de ajudantes angélicos e anjos da guarda.

Ágata Laço Azul – para comunicação divina e sintonização com o propósito da alma.

Angelita – para se comunicar com anjos, arcanjos e grandes mestres, ouvi-los e se conectar com eles.

Celestita – para despertar seu eu angelical e sua conexão com o tempo divino.

Selenita – para estreitar a conexão com o divino, seu anjo da guarda e seu cortejo de ajudantes invisíveis.

Serafinita – para facilitar a comunicação com a esfera angélica.

Turquesa – para ampliar a recepção do canal de inspiração divina.

Afirmação para Comunicação Angélica: Sou grato pela orquestração angélica em minha vida. Os anjos me guiam o tempo todo. Permito que eles trabalhem por meu intermédio, propiciando cura aos outros e a mim.

Sono profundo

Invoque o Arcanjo Sabrael para afastar pensamentos e forças negativos e tagarelice incessante da mente.

Ágata Púrpura – para ajudá-lo a transformar pensamentos negativos e acreditar nas possibilidades ilimitadas do bem.

Ametista – para evitar pesadelos, incentivando bons sonhos e sono reparador.

Apatita – para ajudar você a se concentrar em um sistema digestório saudável.

Aventurina Verde – para recalibrar suas emoções a cada noite, quando mantidas perto do coração.

Hematita – para remover energias dispersas do campo energético e repelir pensamentos negativos.

Quartzo Rosa – para sintonizar sua consciência com o amor divino, a compaixão, a misericórdia, a tolerância e a bondade.

Afirmação para Sono Profundo: Cuido bem de mim comendo alimentos saudáveis e fazendo exercícios. Durmo bem todas as noites. Sou calmo e pacífico. Tudo está bem e a vida é boa.

Criatividade e fertilidade

Invoque o Arcanjo Haniel, o anjo da comunicação divina, dos espíritos da natureza, dos elementais e das musas, para abrir seus canais de inspiração.

Aventurina Vermelha – para ativar sua imaginação.

Calcita laranja – para incentivar o trabalho e o lazer, promovendo uma vida útil.

Citrino – para ter coragem e confiança a fim de viver a vida com todo o potencial.

Cornalina – para dar a você tempo de criar coragem para agir nesse sentido.

Crisocola – para jornadas xamânicas ou práticas meditativas profundas com vistas a receber inspiração divina.

Turquesa – para conhecer, comunicar, expressar e viver sua verdade.

Afirmação para Criatividade e Fertilidade: A criatividade flui por mim. Sou corajoso e, bravamente, concretizo minhas ideias. Minha imaginação é a chave para o sucesso. Vislumbro meu futuro e acolho-o com alegria, à medida que se desenrola.

Limpeza da aura

Invoque São Germano e o Arcanjo Zadquiel para transformação, transmutação e Chama Violeta. A Chama Violeta é usada por alquimistas espirituais para autotransformação e aprendizado de verdades espirituais superiores.

Ametista – por suas poderosas qualidades transformadoras.

Cianita – para sintonizar seus centros de energia com as esferas superiores.

Crisoprásio – para incentivar o envolvimento em práticas produtivas.

Howlita – para limpeza e purificação.

Quartzo Rosa – para se sentir reconfortado e cercado por amor incondicional.

Selenita – para eliminar vibrações negativas e substituí-las por luz, amor e bem-estar.

Afirmação para Limpeza da Aura: Bênçãos fluem por mim como um rio de cura. Sou fluido. Sou puro e cristalino. Meus chakras estão equilibrados. Estou sintonizado com o Divino.

Peso ideal e alimentação saudável

Invoque o Arcanjo Camael para se sintonizar com o Divino masculino e combater a raiva, a agressão, as emoções negativas; e para se movimentar e se exercitar mais.

Apatita – para tomar consciência da alimentação emocional.

Crisoprásio – para ter coragem e confiança para cuidar de si mesmo.

Granada – para aumentar os níveis de energia e ativar o metabolismo.

Howlita – para limpar e entender melhor a fonte do estresse emocional.

Peridoto – para favorecer o sistema digestório e o funcionamento ideal da vesícula biliar, do fígado, do pâncreas e do baço.

Quartzo Transparente – para ajudá-lo a transmitir e receber energia.

Afirmação para Peso Ideal e Alimentação Saudável: Sou saudável, inteiro e completo. Meu corpo é perfeito. Estou com o peso ideal para minha altura, constituição e genética. Faço exercícios regularmente, bebo muita água, durmo bem e como alimentos saudáveis e nutritivos.

Boa saúde e cura

Invoque o Arcanjo Gabriel para saúde geral e vitalidade.

Aventurina Verde – para se concentrar em uma alimentação saudável e em exercícios regulares.

Crisoprásio – para ajudar a reequilibrar e eliminar sentimentos opressivos.

Granada – para se conectar com a força vital, o fluxo sanguíneo e a circulação de outros fluidos pelo corpo; para o alinhamento da coluna vertebral.

Jade – para evitar problemas nos rins e promover boa saúde geral.

Peridoto – para a assimilação adequada dos nutrientes dos alimentos, bebidas, água e luz.

Quartzo Rosa – para a regeneração e o rejuvenescimento da pele.

Afirmação para Boa Saúde e Cura: Estou saudável, inteiro e completo. Meu corpo está cheio de energia e vitalidade.

Mantenha-me seguro

Invoque o Arcanjo Melquizedeque para ajudá-lo na jornada espiritual na Terra.

Ametista – para protegê-lo de agressões psíquicas e livrar-se de pensamentos negativos.

Hematita – para manter um estado de concentração relaxada e aliviar o estresse.

Obsidiana Negra – para mantê-lo com os pés no chão e sintonizado com a verdade.

Quartzo Rosa – para incrementar o amor e o bem-estar.

Selenita – para desviar a negatividade e incrementar o amor e o bem-estar.

Turmalina Negra – para desviar a energia negativa.

Afirmação para Mantenha-me Seguro: Estou são e salvo. Tudo está bem. Conto sempre com a proteção divina.

Sobriedade

Invoque o Arcanjo Miguel para proteção, fé e remoção de medos, fobias e obsessões.

Ametista – para evitar distrações prejudiciais e mudar velhos hábitos por meio de um propósito consciente.

Aventurina Verde – para reforçar a crença na boa sorte e no bem-estar; para criar uma realidade estável e positiva para si mesmo.

Hematita – para se manter calmo.

Quartzo Transparente – para sucesso financeiro, fertilidade, criatividade, bênçãos na família, felicidade no lar e corpo saudável.

Quartzo Rosa – para conectar a existência humana, como indivíduo que tem os pés no chão, com propósito de vida espiritual.

Turmalina Negra – para detectar a fonte da energia negativa e suas causas.

Afirmação para Sobriedade: Estou seguro. Sou abençoado. É fácil para mim transformar e transmutar situações desafiadoras.

Apêndice D

Guia de Referência Fácil para Óleos Associados

Este apêndice ensina uma maneira fácil de encontrar os óleos cujas vibrações são compatíveis com os arcanjos, os Mestres Ascensionados, os signos astrológicos, os asteroides, os planetas, as carreiras e as profissões. Use esta seção para conhecer a vibração energética de dado óleo essencial. Você aprenderá aqui, com facilidade, a fazer uma mistura sinérgica e a fortalecer o propósito associado à fórmula.

Arcanjos e Mestres Ascensionados

Esta seção fornece sugestões de óleos essenciais listadas por Arcanjos e Mestres Ascencionados. É uma maneira rápida e fácil de consultar uma lista dos óleos que podem funcionar para solicitar a ajuda e a vibração energética dos anjos.

Anjo da Guarda (principal guardião da pessoa) – angélica, ilangue--ilangue, laranja, *niaouli*, rosa, tangerina.

Arcanjo Ariel (saúde geral e vitalidade) – capim-limão.

Arcanjo Auriel (realinhamento do Divino Feminino e dos medos subconscientes) – angélica, jasmim, manjerona, néroli, sálvia esclareia, tangerina.

Arcanjo Camael (realinhamento do Divino Masculino, raiva, agressão e emoções) – abeto, *grapefruit*, sálvia esclareia, semente de aipo.

Arcanjo Chamuel (cura de relacionamentos) – *palmarosa*, rosa.

Arcanjo Gabriel (inspiração e orientação, interpretação de sonhos e conhecimento interior) – angélica, bergamota, camomila (romana), lavanda, *palmarosa*, rosa, tangerina, *tea tree*.

Arcanjo Haniel (comunicação divina, determinação e alinhamento com o objetivo da alma) – *palmarosa*, rosa, tomilho.

Arcanjo Jofiel (sabedoria e beleza interior) – *grapefruit*, jasmim, manjerona, néroli.

Arcanjo Melquizedeque (auxílio para a jornada espiritual na Terra e a conexão com o místico interior) – bergamota.

Arcanjo Metraton (ativação do processo de ascensão para estados elevados de consciência, iluminação, registros akáshicos e evolução da alma) – *grapefruit*, manjericão, *palmarosa*, rosa.

Arcanjo Miguel (proteção, fé e eliminação de medos, fobias e obsessões) – angélica, bergamota, camomila (alemã), eucalipto, *grapefruit*, manjericão, manjerona, pimenta-da-jamaica, pimenta-do--reino, tangerina.

Arcanjo Muriel (reequilíbrio de emoções) – hortelã-pimenta, néroli.

Arcanjo Rafael (cura para si mesmo e para os outros) – baga de zimbro, benjoim, bétula, elemi, gerânio, gualtéria, jasmim, laranja, lavanda, orégano, *tea tree*, *vetiver*.

Arcanjo Raziel (acolhida dos dons da clarividência, profecia, revelação e grandes mistérios) – angélica, pimenta-do-reino.

Arcanjo Sabrael (combate ao ciúme, aos vírus e às forças negativas) – alecrim, gerânio, lavanda, manjericão, palo santo, semente de aipo.

Arcanjo Turiel (cura animal e conexão humana com a natureza) – *vetiver*.

Arcanjo Tzafquiel/Zafquiel (o aspecto feminino de Deus, entendimento e atenção plena) – nardo, olíbano.

Arcanjo Uriel (pensamentos, ideias, criatividade, discernimento, alquimia, astrologia, consciência universal, ordem divina, fluxo universal cósmico, ambiente terrestre, iluminação e paz) – camomila (romana), laranja, nardo, olíbano, orégano.

Arcanjo Zadquiel (transformação, transmutação e Chama Violeta) – gualtéria.

Buda – olíbano, sândalo.

Cristo – abeto, mirra, nardo, olíbano.

Ísis – mirra, nardo.

Kuan Yin – ilangue-ilangue, jasmim, laranja, lavanda, nardo, néroli, rosa, sândalo.

Maria Madalena – mirra, nardo.

Mãe Maria – jasmim, mirra, nardo, néroli, rosa.

Nossa Senhora de Guadalupe – rosa.

Palas Atena – bergamota, gengibre.

São Germano – angélica, benjoim, *grapefruit*, gualtéria, jacinto, lavanda.

Santa Teresa de Lisieux – jasmim.

Signos astrológicos

Esta seção oferece sugestões de óleos essenciais listados por signo astrológico. É uma maneira rápida e fácil de consultar uma lista dos óleos que podem funcionar para a sintonização com as qualidades astrológicas da vibração astrológica.

Áries – cravo-da-índia, eucalipto, laranja, lilás, pimenta-do-reino, semente de aipo, semente de anis, tangerina.

Touro – benjoim, camomila alemã, limão-siciliano, manjerona, melissa, rosa, *vetiver*.

Câncer – bergamota, cardamomo, coentro, elemi, funcho, gengibre, gerânio, hortelã-pimenta, ilangue-ilangue, limão-siciliano, mirra, orégano, *palmarosa*, semente de aipo, rosa, sálvia esclareia, semente de anis.

Gêmeos – abeto, bétula, cravo-da-índia, eucalipto, funcho, *grapefruit*, limão-siciliano, orégano, tomilho.

Leão – bergamota, canela, capim-limão, *grapefruit*, laranja, lavanda, limão-galego, limão-siciliano, manjericão, *niaouli*, pau-rosa, *petitgrain*, pimenta-da-jamaica, semente de anis, tangerina.

Virgem – alecrim, camomila alemã, cardamomo, coentro, funcho, gengibre, *grapefruit*, lavanda, limão-galego, nardo, *niaouli*, rosa, semente de anis.

Libra – baga de zimbro, bétula, canela, cedro, ilangue-ilangue, *immortelle*, jacinto, jasmim, lavanda, manjerona, mirra, néroli, *palmarosa*, pimenta-do-reino, *ravensara*, rosa, tangerina.

Escorpião – benjoim, capim-limão, cipreste azul, gerânio, hissopo, hortelã-pimenta, ilangue-ilangue, *immortelle*, jasmim, manjerona, néroli, *niaouli*, palo santo, *ravensara*, sálvia, semente de anis.

Sagitário – abeto, canela, cravo-da-índia, laranja, pau-rosa, *petitgrain*, pinho.

Capricórnio – bétula, cedro, gualtéria, coentro, jacinto, lavanda, néroli, pimenta-da-jamaica, pinho, semente de aipo, *vetiver*.

Aquário – angélica, bétula, elemi, jacinto, lavanda, nardo, olíbano, *patchouli*, sândalo, tangerina, *tea tree*.

Peixes – angélica, baga de zimbro, bergamota, camomila, hortelã-pimenta, ilangue-ilangue, jacinto, nardo, olíbano, orégano, *patchouli*, sálvia esclareia, sândalo.

Asteroides e planetas

Esta seção oferece sugestões de óleos essenciais listados por asteroides e planetas. É uma maneira rápida e fácil de consultar uma lista dos óleos que podem ajudá-lo a se alinhar com as qualidades astrológicas do asteroide ou planeta.

Ceres – cipreste azul, coentro, manjerona, *vetiver*.

Juno – gengibre, jasmim, nardo, néroli.

Júpiter – angélica, baga de zimbro, canela, cravo-da-índia, gerânio, ilangue-ilangue, manjerona, pau-rosa, *petitgrain*, pinho, semente de anis.

Lua – bergamota, cardamomo, coentro, elemi, funcho, gerânio, gengibre, gualtéria, hortelã-pimenta, ilangue-ilangue, jasmim, lavanda, mirra, néroli, orégano, *palmarosa*, sálvia, sálvia esclareia, semente de anis.

Marte – abeto, alecrim, cravo-da-índia, eucalipto, hissopo, hortelã-pimenta, laranja, pimenta-do-reino, semente de aipo.

Mercúrio – abeto, alecrim, bétula, canela, cravo-da-índia, eucalipto, funcho, gengibre, *grapefruit*, limão-galego, manjerona, orégano, tomilho.

Netuno – angélica, baga de zimbro, bergamota, camomila, ilangue-ilangue, jacinto, nardo, orégano, sálvia esclareia, sândalo, semente de anis.

Palas Atena – bergamota, gengibre.

Plutão – benjoim, cipreste azul, *immortelle*, jacinto, hissopo, hortelã-pimenta, jasmim, néroli, palo santo, *ravensara*, rosa, sálvia, semente de aipo.

Quíron – cipreste azul, camomila, hissopo, hortelã-pimenta, lavanda.

Saturno – benjoim, bétula, cedro, coentro, gualtéria, pimenta-da-jamaica, semente de aipo, *vetiver*.

Sol – bergamota, camomila, canela, capim-limão, *grapefruit*, laranja, lavanda, limão-galego, limão-siciliano, manjericão, *niaouli*, pau-rosa, *petitgrain*, pimenta-da-jamaica, semente de anis, tangerina.

Terra – cedro, funcho, lavanda, *niaouli*, pinho, *vetiver*.

Urano – alecrim, angélica, elemi, nardo, olíbano, *patchouli*, sândalo, tangerina, *tea tree*.

Vênus – baga de zimbro, bétula, camomila, canela, gerânio, *immortelle*, ilangue-ilangue, jacinto, jasmim, limão-siciliano, melissa, mirra, nardo, néroli, olíbano, *palmarosa*, *ravensara*, rosa, tangerina, *vetiver*.

Carreiras e profissões

Esta seção oferece sugestões de óleos essenciais listados por carreira e profissão. É uma maneira rápida e fácil de consultar uma lista dos óleos que podem funcionar para você pedir a ajuda e a energia do óleo a fim de concretizar seu pleno potencial. Os óleos são aliados nessas circunstâncias.

Acupunturista – nardo, olíbano.

Advogado – bergamota, limão-galego, mirra, manjerona, nardo, *petitgrain*, *tea tree*.

Agente de viagem – gengibre, lavanda, manjerona.

Ambientalista – baga de zimbro, melissa, pinho.

Apicultor – benjoim, cipreste azul, melissa, rosa.

Arborista – cedro, coentro, *patchouli*, pinho.

Aromaterapeuta – benjoim, coentro, *grapefruit*, nardo, *vetiver*.

Arquiteto – *vetiver*.

Arquiteto paisagista – baga de zimbro, cedro, coentro, *patchouli*, pinho, *vetiver*.

Artista – canela, cipreste azul, hissopo, pimenta-do-reino.

Astrólogo – elemi.

Atleta – bétula, camomila alemã, eucalipto, manjerona.

Ator – gengibre, pimenta-do-reino.

Banqueiro – limão-galego, manjericão, pau-rosa.

Bibliotecário – abeto, alecrim, benjoim, nardo, sálvia, *vetiver*.

Cabeleireiro – alecrim, cedro, ilangue-ilangue, nardo.

Cardiologista – coentro, ilangue-ilangue, manjerona, nardo, rosa, *vetiver*.

Chef de cozinha – alecrim, limão-galego, orégano, sálvia, semente de anis, tomilho.

Cirurgião cardíaco – coentro, nardo, *vetiver*.

Clarividente – elemi, camomila alemã, jacinto, nardo, rosa, sálvia.

Coaching de vida – abeto, *niaouli*, olíbano, *palmarosa*, *petitgrain*, sândalo.

Comerciante – canela, manjericão.

Comunicador angélico – *grapefruit*, jasmim, melissa, nardo, rosa, tangerina.

Conselheiro – benjoim, bergamota, cardamomo, ilangue-ilangue, manjerona, *palmarosa*, pau-rosa, sálvia.

Conselheiro de luto – jacinto, jasmim.

Conselheiro de perda/ganho de peso – *grapefruit*, semente de aipo.

Conselheiro em saúde mental – abeto, angélica, jasmim, limão-galego, *palmarosa*, *petitgrain*, sálvia esclareia, tangerina.

Conselheiro espiritual – bétula, *immortelle*, jacinto, olíbano, sálvia.

Conselheiro matrimonial – alecrim, coentro, gengibre, gerânio, ilangue-ilangue, jasmim, manjericão, manjerona, pau-rosa, rosa, sálvia esclareia.

Construtor – pau-rosa.

Contador – alecrim, *grapefruit*, limão-galego, *niaouli*.

Corredor – gualtéria.

Corretor – manjericão, pau-rosa.

Cuidador – bétula, limão-galego, melissa, mirra, *niaouli*, *ravensara*.

Cuidador de asilo – benjoim, bétula, *grapefruit*, *immortelle*, jacinto, melissa, mirra, nardo, sálvia esclareia.

Curandeiro espiritual – bétula, sálvia.

Dentista – bétula, cravo-da-índia, gerânio, gualtéria, hortelã-pimenta, mirra, *niaouli*, orégano, *ravensara*, *tea tree*, tomilho.

Dermatologista – cedro, rosa, *tea tree*, tomilho.

***Designer* gráfico** – canela, cipreste azul, cravo-da-índia, hissopo, hortelã-pimenta, pimenta-do-reino.

Dieticista – bergamota, cardamomo, funcho, *grapefruit*.

Doula – funcho, gerânio, ilangue-ilangue, *immortelle*, jasmim, sálvia, sálvia esclareia.

Ecologista – cedro, pinho, *vetiver*.

Editor – bergamota, *grapefruit*, limão-galego.

Empregada doméstica – abeto, cedro, eucalipto, laranja, lavanda, limão-siciliano, *niaouli*, pinho, *ravensara*, *tea tree*, tomilho.

Empreiteiro – benjoim, *vetiver*.

Empresário – canela, manjericão, tangerina.

Enfermeira – bétula, *niaouli*, *ravensara*, *tea tree*, tomilho.

Enfermeira de maternidade – ilangue-ilangue, jasmim.

Engenheiro – cardamomo.

Escritor – bergamota, camomila alemã, cipreste azul, *grapefruit*.

Especialista em fertilização – sálvia esclareia, gengibre, jasmim, néroli.

Especialista em insônia – ilangue-ilangue, lavanda, manjerona, nardo.

Especialista em reabilitação de viciados – baga de zimbro, bergamota, elemi, *immortelle*, jasmim, manjerona, sálvia esclareia.

Esteticista – *immortelle*, rosa.

Facilitador/praticante de meditação – angélica, bergamota, camomila alemã, cedro, elemi, ilangue-ilangue, olíbano, *palmarosa*, *petitgrain*, sálvia, sálvia esclareia, sândalo.

Fazendeiro – baga de zimbro, pinho.

Fisioterapeuta – bétula, camomila alemã, gualtéria.

Flebotomista – gerânio, manjericão, sálvia.

Florista – baga de zimbro, pinho.

Gastroenterologista – bergamota, camomila romana, cardamomo, funcho, *palmarosa*, semente de aipo.

Gerente financeiro – manjericão.

Ginecologista – funcho, gerânio, jasmim, néroli, sálvia, sálvia esclareia.

Herbalista – gengibre, *vetiver*.

Infectologista – cedro, eucalipto, laranja, lavanda, limão-siciliano, *niaouli*, pinho, *ravensara*, *tea tree*, tomilho.

Instrutor de pilates – cravo-da-índia, gualtéria.

Inventor – canela, camomila romana, cipreste azul, pau-rosa, semente de aipo.

Jardineiro – coentro, baga de zimbro, *patchouli*, pinho, *vetiver*.

Juiz – bergamota, cardamomo, hissopo, mirra, sálvia.

Leitor intuitivo – angélica, bergamota, camomila alemã, cardamomo, elemi, *grapefruit*, nardo, olíbano, palo santo, sálvia.

Líder – bergamota, canela, gengibre, *grapefruit*, limão-siciliano, manjericão.

Líder visionário – abeto, nardo, sândalo.

Mãe – gerânio, laranja, nardo, néroli, rosa, semente de anis, *tea tree*, tomilho.

Manicure – limão-galego, *niaouli*, *ravensara*, *tea tree*, tomilho.

Maratonista – bétula, eucalipto, gualtéria, manjerona.

Massoterapeuta – gerânio, *grapefruit*, lavanda, *petitgrain*.

Mediador – benjoim.

Médico – gualtéria.

Médico vascular – orégano.

Médium – mirra.

Metafísico – angélica.

Ministro – cedro, *immortelle*, olíbano, sálvia.

Místico – abeto, angélica, bergamota, gengibre, jacinto, jasmim, nardo, néroli, olíbano, pimenta-do-reino, sândalo.

Músico – angélica, canela, cardamomo, cipreste azul, lavanda, néroli, *petitgrain*, pimenta-do-reino, sálvia, semente de aipo, tangerina.

Neurologista – alecrim, angélica, bergamota, camomila (alemã e romana), cedro, elemi, *grapefruit*, hortelã-pimenta, laranja, nardo, orégano, *palmarosa*, *patchouli*, *petitgrain*, pimenta-da-jamaica, sálvia.

Nutricionista – *grapefruit*.

Orador – angélica, camomila (romana), *tea tree*.

Otorrinolaringologista – abeto, alecrim, cravo-da-índia, eucalipto, limão-galego, manjerona, *niaouli*, olíbano, orégano, *ravensara*, *tea tree*, tomilho.

Padeiro – canela, cravo-da-índia, pimenta-da-jamaica, semente de anis, tangerina.

Pai – laranja, lavanda, nardo, néroli, tangerina.

Palestrante – olíbano.

Piloto – limão-siciliano.

Planejador matrimonial – alecrim, laranja, manjerona, rosa, pau-rosa.

Pneumologista – abeto, eucalipto, hissopo, hortelã-pimenta, manjerona, olíbano, palo santo, *ravensara*, *tea tree*, tomilho.

Podólogo – *niaouli*, *ravensara*, *tea tree*.

Praticante de feng shui – cravo-da-índia, laranja, manjerona, palo santo, tangerina.

Praticante de reiki – bétula, gualtéria, lavanda, olíbano, sálvia.

Praticante de xamanismo – abeto, bétula, camomila (romana), cedro, palo santo, *ravensara*, sálvia.

Praticante/instrutor de yoga – *patchouli*.

Professor – benjoim, camomila alemã.

Profissional da lei – alecrim, benjoim, cedro, cravo-da-índia, eucalipto, gerânio, hissopo, mirra, manjericão, manjerona, pimenta-da-jamaica, pinho, sálvia, semente de anis.

Profissional da saúde – baga de zimbro, bétula, limão-siciliano, olíbano, *ravensara*.

Profissional de controle de epidemias – alecrim, capim-limão, cravo-da-índia, eucalipto, hortelã-pimenta, pau-rosa, pimenta-do-reino.

Psicólogo – alecrim, sálvia.

Quiroprata – gualtéria, nardo.

Redator – cipreste azul, pimenta-do-reino.

Terapeuta de regressão – manjericão, cravo-da-índia, hortelã-pimenta.

Terapeuta sexual – gengibre, ilangue-ilangue, jacinto, jasmim, *patchouli*, rosa, sálvia esclareia, sândalo.

Trabalhador braçal – bétula, cravo-da-índia, nardo.

Treinador físico – bétula, cravo-da-índia, camomila alemã, gualtéria.

Varejista *New Age* – lavanda, mirra, olíbano, sálvia, sândalo.

Veterinário – *petitgrain*.

Chakras

Esta seção oferece sugestões de óleos essenciais listados por chakra. É uma maneira rápida e fácil de consultar uma lista de óleos que podem funcionar para determinado chakra.

Coronário – abeto, angélica, baga de zimbro, benjoim, bergamota, cardamomo, cravo-da-índia, eucalipto, *grapefruit*, gualtéria, hissopo, hortelã-pimenta, jacinto, *immortelle*, jasmim, laranja, lavanda, manjerona, mirra, nardo, néroli, olíbano, palo santo, pimenta-da-jamaica, pimenta-do-reino, *ravensara*.

Frontal – abeto, alecrim, angélica, baga de zimbro, bétula, camomila (alemã), canela, cravo-da-índia, eucalipto, gualtéria, hortelã-pimenta, jacinto, lavanda, limão-siciliano, manjericão, manjerona, olíbano, palo santo, pimenta-da-jamaica, pimenta-do-reino, sálvia esclareia, semente de anis, *tea tree*, tomilho.

Laríngeo – angélica, camomila (alemã), cravo-da-índia, eucalipto, gualtéria, hortelã-pimenta, lavanda, manjerona, *niaouli*, orégano, palo santo, pimenta-da-jamaica, *ravensara*, sândalo, *tea tree*, tomilho.

Cardíaco – abeto, camomila (romana), cedro, elemi, eucalipto, gengibre, *grapefruit*, gualtéria, hortelã-pimenta, *immortelle*, jasmim, laranja, lavanda, limão-galego, manjerona, nardo, néroli, olíbano, orégano, *palmarosa*, palo santo, *patchouli*, pau-rosa, *petitgrain*, pimenta-da-jamaica, rosa, sândalo, semente de anis, tangerina, *tea tree*, tomilho.

Esplênico – bergamota, camomila (romana), canela, capim-limão, cardamomo, cedro, cipreste azul, coentro, cravo-da-índia, elemi, eucalipto, funcho, gengibre, *grapefruit*, gualtéria, hortelã-pimenta, *immortelle*, ilangue-ilangue, laranja, lavanda, limão-galego, limão-siciliano, melissa, *niaouli*, orégano, *palmarosa*, palo santo, *patchouli*, pau-rosa, *petitgrain*, pimenta-da-jamaica, sálvia, sálvia esclareia, sândalo, semente de aipo, semente de anis, tangerina.

Umbilical – baga de zimbro, canela, capim-limão, cipreste azul, coentro, cravo-da-índia, elemi, eucalipto, gengibre, gerânio, gualtéria, hortelã-pimenta, ilangue-ilangue, lavanda, manjericão, manjerona, melissa, *niaouli*, *palmarosa*, palo santo, pimenta-da-jamaica, *ravensara*, sálvia, sálvia esclareia, sândalo, semente de anis, tangerina.

Básico – benjoim, cedro, cipreste azul, eucalipto, gengibre, gualtéria, hissopo, hortelã-pimenta, lavanda, manjericão, melissa, mirra, nardo, *niaouli*, palo santo, *patchouli*, pimenta-da-jamaica, pimenta-do-reino, pinho, *ravensara*, sálvia, sândalo, *vetiver*.

Usos físicos, mentais/emocionais e espirituais

Esta seção oferece sugestões de óleos essenciais listados por condição. É uma maneira rápida e fácil de consultar uma lista dos óleos que podem funcionar para dada condição. Recomendo que você consulte os perfis individuais para saber mais sobre os óleos sugeridos. A lista está dividida em três seções: física, mental/emocional e espiritual. Os óleos em itálico são os mais eficazes para o uso indicado.

Usos Físicos

Acne – bétula, capim-limão, cedro, *camomila (alemã), lavanda*, petitgrain, *tea tree*.

Afrodisíaco – alecrim, baga de zimbro, gengibre, *hortelã-pimenta, ilangue-ilangue*, jacinto, jasmim, *néroli*, palmarosa, *patchouli*, pau-rosa, pimenta-do-reino, sândalo, tomilho, vetiver.

Aftas – *eucalipto*, gerânio, *ravensara*, tea tree.

Alergias – cipreste azul, *eucalipto, manjerona, niaouli, ravensara*.

Alívio da dor – alecrim, angélica, baga de zimbro, bergamota, *bétula, camomila (alemã e romana)*, canela, *capim-limão*, cipreste azul, coentro, cravo-da-índia, elemi, *eucalipto*, gengibre, gerânio, *gualtéria, hortelã-pimenta*, jasmim, *lavanda*, manjericão, *manjerona*, melissa, mirra, *nardo*, néroli, *niaouli*, olíbano, orégano, palmarosa, palo santo, patchouli, pau-rosa, pimenta-da-jamaica, pimenta-do-

-reino, pinho, ravensara, *sálvia esclareia*, sândalo, semente de anis, *tea tree*, tomilho, vetiver.

Apetite (aumento) – *canela*, tangerina.

Apetite (controle) – cardamomo, *limão-siciliano*, palmarosa, semente de aipo.

Artrite/reumatismo – angélica, *bétula*, canela, cedro, cipreste azul, coentro, *gualtéria*, incenso, *semente de aipo*.

Asma – abeto, angélica, eucalipto, hissopo, *manjerona*, niaouli, *olíbano*, pinho, ravensara, semente de anis, tomilho.

Azia e indigestão – *camomila*, funcho, semente de anis.

Bronquite – angélica, eucalipto, hissopo, limão-galego, *manjerona*, *niaouli*, *olíbano*, orégano, *pinho*, semente de anis, tomilho.

Cãibras – ver espasmos musculares.

Calafrios/frio/mãos e pés frios – alecrim, abeto, *canela*, cravo-da--índia, coentro, *gengibre*, *gualtéria*, manjerona, olíbano, orégano, pimenta-da-jamaica, pimenta-do-reino, *sálvia*, sálvia esclareia, tomilho.

Circulação (má) – benjoim, bétula, *canela*, capim-limão, gerânio, *gualtéria*, niaouli, *orégano*, *pimenta-do-reino*, tangerina.

Congestão nasal – *abeto*, *eucalipto*, hissopo, lavanda, *manjerona*, niaouli, *olíbano*, pinho, *ravensara*, *tea tree*.

Constipação/evacuação saudável – alecrim, benjoim, bergamota, bétula, camomila, coentro, *funcho*, gengibre, hissopo, hortelã-pimenta, laranja, limão-siciliano, manjericão, manjerona, *nardo*, orégano, patchouli, pimenta-do-reino, pinho, sálvia, *semente de anis*.

Cortes – ver feridas.

Crianças, medo – lavanda, *laranja*, melissa.

Cuidados da pele – alecrim, benjoim, capim-limão, cedro, *eucalipto*, *gerânio*, grapefruit, ilangue-ilangue, jasmim, *lavanda*, *mirra*, néroli, niaouli, olíbano, palmarosa, patchouli, pau-rosa, *pinho*, *rosa*, sálvia esclareia.

Digestão – alecrim, angélica, baga de zimbro, bergamota, *canela*, cardamomo, coentro, *erva-doce*, funcho, gengibre, grapefruit, *hortelã-pimenta*, laranja, *limão*, manjericão, manjerona, melissa, nardo, palmarosa, patchouli, petitgrain, pimenta, pimenta-da-jamaica, sálvia, sálvia eclareia, *semente de aipo*, tangerina, tomilho.

Dor de cabeça – angélica, capim-limão, eucalipto, gengibre, *hortelã-pimenta*, lavanda, *manjerona*, *sálvia esclareia*, semente de anis.

Dor de ouvido – *camomila (alemã)*, *eucalipto*, lavanda.

Dor e inflamação de garganta – abeto, alecrim, *cravo-da-índia*, limão-galego, manjerona, *niaouli*, orégano, pau-rosa, ravensara, sândalo, *tea tree*, tomilho.

Dor/infecção de dente – cravo-da-índia, gualtéria, niaouli, tea tree.

Dores e incômodos nas articulações – *bétula*, *camomila*, *capim-limão*, cipreste azul, coentro, pimenta-da-jamaica, *semente de aipo*.

Dores musculares e relaxante – bergamota, *bétula*, *capim-limão*, *cedro*, cipreste azul, cravo-da-índia, eucalipto, *gualtéria*, laranja, lavanda, *manjerona*, *nardo*, néroli, petitgrain, pinho, *vetiver*.

Enjoo de viagem – gengibre, *hortelã-pimenta*.

Enxaqueca – eucalipto, *lavanda*, *manjerona*, sálvia esclareia.

Espasmos musculares – *manjerona*, *nardo*, néroli, petitgrain, vetiver.

Feridas – bergamota, elemi, laranja, *lavanda*, melissa, mirra, *tea tree*.

Fertilidade – baga de zimbro, gengibre, *gerânio*, hortelã-pimenta, ilangue-ilangue, jacinto, jasmim, néroli, palmarosa, patchouli, pimenta, sálvia, *sálvia esclareia*, semente de anis.

Foco e lucidez/clareza mental – *alecrim*, capim-limão, eucalipto, grapefruit, *hortelã-pimenta*, limão-galego, *limão-siciliano*, niaouli, pimenta-do-reino, tangerina.

Fungos nas unhas – alecrim, angélica, baga de zimbro, *camomila (alemã e romana)*, capim-limão, cravo-da-índia, elemi, eucalipto, funcho, gerânio, laranja, lavanda, mirra, néroli, niaouli, *orégano*, palmarosa, patchouli, pinho, *tea tree*, *tomilho*.

Furúnculos – bergamota, *camomila (alemã)*, *lavanda*, ravensara.

Gota – *bétula*, cedro, cipreste azul, gualtéria, pimenta-do-reino, *semente de aipo*.

Herpes-zóster – bergamota, *eucalipto radiata*, gerânio, *lavanda*, *melissa*, *ravensara*.

Impotência – *ilangue-ilangue*, *jasmim*, *néroli*, patchouli.

Infecção bacteriana – alecrim, angélica, benjoim, canela, capim-limão, cipreste azul, coentro, *cravo-da-índia*, elemi, *eucalipto*, funcho, gengibre, gerânio, grapefruit, gualtéria, hissopo, hortelã-pimenta, jasmim, *laranja*, lavanda, limão-siciliano, manjericão, *manjerona*, melissa, nardo, néroli, *niaouli*, *olíbano*, *orégano*, palmarosa, patchouli, pau-rosa, pimenta-do-reino, pinho, *ravensara*, sândalo, *tea tree*, *tomilho*, vetiver.

Infecção nas gengivas – *cravo-da-índia*, hortelã-pimenta, *mirra*, niaouli, sálvia, *tea tree*.

Infecção por fungos – alecrim, angélica, baga de zimbro, camomila, capim-limão, cravo-da-índia, elemi, *eucalipto*, funcho, gerânio, laranja, lavanda, manjerona, mirra, nardo, néroli, *niaouli*, *oréga-*

no, palmarosa, patchouli, pau-rosa, pinho, sálvia, sândalo, *tea tree*, *tomilho*.

Inflamação – abeto, angélica, baga de zimbro, benjoim, *bétula, camomila (alemã e romana)*, canela, cardamomo, cipreste azul, coentro, cravo-da-índia, *eucalipto*, funcho, gengibre, gerânio, *gualtéria*, hissopo, hortelã-pimenta, jasmim, laranja, *lavanda*, melissa, mirra, *nardo*, olíbano, orégano, palo santo, patchouli, rosa, sálvia, *sálvia esclareia*, sândalo, tea tree, tomilho, vetiver.

Inseticida – alecrim, baga de zimbro, benjoim, bergamota, bétula, canela, *capim-limão, cedro*, cipreste azul, cravo-da-índia, *eucalipto radiata*, funcho, gerânio, hortelã-pimenta, limão-galego, limão-siciliano, manjericão, melissa, palo santo, *patchouli*, pau-rosa, pimenta-do-reino, pinho, sálvia, sândalo, tea tree, tomilho, vetiver.

Insônia e sono reparador – *camomila (alemã e romana)*, coentro, elemi, ilangue-ilangue, laranja, lavanda, jasmim, manjerona, melissa, mirra, nardo, néroli, petitgrain, sálvia esclareia, tangerina, vetiver.

Jet lag – abeto, capim-limão, *eucalipto*, grapefruit, *hortelã-pimenta*, limão-galego, *limão-siciliano*, niaouli, pimenta-do-reino, tangerina, tea tree.

Memória – *alecrim*, coentro, gengibre, grapefruit, *limão-siciliano, manjericão*, melissa, pimenta-do-reino, tomilho.

Menopausa – *camomila*, funcho, *gerânio*, gengibre, jasmim, *lavanda, nardo*, sálvia, *sálvia esclareia*.

Mordidas e picadas (insetos) – cipreste azul, *eucalipto*, gerânio, *hortelã-pimenta, lavanda*, manjerona, orégano, patchouli, pimenta-da-jamaica, semente de anis, *tea tree*.

Odor no corpo/desodorizante – benjoim, bergamota, *capim-limão*, coentro, eucalipto, gerânio, lavanda, mirra, nardo, néroli, patchouli, *pau-rosa*, *petitgrain*, pinho, sândalo.

Parasitas – alecrim, baga de zimbro, benjoim, bergamota, bétula, *camomila (alemã e romana)*, canela, cardamomo, *cravo-da-índia*, *eucalipto*, funcho, gengibre, gerânio, hissopo, hortelã-pimenta, lavanda, limão-siciliano, melissa, nardo, niaouli, *orégano*, palmarosa, patchouli, pau-rosa, pinho, sálvia, tea tree, tomilho, vetiver.

Pé-de-atleta – palmarosa, *tea tree*.

Piolhos – *alecrim*, ilangue-ilangue, patchouli, *tea tree*.

Pneumonia – benjoim, *eucalipto*, niaouli, *olíbano*, manjerona, *ravensara*.

Pressão sanguínea (aumento) – *alecrim, bétula, eucalipto,* gerânio, hissopo, hortelã-pimenta, laranja, pinho, *sálvia, tomilho*.

Pressão sanguínea (redução) – angélica, camomila, capim-limão, cardamomo, cedro, gualtéria, ilangue-ilangue, lavanda, limão-siciliano, manjerona, melissa, néroli, pimenta-do-reino, rosa, sálvia esclareia, semente de aipo.

Problemas menstruais – camomila (alemã e romana), funcho, gengibre, *gerânio*, hissopo, jasmim, *lavanda, melissa, néroli*, palmarosa, sálvia, *sálvia esclareia*.

Problemas respiratórios – *abeto*, benjoim, *eucalipto*, gengibre, lavanda, limão-galego, *niaouli, olíbano*, orégano, pinho, ravensara, semente de anis.

Queimadura de sol – *lavanda*, niaouli.

Queimaduras – *lavanda*, niaouli.

Redução da febre – angélica, bergamota, bétula, canela, *capim-limão*, coentro, *eucalipto*, gengibre, hissopo, hortelã-pimenta, laranja, limão-galego, limão, manjericão, *manjerona*, melissa, nardo, niaouli, orégano, palmarosa, patchouli, pimenta-do-reino, ravensara, *sálvia*, sândalo, tomilho.

Repelente de insetos – capim-limão, cipreste azul, eucalipto, gerânio, palo santo, *patchouli*, vetiver.

Resfriados – *eucalipto*, *manjerona*, niaouli, olíbano, *ravensara*, tea tree.

Respiração e alívio respiratório – *eucalipto*, funcho, gualtéria, hortelã-pimenta, *manjerona*, *olíbano*, *ravensara*.

Sedativo – abeto, baga de zimbro, benjoim, bergamota, *camomila (alemã e romana)*, capim-limão, cedro, cipreste azul, *gerânio*, ilangue-ilangue, jacinto, jasmim, laranja, *lavanda*, limão-siciliano, *manjerona*, *melissa*, *mirra*, *nardo*, néroli, olíbano, patchouli, *petitgrain*, pimenta-do-reino, ravensara, *sálvia esclareia*, sândalo, semente de aipo, *tangerina*, tomilho, vetiver.

Sedução/sexo – alecrim, baga de zimbro, benjoim, canela, cardamomo, coentro, cravo-da-índia, gengibre, gerânio, hortelã-pimenta, *ilangue-ilangue*, jacinto, jasmim, néroli, palmarosa, *patchouli*, pimenta, pimenta-da-jamaica, sálvia, *sálvia esclareia*, sândalo, semente de aipo, semente de anis, tomilho, vetiver.

Tosse – *eucalipto*, funcho, gualtéria, hortelã-pimenta, *manjerona*, *olíbano*, pimenta-do-reino, *ravensara*, tomilho.

TPM – *camomila*, funcho, gengibre, gerânio, jasmim, lavanda, sálvia, *sálvia esclareia*.

Transpiração (aumentar) diaforética – abeto, *alecrim*, angélica, *bétula*, camomila, coentro, eucalipto, funcho, *gengibre*, hissopo, limão, manjerona, melissa, *niaouli*, orégano, patchouli, *pimenta-do-reino*, sândalo, semente de aipo.

Transpiração (diminuir) – capim-limão, elemi, *sálvia*, *sálvia esclareia*.

Verrugas – alecrim, cravo-da-índia, cipreste, elemi, *eucalipto*, hortelã-pimenta, laranja, lavanda, limão-galego, melissa, *orégano*, palmarosa, patchouli, pinho, ravensara, *tea tree*.

Vício – jasmim, *baga de zimbro*.

Uso Mental/Emocional

Alegria/felicidade – abeto, *bergamota*, camomila, capim-limão, *grapefruit*, jasmim, *laranja*, limão-galego, *limão-siciliano*, manjerona, néroli, patchouli, pau-rosa, petitgrain, rosa, sálvia, tangerina.

Amizade – *alecrim*, *capim-limão*, cipreste azul, gerânio, manjerona, néroli, pimenta-da-jamaica, rosa.

Ansiedade/calma – abeto, baga de zimbro, benjoim, bergamota, *camomila (alemã e romana)*, cedro, cipreste azul, *gerânio*, ilangue-ilangue, jacinto, jasmim, laranja, *lavanda*, limão-siciliano, capim-limão, manjerona, *melissa*, *mirra*, *nardo*, néroli, olíbano, patchouli, pimenta-do-reino, *petitgrain*, ravensara, *sálvia esclareia*, sândalo, semente de aipo, *tangerina*, tomilho, vetiver.

Atitude positiva – *abeto*, alecrim, baga de zimbro, benjoim, *bergamota*, cardamomo, cedro, cravo-da-índia, elemi, *grapefruit*, jacinto, jasmim, laranja, lavanda, *limão-siciliano*, manjerona, néroli, palmarosa, *petitgrain*, *pimenta-da-jamaica*, sálvia, sândalo, semente de anis, tangerina.

Carreira/sucesso empresarial – alecrim, *canela*, cravo-da-índia, *manjericão*, pimenta-do-reino, tangerina.

Choque/trauma – jacinto, lavanda, *manjerona*, mirra, tea tree.

Confiança – baga de zimbro, *bergamota*, camomila (alemã e romana), canela, capim-limão, cravo-da-índia, gengibre, grapefruit, jasmim, *laranja*, limão-galego, *limão-siciliano*, manjericão, manjerona, melissa, néroli, *palmarosa*, patchouli, *pau-rosa*, *petitgrain*, pimenta-do-reino, sândalo, semente de anis.

Confusão – *alecrim*, benjoim, *bergamota*, bétula, cardamomo, cipreste azul, grapefruit, *limão-galego*, *limão-siciliano*, *manjericão*, mirra, *olíbano*, *palo santo*, sálvia.

Coragem – angélica, *bergamota*, canela, *cravo-da-índia*, funcho, gengibre, grapefruit, jacinto, jasmim, laranja, *limão-siciliano*, manjericão, manjerona, néroli, pau-rosa, *petitgrain*, pimenta-do-reino, rosa, sálvia esclareia, semente de aipo, semente de anis, tomilho.

Dinheiro/abundância – *abeto*, alecrim, canela, cravo-da-índia, *ilangue-ilangue*, *laranja*, *manjericão*, *patchouli*, pau-rosa, petitgrain, pimenta-da-jamaica, pimenta-do-reino, tangerina.

Emoções histéricas/desenfreadas – lavanda, *manjerona*, mirra, *nardo*, olíbano, *sálvia esclareia*.

Estresse – abeto, baga de zimbro, benjoim, bergamota, camomila, *capim-limão*, cedro, cravo-da-índia, funcho, gerânio, grapefruit, ilangue-ilangue, jacinto, jasmim, *laranja*, *lavanda*, *manjerona*, melissa, nardo, néroli, palmarosa, palo santo, patchouli, pau-rosa, petitgrain, pimenta-da-jamaica, *sálvia esclareia*, sândalo, semente de anis, tangerina, vetiver.

Estudo/memória – *manjericão*, limão-siciliano, limão-galego, *alecrim*

Foco/pés no chão – *alecrim*, baga de zimbro, benjoim, bergamota, *cedro*, coentro, gerânio, grapefruit, hortelã-pimenta, laranja, limão-galego, limão, manjericão, mirra, niaouli, *olíbano*, palo santo, *patchouli*, pimenta-da-jamaica, pimenta-do-reino, pinho, ravensara, semente de anis, tomilho, vetiver.

Lei da atração – baga de zimbro, *canela, cravo-da-índia,* ilangue-ilangue, jasmim, laranja, *petitgrain,* ravensara, rosa, tangerina.

Lucidez/clareza – abeto, *alecrim*, benjoim, *bergamota*, bétula, capim-limão, cardamomo, coentro, cravo-da-índia, gengibre, *grapefruit*, hortelã-pimenta, lavanda, *limão-galego*, *limão-siciliano*, manjericão, niaouli, *olíbano*, palo santo, pau-rosa, pimenta-da-jamaica, pimenta-do-reino, semente de anis, tangerina.

Medo – alecrim, bergamota, elemi, grapefruit, jasmim, laranja, limão-galego, *manjerona*, néroli, *palo santo*, sálvia, *sálvia esclareia*, tangerina.

Melancolia/luto – *cipreste azul*, hissopo, *jacinto*, jasmim, mirra, néroli, palo santo, patchouli, rosa.

Memória/lembrança – *alecrim*, cravo-da-índia, coentro, gengibre, grapefruit, *manjericão*, *melissa*, néroli, pimenta-do-reino, tomilho.

Nervosismo/esgotamento nervoso – abeto, alecrim, angélica, baga de zimbro, *camomila*, capim-limão, coentro, elemi, hissopo, hortelã-pimenta, laranja, lavanda, manjericão, *manjerona*, *melissa*, palmarosa, patchouli, *nardo*, *olíbano*, petitgrain, sálvia, *sálvia esclareia*, sândalo, semente-de-aipo, tomilho, vetiver.

Pesadelos – semente de anis, *tangerina*.

Preocupação – *lavanda*, mirra, patchouli, rosa.

Proteção/ "Mantenha-me Seguro" – *alecrim*, *benjoim*, camomila, *cedro*, *cravo-da-índia*, eucalipto, *gerânio*, hissopo, *manjericão*, *manjerona*, mirra, palmarosa, *palo santo*, pimenta-da-jamaica, *pinho*, *sálvia*, semente de anis, tomilho.

Romance – alecrim, gengibre, *ilangue-ilangue*, jasmim, laranja, *manjerona*, palmarosa, patchouli, *pau-rosa*, *petitgrain*, rosa, sândalo.

Segurança – alecrim, *benjoim*, *cedro*, cravo-da-índia, eucalipto, gerânio, hissopo, manjericão, *manjerona*, mirra, pimenta-da-jamaica, sálvia, semente de anis.

Tristeza/mágoa (alívio dos sintomas) – *bergamota*, cravo-da-índia, *gerânio*, ilangue-ilangue, jasmim, lavanda, limão-galego, *limão--siciliano*, melissa, olíbano, *palmarosa*, *pau-rosa*, *petitgrain*, rosa, *sálvia*, semente de aipo, tomilho.

Usos Espirituais

Atlântida – *bergamota*, gengibre, *grapefruit*, jasmim, *laranja*, lavanda, manjerona, nardo, néroli, *petitgrain*, *pimenta-do-reino*, rosa, *tangerina*, tomilho.

Comunicação e conexão com os anjos – camomila, *grapefruit*, jasmim, lavanda, nardo, melissa, rosa, sálvia, *tangerina*.

Intuição/vidência – angélica, bergamota, *camomila*, cardamomo, lavanda, melissa, nardo, *olíbano*, palo santo, pimenta-do-reino, ravensara, sândalo, semente de anis.

Lembrança de vidas passadas – *abeto*, cardamomo, cedro, coentro, gengibre, zimbro, *hortelã-pimenta*, *manjericão*, pau-rosa, pinho, sálvia, tomilho.

Meditação – alecrim, angélica, *benjoim*, bergamota, camomila, *capim--limão*, *cedro*, hortelã-pimenta, coentro, elemi, *eucalipto*, gengibre, *grapefruit*, ilangue-ilangue, lavanda, jacinto, *olíbano*, palmarosa, palo santo, pimenta-da-jamaica, petitgrain, rosa, *sálvia*, sálvia esclareia, *sândalo*, semente de aipo, *vetiver*.

Mediunidade – *alecrim*, lavanda, *mirra*, néroli.

Mestres Ascensionados – *angélica, benjoim*, bergamota, gengibre, *grapefruit*, jacinto, néroli.

Milagres – jasmim, *pau-rosa, rosa*, sândalo.

Objetivo de vida – abeto, benjoim, hortelã-pimenta, manjericão, nardo, niaouli, palmarosa, *pimenta-do-reino*, pinho, tomilho.

Prece – *abeto*, benjoim, cedro, capim-limão, patchouli, sálvia esclareia, *sândalo*, semente de aipo, vetiver.

Proteção – alecrim, benjoim, *cedro, cravo-da-índia*, eucalipto, gerânio, hissopo, *manjerona*, mirra, palmarosa, palo santo, *pimenta-da-jamaica*, pinho, sálvia, semente de anis.

Sintonia com o Divino – *angélica*, canela, *grapefruit*, jasmim, *limão-siciliano*, nardo, patchouli, rosa, *sândalo*, *tangerina*, tomilho, ilangue-ilangue.

Sonhos (lúcidos, proféticos; sono) – angélica, *camomila*, cipreste azul, gengibre, *lavanda*, melissa, mirra, ravensara, *tangerina*.

Sonhos (objetivos) – bétula, *canela, cravo-da-índia*, niaouli.

Visualização – camomila, sálvia esclareia, eucalipto, *vetiver*.

Xamanismo – *abeto, baga de zimbro*, bétula, camomila, *cedro, cipreste azul, palo santo*, patchouli, ravensara, *sálvia*, vetiver.

Animais Totêmicos

Esta seção oferece sugestões de óleos essenciais listados por animal totêmico. É uma maneira rápida e fácil de consultar uma lista dos óleos essenciais que podem funcionar para pedir a ajuda e a vibração energética de animais, assim como sua assistência como aliados.

Abelha – capim-limão, melissa

Água-viva – *palmarosa*

Águia – camomila, elemi, *immortelle*, pimenta-da-jamaica

Alce – abeto

Antílope – pimenta-do-reino

Aranha – bergamota, funcho, hissopo, *palmarosa*

Arara (azul e amarela) – limão-siciliano

Baleia branca – hortelã-pimenta, manjericão, tomilho

Beija-flor – bergamota, capim-limão, gengibre, limão-galego, limão-siciliano, sálvia esclareia, tangerina

Besouro – cedro

Bicho-preguiça – semente de aipo, semente de anis, funcho, *grapefruit*, hortelã-pimenta, limão-siciliano, melissa

Bode – gualtéria

Borboleta – hortelã-pimenta, melissa, semente de anis

Búfalo branco – abeto, cedro, manjericão, néroli, sândalo

Camelo – mirra

Cão – hissopo, manjerona, mirra, palo santo

Cão (filhote) – alecrim, laranja, lavanda

Caranguejo – semente de aipo

Castor – bétula

Cavalo – sálvia esclareia, manjerona

Cisne – rosa

Coala – eucalipto, jacinto

Cobra – benjoim, elemi, gerânio, sálvia, semente de aipo

Coelho – gualtéria, jasmim

Coiote – limão-galego

Coruja – alecrim, benjoim, canela, *immortelle*, orégano, *ravensara*

Corvo – palo santo, *ravensara*

Dragão – hissopo, tangerina

Elefante – abeto, alecrim, canela, manjericão, olíbano, sândalo, tomilho

Falcão – alecrim, benjoim, cardamomo, cravo-da-índia, *immortelle*, melissa, *niaouli*, *palmarosa*, pau-rosa, sândalo, *tea tree*, tomilho

Fênix – baga de zimbro

Gato (doméstico) – camomila

Gato (filhote) – lavanda

Golfinho – coentro, manjericão, pimenta-do-reino, *tea tree*

Gorila – *patchouli*

Jacaré – *niaouli*

Lagarto – camomila, cipreste azul, palo santo, tangerina

Leão – laranja, pau-rosa

Libélula – cedro, *grapefruit*, nardo, pau-rosa

Mariposa – semente de anis

Marisco – orégano

Minhoca – *vetiver*

Morcego – angélica

Pavão – bétula, baga de zimbro, néroli, *patchouli*

Peixe – nardo

Peixe-anjo – *palmarosa*

Peixe-dourado – canela

Pelicano – *petitgrain*

Periquito – limão-siciliano

Peru – pimenta-da-jamaica

Pombo – gualtéria, jasmim, manjerona, rosa, ilangue-ilangue

Porco-espinho – eucalipto, funcho, pinho

Rã – coentro, *niaouli*

Raposa – alecrim, *grapefruit*, hortelã-pimenta, limão-galego, limão-siciliano, pimenta-do-reino, tangerina

Rato – sândalo

Tartaruga – cravo-da-índia, pinho, sálvia

Unicórnio – angélica, *immortelle*, rosa

Urso – cipreste azul, *ravensara*

Urubu – cardamomo

Glossário de Qualidades Terapêuticas e Óleos Associados

Abortivo. Causa aborto. Baga de zimbro, coentro, hissopo, manjericão, *palmarosa*, sálvia, semente de aipo, olíbano, *vetiver*.

Abrasões. Protege e reduz o sangramento. Ver adstringente. Abeto, alecrim, baga de zimbro, benjoim, bétula, canela, capim-limão, cedro, eucalipto, funcho, gengibre, gerânio, *grapefruit*, gualtéria, hissopo, hortelã-pimenta, laranja, limão-galego, limão-siciliano, mirra, néroli, olíbano, *palmarosa*, *patchouli*, *petitgrain*, pimenta-da-jamaica, rosa, sálvia, sálvia esclareia, sândalo, tangerina, tomilho, *vetiver*.

Acalma os nervos. Ver nervino. Alecrim, angélica, baga de zimbro, camomila, capim-limão, coentro, elemi, ilangue-ilangue, hissopo, hortelã-pimenta, laranja, lavanda, manjericão, manjerona, melissa, nardo, olíbano, *palmarosa*, *patchouli*, *petitgrain*, sálvia, sálvia esclareia, semente de aipo, tomilho, *vetiver*.

Açúcar no sangue, diminui o nível. Ver hipoglicemiante. Canela, mirra, semente de anis.

Adstringente. Contrai os tecidos do corpo para proteger a pele e reduzir o sangramento de pequenas abrasões. Abeto, alecrim, baga de zimbro, benjoim, bétula, canela, capim-limão, cedro, eucalipto, funcho, gengibre, gerânio, *grapefruit*, gualtéria, hissopo, hortelã-pimenta, *immortelle*, limão-galego, limão-siciliano, mirra, néroli, laranja, olíbano, *palmarosa*, *patchouli*, *petitgrain*, pimenta-da-jamaica, rosa, sálvia, sálvia esclareia, sândalo, tangerina, tomilho, *vetiver*.

Afrodisíaco. Estimula o desejo sexual. Alecrim, angélica, baga de zimbro, benjoim, cardamomo, canela, coentro, cravo-da-índia, gengibre, hortelã-pimenta, ilangue-ilangue, jacinto, jasmim, manjericão, néroli, *palmarosa*, *patchouli*, pau-rosa, pimenta-da-jamaica, pimenta-do-reino, sálvia esclareia, semente de aipo, tomilho, *vetiver*.

Alergias, reduz. Ver antialérgicos. Eucalipto, lavanda, *niaouli*, *ravensara*.

Alternativo. Restaura as funções saudáveis do corpo. Hortelã-pimenta, *patchouli*.

Anafrodisíaco, **Antafrodisíaco** ou **Antiafrodisíaco**. Reduz o desejo sexual. Manjerona, orégano.

Analgésico. Alivia ou reduz a dor. Alecrim, angélica, baga de zimbro, bergamota, bétula, camomila, canela, capim-limão, cipreste azul, coentro, cravo-da-índia, elemi, eucalipto, gengibre, gerânio, gualtéria, hortelã-pimenta, *immortelle*, jasmim, lavanda, manjericão, manjerona, melissa, mirra, nardo, néroli, *niaouli*, olíbano, orégano, *palmarosa*, palo santo, *patchouli*, pau-rosa, pimenta-da-jamaica, pimenta-do-reino, pinho, *ravensara*, sálvia esclareia, sândalo, semente de aipo, semente de anis, *tea tree*, tomilho, *vetiver*.

Anemia. Ver antianêmico. Camomila, limão-siciliano.

Anestésico. Induz insensibilidade à dor. Benjoim, bétula, canela, coentro, cravo-da-índia, hortelã-pimenta, gualtéria, pimenta-da-jamaica.

Ansiedade, reduz. Bergamota, camomila, funcho, jasmim, laranja, lavanda, limão-siciliano, manjerona, melissa, nardo, néroli, *palmarosa*, *patchouli*, pau-rosa, *petitgrain*, sálvia esclareia, sândalo, semente de anis, tangerina, *vetiver*.

Antialérgico. Alivia ou reduz os sintomas da alergia. Eucalipto, lavanda, *niaouli*, *ravensara*.

Antianêmico. Previne ou combate a anemia. Camomila, limão-siciliano.

Antiartrítico. Alivia a dor artrítica. Semente de aipo, cipreste azul.

Antibactericida. Mata e inibe o crescimento das bactérias. Alecrim, angélica, benjoim, camomila, canela, capim-limão, cipreste azul, coentro, cravo-da-índia, elemi, eucalipto, funcho, gengibre, gerânio, *grapefruit*, gualtéria, hissopo, hortelã-pimenta, *immortelle*, jasmim, laranja, lavanda, limão-galego, limão-siciliano, manjericão, manjerona, melissa, nardo, néroli, olíbano, orégano, *palmarosa*, *patchouli*, pau-rosa, pimenta-do-reino, pinho, *ravensara*, sálvia, sândalo, *tea tree*, tomilho, *vetiver*.

Antibiótico. Previne ou elimina o crescimento bacteriano. Bergamota, camomila, canela, cravo-da-índia, eucalipto, gerânio, hortelã-pimenta, lavanda, limão-siciliano, manjericão, melissa, nardo, olíbano, orégano, *patchouli*, *ravensara*, *tea tree*, tomilho.

Anticoagulante. Retarda ou inibe a coagulação do sangue. Bétula, canela, cravo-da-índia, funcho, gengibre, gerânio, gualtéria, *immortelle*, laranja.

Anticolinérgico. Inibe a acetilcolina, um neuro-hormônio do sistema nervoso parassimpático responsável pelas atividades cotidianas. Pimenta-do-reino.

Anticonvulsivo. Alivia ou previne convulsões ou crises epilépticas. Camomila, canela, hortelã-pimenta, lavanda, melissa, nardo, pau-rosa, pimenta-do-reino, sálvia esclareia, semente de aipo.

Antidepressivo. Diminui, alivia e previne a depressão. Alecrim, benjoim, bergamota, camomila, canela, capim-limão, cravo-da-índia, gerânio, *grapefruit*, *immortelle*, hortelã-pimenta, ilangue-ilangue, jacinto, jasmim, laranja, lavanda, limão-galego, limão-siciliano, manjericão, melissa, néroli, olíbano, *patchouli*, pau-rosa, *petitgrain*, pimenta-da-jamaica, sálvia, sálvia esclareia, sândalo, tangerina, tomilho.

Antidiabético. Diminui os níveis de glicose. Canela, eucalipto, gerânio, mirra, sálvia.

Antidiarreico. Interrompe ou alivia a diarreia. Canela, hortelã-pimenta.

Antídoto. Neutraliza o veneno. Canela, eucalipto, funcho, gengibre, pimenta-do-reino.

Antiemético. Reduz e interrompe náuseas e vômitos. Camomila, canela, cravo-da-índia, funcho, gengibre, laranja, orégano, *patchouli*, pimenta-do-reino, semente de anis, tangerina.

Antiesclerótico. Previne o endurecimento dos tecidos. Limão-galego, limão-siciliano.

Antiescorbútico. Previne ou cura o escorbuto, deficiência de vitamina C. Baga de zimbro, gengibre, laranja, limão-galego, limão-siciliano, pinho, semente de aipo.

Antiespasmódico. Alivia e previne espasmos, cãibras e convulsões. Abeto, angélica, baga de zimbro, benjoim, bergamota, camomila, canela, cardamomo, cedro, coentro, cravo-da-índia, eucalipto, funcho, gengibre, gerânio, gualtéria, hissopo, *immortelle*, jasmim, laranja, lavanda, limão-galego, limão-siciliano, manjericão, manjerona, melissa, mirra, nardo, néroli, *niaouli*, olíbano, orégano, *palmarosa*, *petitgrain*, pimenta-do-reino, pinho, *ravensara*, sálvia, sálvia esclareia, sândalo, semente de aipo, semente de anis, tangerina, tomilho, *vetiver*.

Antiestresse. Reduz o estresse. Benjoim, bergamota, cravo-da-índia, gerânio, *grapefruit*, jasmim, laranja, lavanda, limão-siciliano, manjericão, manjerona, melissa, néroli, *palmarosa*, *patchouli*, *petitgrain*, sálvia esclareia, sândalo, tangerina, *vetiver*.

Antiflogístico. Neutraliza a inflamação. Funcho, hortelã-pimenta, *patchouli*, pinho, sândalo, semente de aipo.

Antifúngico. Destrói fungos; fungicida. Alecrim, angélica, baga de zimbro, camomila, canela, capim-limão, cravo-da-índia, elemi, eucalipto, funcho, gerânio, *immortelle*, jasmim, laranja, lavanda, limão-siciliano, manjerona, mirra, nardo, néroli, orégano, *palmarosa*, *patchouli*, pau-rosa, pinho, sálvia, sândalo, *tea tree*, tomilho.

Antigalactagogo. Reduz a secreção de leite; suprime a lactação. Hortelã-pimenta, sálvia.

Anti-helmíntico. Destrói e expele vermes. Baga de zimbro, hortelã-pimenta, lavanda, limão-siciliano, melissa, nardo, *niaouli*, orégano, *palmarosa*, pinho, sálvia, tomilho, *vetiver*.

Anti-infeccioso. Previne ou reduz a infecção. *Ravensara*, sândalo, *tea tree*.

Anti-inflamatório. Diminui e abranda a inflamação. Abeto, angélica, baga de zimbro, benjoim, bétula, camomila, cardamomo, canela, cipreste azul, coentro, cravo-da-índia, eucalipto, gengibre, gerânio, gualtéria, hissopo, *immortelle*, jasmim, laranja, lavanda, melissa, mirra, olíbano, nardo, orégano, palo santo, *patchouli*, sálvia, sálvia esclareia, sândalo, *tea tree*, tomilho, *vetiver*.

Antilítico. Previne a formação de pedras nos rins ou promove sua dissolução. Baga de zimbro, limão-galego, limão-siciliano, semente de aipo.

Antimicrobiano. Destrói ou inibe o crescimento de micro-organismos causadores de doenças. Capim-limão, cardamomo, palo santo, *tea tree*, tomilho.

Antimutagênico. Reduz a frequência de mutação ou interfere nos efeitos mutagênicos de outras substâncias. Benjoim, coentro.

Antinevrálgico. Alivia ou elimina a nevralgia. Alecrim, camomila, cravo-da-índia, eucalipto, gerânio, hortelã-pimenta, limão-siciliano, pinho.

Antioxidante. Inibe a oxidação e neutraliza a deterioração dos organismos vivos. Alecrim, benjoim, canela, cravo-da-índia, coentro, gengibre, limão-galego, limão-siciliano, manjerona, melissa, nardo, olíbano, pimenta-da-jamaica, sálvia, semente de aipo, tomilho.

Antiparasitário. Usado para o tratamento de doenças parasitárias como nematoides e protozoários infecciosos. Abeto, alecrim, baga de zimbro, benjoim, bergamota, bétula, camomila, canela, cardamomo, cravo-da-índia, eucalipto, funcho, gengibre, gerânio, hissopo, hortelã-pimenta, lavanda, limão-siciliano, manjericão, melissa, nardo, *niaouli*, orégano, *palmarosa*, *patchouli*, pau-rosa, pinho, sálvia, *tea tree*, tomilho, *vetiver*.

Antipiorreico. Reduz a infecção e inflamação das gengivas ou periodontite. Laranja, mirra.

Antipirético. Reduz a febre. Ver antifebril.

Antipruriginoso, antiprurítico. Alivia e inibe a coceira. Benjoim, camomila, cedro, eucalipto, ilangue-ilangue, jasmim, hortelã-pimenta, limão, sândalo, *tea tree*, tomilho.

Antipútrido. Detém e diminui a decadência ou a putrefação do corpo ou outra matéria orgânica. Canela, eucalipto, melissa, mirra, tomilho.

Antirreumático. Reduz e diminui a progressão da artrite reumatoide. Alecrim, angélica, baga de zimbro, bétula, camomila, canela, cravo-da-índia, coentro, eucalipto, gualtéria, hissopo, lavanda, limão-galego, limão-siciliano, *niaouli*, orégano, pinho, sálvia, semente de aipo, tomilho.

Antisseborreico. Reduz ou previne o excesso de produção de oleosidade. Cedro.

Antisséptico. Previne e detém o crescimento de micro-organismos causadores de doenças. Abeto, alecrim, angélica, baga de zimbro, capim-limão, benjoim, bergamota, bétula, cardamomo, camomila, canela, cedro, cravo-da-índia, elemi, eucalipto, funcho, gengibre, gerânio, *grapefruit*, gualtéria, *immortelle*, hissopo, hortelã-pimenta, ilangue-ilangue, jacinto, jasmim, lavanda, limão-galego, limão-siciliano, manjericão, manjerona, melissa, mirra, néroli, *niaouli*, laranja, nardo, olíbano, orégano, *patchouli*, pau-rosa, *petitgrain*, pimenta-da-jamaica, pimenta-do-reino, pinho, *ravensara*, sálvia, sálvia esclareia, sândalo, semente de anis, tangerina, *tea tree*, tomilho, *vetiver*.

Antissudorífico. Previne ou detém a transpiração. Sálvia, sálvia esclareia.

Antitóxico. Neutraliza e combate venenos. Alecrim, baga de zimbro, bergamota, bétula, camomila, funcho, gengibre, *grapefruit*, hortelã-pimenta, laranja, lavanda, limão-galego, limão-siciliano, orégano, *patchouli*, pimenta-do-reino, *ravensara*, tomilho.

Antitranspirante. Previne ou reduz a transpiração. Capim-limão.

Antitumor. Previne a formação ou o crescimento de tumores. Coentro.

Antitussígeno. Previne e elimina a tosse. Abeto, alecrim, angélica, baga de zimbro, benjoim, bergamota, canela, cardamomo, cedro, cravo-da-índia, elemi, eucalipto, funcho, gengibre, gualtéria hissopo, hortelã-pimenta, *immortelle*, jasmim, laranja, lavanda, limão-siciliano, manjericão, manjerona, mirra, *niaouli*, olíbano, orégano, pimenta-do-reino, pinho, *ravensara*, sálvia, sândalo, semente de anis, tangerina, *tea tree*, tomilho.

Antiveneno. Antídoto para venenos e picadas de insetos e cobras. Eucalipto, lavanda, manjericão, tomilho.

Antiviral. Remove, elimina e protege contra vírus. Alecrim, angélica, benjoim, canela, capim-limão, cipreste azul, cravo-da-índia, elemi, eucalipto, *grapefruit*, hissopo, hortelã-pimenta, *immortelle*, jasmim, laranja, lavanda, limão-galego, limão-siciliano, manjerona, melissa, néroli, orégano, *palmarosa*, *patchouli*, pau-rosa, *petitgrain*, pinho, *ravensara*, sálvia, sálvia esclareia, sândalo, *tea tree*, tomilho.

Aperiente. Estimula o apetite. Angélica, bergamota, camomila, coentro, cravo-da-índia, funcho, gengibre, *grapefruit*, hortelã-pimenta, laranja, lavanda, limão, manjericão, melissa, mirra, nardo, orégano, *palmarosa*, pimenta-do-reino, sálvia, semente de aipo, semente de anis, tangerina, tomilho.

Apetite, aumenta. Ver aperiente e estomáquico. Alecrim, angélica, baga de zimbro, bergamota, camomila, cardamomo, cravo-da-índia, coentro, elemi, funcho, gengibre, hissopo, hortelã-pimenta, laranja, lavanda, limão-siciliano, manjericão, manjerona, melissa, mirra, orégano, *patchouli*, pimenta-da-jamaica, pimenta-do-reino, *petitgrain*, sálvia, sálvia esclareia, sândalo, semente de aipo, semente de anis, tangerina, tomilho, *vetiver*.

Aquecimento. Abeto, alecrim, coentro, manjerona, olíbano, orégano, sálvia, sálvia esclareia, tomilho.

Artrite reumatoide, reduz. Ver antirreumático. Alecrim, angélica, baga de zimbro, bétula, camomila, canela, coentro, cravo-da-índia, eucalipto, gualtéria, hissopo, lavanda, limão-galego, limão-siciliano, *niaouli*, orégano, pinho, sálvia, semente de aipo, tomilho.

Bactéria, destrói ou inibe. Ver antibactericida e antibiótico. Angélica, canela, cipreste azul, coentro, cravo-da-índia, elemi, eucalipto, funcho, gengibre, gerânio, *grapefruit*, hissopo, hortelã-pimenta, jasmim, limão-siciliano, manjericão, melissa, nardo, olíbano, orégano, *patchouli*, *ravensara*, *tea tree*, tomilho.

Balsâmico. Suaviza e reduz o muco. Canela, cedro, coentro, elemi, hissopo, nardo, olíbano, orégano, sálvia esclareia, tomilho.

Bile, produz e elimina. Ver colagogo. Alecrim, baga de zimbro, camomila, *grapefruit*, hortelã-pimenta, laranja, lavanda, orégano, pinho, *ravensara*, rosa, sálvia, semente de aipo, tangerina.

Bile, secreção. Ver colerético. Alecrim, laranja, melissa, orégano, pinho, *ravensara*.

Calmante. Provoca efeito sedativo. Bergamota, camomila, coentro, funcho, ilangue-ilangue, jasmim, laranja, lavanda, limão-siciliano, manjerona, melissa, nardo, néroli, *palmarosa*, *patchouli*, pau-rosa, *petitgrain*, sândalo, sálvia esclareia, semente de anis, tangerina, *vetiver*.

Cardíaco. Afeta o coração. Canela, hissopo, pimenta-do-reino, semente de anis, tomilho.

Cardiotônico. Estimula e tonifica o coração. Coentro, nardo, *vetiver*.

Carminativo. Alivia e expulsa o excesso de gases. Alecrim, angélica, baga de zimbro, benjoim, bergamota, camomila, canela, capim-limão, cardamomo, coentro, cravo-da-índia, funcho, gengibre, gualtéria, hissopo, hortelã-pimenta, ilangue-ilangue, jasmim, laranja, lavanda, limão-siciliano, manjericão, manjerona, melissa, mirra, nardo, néroli, olíbano, orégano, *palmarosa, patchouli*, pimenta-da-jamaica, pimenta-do-reino, *ravensara*, sálvia, sálvia esclareia, sândalo, semente de aipo, semente de anis, tangerina, *tea tree*, tomilho, *vetiver*.

Cáustico. Corrói tecidos orgânicos pela ação química. Cravo-da-índia.

Cefálico. De, na ou relativo à cabeça. Angélica, benjoim, cardamomo, eucalipto, gengibre, *grapefruit*, hissopo, hortelã-pimenta, *immortelle*, lavanda, limão-siciliano, manjericão, manjerona, melissa, olíbano, pau-rosa, sândalo.

Cicatriz, promove a formação. Ver cicatrizante. Alecrim, angélica, baga de zimbro, benjoim, bergamota, camomila, cravo-da-índia, elemi, eucalipto, gerânio, hissopo, *immortelle*, jasmim, lavanda, limão-siciliano, mirra, néroli, *niaouli*, olíbano, *palmarosa, patchouli*, sálvia, sândalo, *tea tree*, tomilho.

Cicatrizante. Ajuda a formação de tecido cicatricial. Alecrim, angélica, baga de zimbro, benjoim, bergamota, camomila, cravo-da-índia, elemi, eucalipto, gerânio, hissopo, *immortelle*, jasmim, lavanda, limão-siciliano, mirra, néroli, *niaouli*, olíbano, *palmarosa, patchouli*, sálvia, sândalo, *tea tree*, tomilho.

Citofilático. Previne a desintegração de uma célula por ruptura e protege a parede ou membrana celular. Alecrim, gerânio, *immortelle*, lavanda, melissa, néroli, olíbano, orégano, *palmarosa, patchouli*, tangerina, tomilho.

Coagulante. Muda o sangue para um estado sólido ou semissólido. Limão-siciliano.

Colagogo. Promove a produção e a liberação de bile. Alecrim, baga de zimbro, camomila, *grapefruit*, hortelã-pimenta, *immortelle*, laranja, lavanda, orégano, pinho, *ravensara*, rosa, sálvia, semente de aipo, tangerina.

Colerético. Estimula o fígado a promover a secreção da bile. Alecrim, laranja, melissa, orégano, pinho, *ravensara*.

Coceira, alivia. Ver antipruriginoso. Benjoim, camomila, cedro, eucalipto, hortelã-pimenta, ilangue-ilangue, jasmim, limão, sândalo, *tea tree*, tomilho.

Congestão, reduz. Ver descongestionante. Alecrim, eucalipto, funcho, gualtéria, jasmim, lavanda, limão, hortelã-pimenta, manjerona, *niaouli*, *patchouli*, pinho, sândalo, tangerina, *tea tree*.

Conservante. Neutraliza a deterioração, a decomposição ou a fermentação. Benjoim, canela, eucalipto, melissa, mirra e tomilho.

Constipação, alivia. Ver laxante e purgativo. Alecrim, benjoim, bergamota, bétula, camomila, funcho, gengibre, hissopo, laranja, limão-siciliano, manjericão, manjerona, nardo, olíbano, orégano, *patchouli*, pimenta-do-reino, pinho, sálvia.

Contrairritante. Provoca inflamação em um local para diminuí-la em outro. Tomilho.

Convulsões, alivia. Ver anticonvulsivo. Camomila, canela, hortelã-pimenta, lavanda, melissa, nardo, pau-rosa, pimenta-do-reino, sálvia esclareia, semente de aipo.

Cordial. Restaura, estimula e revigora. Benjoim, bergamota, hortelã-pimenta, lavanda, manjerona, néroli, *tea tree*.

Cura. Processo de se tornar saudável novamente. Cedro, gerânio, lavanda, sálvia e, basicamente, todos os óleos essenciais.

Decomposição, reduz e torna mais lenta. Ver antipútrido. Canela, eucalipto, melissa, mirra, tomilho.

Depressão, alivia. Ver antidepressivo. Alecrim, benjoim, bergamota, camomila, canela, capim-limão, cravo-da-índia, gerânio, *grapefruit*, hortelã-pimenta, ilangue-ilangue, jacinto, *immortelle*, jasmim, laranja, lavanda, limão-galego, limão-siciliano, manjericão, melissa, néroli, olíbano, pau-rosa, *patchouli*, *petitgrain*, pimenta-da-jamaica, sálvia, sálvia esclareia, sândalo, tangerina, tomilho.

Depurativo. Purifica o sangue e os órgãos internos. Angélica, baga de zimbro, bétula, coentro, eucalipto, funcho, gerânio, *grapefruit*, hissopo, hortelã-pimenta, laranja, limão-galego, limão-siciliano, mirra, nardo, pinho, sálvia, semente de aipo, tangerina.

Dermatológico. Cura e proteção da pele. Cravo-da-índia (anti-inflamatório).

Descongestionante. Alivia a congestão no trato respiratório superior. Alecrim, eucalipto, funcho, gualtéria, hortelã-pimenta, jasmim, lavanda, limão-siciliano, manjerona, *niaouli*, *patchouli*, pinho, sândalo, tangerina, *tea tree*.

Desejo sexual, aumenta. Ver afrodisíaco. Alecrim, baga de zimbro, gengibre, hortelã-pimenta, ilangue-ilangue, jacinto, jasmim, néroli, *palmarosa*, *patchouli*, pau-rosa, pimenta-do-reino, tomilho, *vetiver*.

Desejo sexual, reduz. Ver anafrodisíaco. Manjerona, orégano.

Desinfetante. Destrói bactérias. Alecrim, benjoim, bétula, eucalipto, limão-galego, limão-siciliano, *niaouli*, orégano, sálvia, *tea tree*.

Desintoxicante. Remove ou reduz toxinas do corpo. Alecrim, baga de zimbro, coentro, funcho, *grapefruit*, hortelã-pimenta, *immortelle*, lavanda, limão-siciliano, manjerona, pimenta-do-reino, *vetiver*.

Desodorizante. Elimina ou disfarça cheiros desagradáveis. Benjoim, bergamota, capim-limão, coentro, eucalipto, gerânio, lavanda, mirra, nardo, néroli, *patchouli*, pau-rosa, *petitgrain*, pinho, sálvia esclareia, sândalo.

Detergente. Limpa. Bétula.

Diabetes, níveis baixos de glicose. Ver antidiabético. Canela, eucalipto, gerânio, mirra, sálvia.

Diaforético. Aumenta e induz a transpiração. Abeto, alecrim, angélica, camomila, coentro, eucalipto, funcho, gengibre, hissopo, limão-siciliano, manjericão, manjerona, melissa, *niaouli*, orégano, *patchouli*, pimenta-do-reino, sândalo, semente de aipo, *tea tree*, tomilho, *vetiver*.

Digestão, promove. Ver digestivo. Alecrim, angélica, baga de zimbro, bergamota, camomila, canela, cardamomo, coentro, funcho, gengibre, *grapefruit*, hissopo, hortelã-pimenta, laranja, limão-galego, limão-siciliano, manjericão, manjerona, melissa, nardo, néroli, olíbano, *palmarosa*, *patchouli*, *petitgrain*, pimenta-da-jamaica, pimenta-do-reino, rosa, sálvia, sálvia esclareia, semente de aipo, semente de anis, tangerina, tomilho.

Digestivo. Estimula a secreção dos sucos gástricos; promove e facilita a digestão. Alecrim, angélica, baga de zimbro, bergamota, camomila, canela, cardamomo, coentro, funcho, gengibre, *grapefruit*, hissopo, hortelã-pimenta, laranja, limão-galego, limão-siciliano, manjericão, manjerona, melissa, nardo, néroli, olíbano, *palmarosa*, *patchouli*, *petitgrain*, pimenta-da-jamaica, pimenta-do-reino, rosa, sálvia, sálvia esclareia, semente de aipo, semente de anis, tangerina, tomilho.

Diurético. Aumenta a excreção de urina. Abeto, alecrim, angélica, baga de zimbro, benjoim, bétula, camomila, capim-limão, cardamomo, cedro, coentro, eucalipto, funcho, gengibre, gerânio, *grapefruit*, gualtéria, hissopo, *immortelle*, laranja, lavanda, limão-galego, manjerona, mirra, nardo, olíbano, orégano, palo santo, *patchouli*, pimenta-do-reino, pinho, *ravensara*, rosa, sálvia, sândalo, semente de aipo, semente de anis, tangerina, tomilho, *vetiver*.

Dor, reduz. Ver analgésico. Alecrim, angélica, baga de zimbro, bergamota, bétula, camomila, canela, capim-limão, cipreste azul, coentro, cravo-da-índia, elemi, eucalipto, gengibre, gerânio, gualtéria, hortelã-pimenta, *immortelle*, jasmim, lavanda, manjericão, manjerona, melissa, mirra, nardo, néroli, *niaouli*, olíbano, orégano, *palmarosa*, palo santo, *patchouli*, pau-rosa, pimenta-da-jamaica, pimenta-do-reino, pinho, *ravensara*, sálvia esclareia, sândalo, semente de aipo, semente de anis, *tea tree*, tomilho, *vetiver*.

Emenagogo. Estimula ou aumenta o fluxo menstrual, favorecendo a expulsão de conteúdos uterinos. Alecrim, angélica, baga de zimbro, camomila, canela, cedro, coentro, cravo-da-índia, funcho, gengibre, gualtéria, ilangue-ilangue, hissopo, hortelã-pimenta, jasmim, lavanda, manjericão, manjerona, melissa, mirra, nardo, olíbano, orégano, *palmarosa*, sálvia, sálvia esclareia, semente de aipo, semente de anis, tomilho, *vetiver*.

Emético. Induz o vômito. *Vetiver*.

Emoliente. Suaviza e amacia a pele. Camomila, canela, cedro, hissopo, ilangue-ilangue, jasmim, limão-siciliano, néroli, olíbano, *palmarosa*, pau-rosa, sálvia esclareia, sândalo, tangerina.

Equilíbrio. Estabiliza, harmoniza e promove a saúde. Gengibre, *grapefruit*.

Espasmos, alivia. Ver antiespasmódico. Abeto, angélica, baga de zimbro, benjoim, bergamota, camomila, canela, cardamomo, cedro, coentro, eucalipto, funcho, gengibre, gerânio, gualtéria, hissopo, *immortelle*, jasmim, laranja, lavanda, limão-galego, limão-siciliano, manjericão, manjerona, melissa, mirra, nardo, néroli, *niaouli*, olíbano, sálvia esclareia, sândalo, semente de aipo, semente de anis, tangerina, tomilho, *vetiver*.

Estimulante. Restaurador para aumentar os níveis de atividade do corpo. Alecrim, angélica, baga de zimbro, benjoim, bétula, canela, cardamomo, coentro, elemi, eucalipto, funcho, gengibre, gerânio, *grapefruit*, gualtéria, hissopo, hortelã-pimenta, ilangue-ilangue, jasmim, laranja, lavanda, limão-galego, limão-siciliano, manjericão, mirra, *niaouli*, olíbano, orégano, *palmarosa*, *patchouli*, *petitgrain*, pimenta-da-jamaica, pimenta-do-reino, pinho, *ravensara*, sálvia esclareia, sândalo, semente de aipo, semente de anis, tangerina, *tea tree*, tomilho, *vetiver*.

Estomáquico. Auxilia na digestão; aumenta o apetite; tonifica o estômago. Alecrim, angélica, baga de zimbro, bergamota, camomila, canela, cardamomo, coentro, cravo-da-índia, elemi, funcho, gengibre, hissopo, laranja, lavanda, limão-siciliano, manjericão, manjerona, melissa, mirra, orégano, *patchouli*, *petitgrain*, pimenta-da-jamaica, pimenta-do-reino, sálvia, sálvia esclareia, sândalo, semente de aipo, semente de anis, tangerina, tomilho, *vetiver*.

Estrogênico. Possui propriedades semelhantes ao estrogênio; produção de estro. Angélica, , canela, funcho, sálvia, sálvia esclareia.

Euforizante. Gera sensação de euforia. Abeto, benjoim, ilangue-ilangue, jasmim, néroli, pau-rosa, sálvia, sálvia esclareia, sândalo.

Expectorante. Ver antitussígeno. Abeto, alecrim, angélica, baga de zimbro, benjoim, bergamota, canela, cardamomo, cedro, cravo-da-índia, elemi, eucalipto, funcho, gengibre, gualtéria, hissopo, hortelã-pimenta, *immortelle*, jasmim, laranja, lavanda, limão-siciliano, manjericão, manjerona, mirra, *niaouli*, olíbano, orégano, pimenta-do-reino, pinho, *ravensara*, sálvia, sândalo, semente de anis, tangerina, *tea tree*, tomilho.

Febre, reduz. Ver fabrífugo. Angélica, bergamota, bétula, canela, capim-limão, coentro, eucalipto, gengibre, hissopo, hortelã-pimenta, laranja, limão-galego, limão-siciliano, manjericão, manjerona, melissa, nardo, *niaouli*, orégano, *palmarosa*, *patchouli*, pimenta-do-reino, *ravensara*, sálvia, sândalo, tomilho.

Febrífugo. Reduz a febre. Angélica, bergamota, bétula, canela, capim-limão, coentro, eucalipto, gengibre, hissopo, hortelã-pimenta, laranja, limão-galego, limão-siciliano, manjericão, manjerona, melissa, nardo, *niaouli*, orégano, *palmarosa*, *patchouli*, pimenta-do-reino, *ravensara*, sálvia, sândalo, tomilho.

Feridas, cura. Ver vulnerário. Abeto, alecrim, baga de zimbro, benjoim, bergamota, camomila, elemi, eucalipto, gerânio, gualtéria, hissopo, laranja, lavanda, manjerona, melissa, mirra, *niaouli*, olíbano, orégano, pinho, sálvia, semente de aipo, *tea tree*.

Fígado, drenagem. Ver hepático. Alecrim, angélica, camomila, canela, coentro, funcho, hortelã-pimenta, *immortelle*, laranja, limão-galego, limão-siciliano, nardo, orégano, rosa, sálvia, semente de aipo.

Fixador. Estabiliza a volatidade e preserva a mistura sinérgica. Benjoim, cipreste azul, elemi, ilangue-ilangue, mirra, nardo, olíbano, *patchouli*, *petitgrain*, sálvia esclareia, sândalo, *vetiver*.

Fluxo menstrual, aumenta. Ver emenagogo. Alecrim, angélica, baga de junípero, camomila, canela, cedro, cravo-da-índia, coentro, funcho, gengibre, gualtéria, hissopo, hortelã-pimenta, ilangue-ilangue, jasmim, lavanda, manjericão, manjerona, melissa, mirra, nardo, olíbano, orégano, *palmarosa*, sálvia, sálvia esclareia, semente de aipo, semente de anis, tomilho, *vetiver*.

Fungo, destrói. Ver antifúngico. Alecrim, angélica, baga de zimbro, camomila, canela, capim-limão, cravo-da-índia, elemi, eucalipto, funcho, gerânio, *immortelle*, jasmim, laranja, lavanda, limão-siciliano, manjerona, mirra, nardo, néroli, orégano, *palmarosa*, *patchouli*, pau-rosa, pinho, sálvia, sândalo, tomilho, *tea tree*.

Galactagogo. Induz a secreção de leite. Capim-limão, funcho, gualtéria, jasmim, manjerona, manjericão, melissa, semente de anis.

Gases ou flatulência, reduz ou expele. Veja carminativo. Alecrim, angélica, baga de zimbro, benjoim, bergamota, camomila, canela, capim-limão, cardamomo, coentro, cravo-da-índia, funcho, gengibre, gualtéria, hissopo, hortelã-pimenta, ilangue-ilangue, jasmim, laranja, lavanda, limão-siciliano, manjericão, manjerona, melissa, mirra, nardo, néroli, olíbano, orégano, *palmarosa*, *patchouli*, pimenta-da-jamaica, pimenta-do-reino, *ravensara*, sálvia, sálvia esclareia, sândalo, semente de aipo, semente de anis, tangerina, *tea tree*, tomilho, *vetiver*.

Gengivas, inflamação. Ver antipiorreico. Laranja, mirra.

Germicida. Destrói micro-organismos nocivos; antisséptico, antimicrobiano, desinfetante. Baga de zimbro, eucalipto, jasmim.

Hemostático. Detém o sangramento. Abeto, baga de zimbro, canela, eucalipto, gerânio, *grapefruit*, gualtéria, laranja, limão-galego, limão-siciliano, mirra, sálvia.

Hepático. Afeta ou drena o fígado. Alecrim, angélica, camomila, canela, coentro, funcho, hortelã-pimenta, *immortelle*, laranja, limão-galego, limão-siciliano, nardo, orégano, rosa, sálvia, semente de aipo.

Hidratante. Ilangue-ilangue.

Hipertensor. Aumenta a pressão sanguínea. Alecrim, hissopo, pinho, sálvia, tomilho.

Hipnótico. Induz o sono. Jacinto, laranja, néroli, orégano, tangerina.

Hipoglicemiante. Reduz os níveis de açúcar no sangue. Canela, mirra, semente de anis.

Hipotensor. Abaixa a pressão sanguínea. Camomila, gualtéria, ilangue-ilangue, lavanda, limão-galego, manjerona, melissa, néroli, sálvia esclareia, semente de aipo.

Infecções, previne e reduz. Ver anti-infeccioso. *Ravensara*, sândalo, *tea tree*.

Inflamação, reduz. Ver antiflogístico. Funcho, hortelã-pimenta, *patchouli*, pinho, sândalo, semente de aipo.

Inseticida. Destrói e controla a proliferação de insetos. Alecrim, baga de zimbro, benjoim, bergamota, bétula, canela, capim-limão, cedro, cipreste azul, cravo-da-índia, eucalipto, funcho, gerânio, hortelã-pimenta, lavanda, limão-galego, limão-siciliano, manjericão, melissa, *niaouli*, palo santo, *patchouli*, pau-rosa, pimenta-do-reino, pinho, sálvia, sândalo, *tea tree*, tomilho, *vetiver*.

Insetos, controla a proliferação ou destrói. Ver inseticida. Alecrim, baga de zimbro, benjoim, bergamota, bétula, canela, capim-limão, cedro, cipreste azul, cravo-da-índia, eucalipto, funcho, gerânio, hortelã-pimenta, lavanda, limão-galego, limão-siciliano, manjericão, melissa, *niaouli*, palo santo, *patchouli*, pau-rosa, pimenta-do-reino, pinho, sálvia, sândalo, *tea tree*, tomilho, *vetiver*.

Laxante. Estimula o esvaziamento intestinal. Alecrim, benjoim, bergamota, bétula, camomila, funcho, gengibre, hissopo, laranja, limão-siciliano, manjericão, manjerona, nardo, orégano, *patchouli*, pimenta-do-reino, pinho, sálvia.

Muco, reduz. Ver balsâmico. Canela, cedro, coentro, elemi, hissopo, nardo, olíbano, orégano, sálvia esclareia, tomilho.

Narcótico. Alivia a dor e acalma; induz o sono. Sálvia esclareia.

Náusea, reduz. Ver antiemético. Camomila, canela, cravo-da-índia, funcho, gengibre, laranja, *patchouli*, pimenta-do-reino, tangerina.

Nervino. Acalma os nervos. Abeto, alecrim, angélica, baga de zimbro, camomila, capim-limão, coentro, elemi, hissopo, hortelã-pimenta, ilangue-ilangue, *immortelle*, laranja, lavanda, manjericão, manjerona, melissa, nardo, olíbano, *palmarosa*, *patchouli*, *petitgrain*, sálvia, sálvia esclareia, semente de aipo, tomilho, *vetiver*.

Nevralgia, reduz. Ver antinevrálgico. Alecrim, camomila, cravo-da-índia, eucalipto, gerânio, hortelã-pimenta, limão-siciliano, pinho.

Oleosidade da pele, reduz. Ver antisseborreico. Cedro.

Parasitas, reduz. Ver antiparasitário. Abeto, alecrim, baga de zimbro, benjoim, bergamota, bétula, camomila, canela, cardamomo, cravo-da-índia, eucalipto, funcho, gengibre, gerânio, hissopo, hortelã-pimenta, lavanda, limão-siciliano, manjericão, melissa, nardo, *niaouli*, orégano, *palmarosa*, *patchouli*, pau-rosa, pinho, sálvia, tomilho, *tea tree*, *vetiver*.

Parto, facilita. Ver parturiente. Funcho, gerânio, ilangue-ilangue, *immortelle*, jasmim, sálvia, sálvia esclareia.

Parturiente. Facilita o parto e o nascimento da criança. Funcho, gerânio, ilangue-ilangue, jasmim, sálvia, sálvia esclareia.

Pedras nos rins, previne e dissolve. Ver antilítico. Baga de zimbro, limão-galego, limão-siciliano, semente de aipo.

Picada de cobra, antídoto. Ver antivenenoso.

Picadas de insetos, antídoto contra o veneno. Ver antiveneno. Eucalipto, lavanda, manjericão, tomilho.

Pressão sanguínea, aumenta. Ver vasoconstritor e hipertensor. Gerânio, hortelã-pimenta, laranja.

Pressão sanguínea, diminui. Ver vasodilatador e hipotensor. Manjerona, rosa, pimenta-do-reino.

Purgante. Laxante; promove a evacuação. Olíbano.

Purificador de sangue. Ver depurativo. Angélica, bétula, baga de zimbro, coentro, eucalipto, funcho, gerânio, *grapefruit*, hissopo, hortelã-pimenta, laranja, limão-galego, limão-siciliano, manjericão, mirra, nardo, néroli, pinho, sálvia, semente de aipo, tangerina.

Purificante. Limpa e descontamina. Eucalipto, *grapefruit*, limão-siciliano.

Refrescante. Alivia o excesso de esforço, reduz o calor e a superexcitação. Eucalipto, limão-galego, limão-siciliano, mirra.

Refrigerante. Fortifica ou revigora para refrescar, renovar ou modificar. Baga de zimbro, bergamota, coentro, laranja, limão-galego, limão-siciliano, *palmarosa*, *petitgrain*, pinho, sálvia esclareia, *tea tree*.

Regenerador. Promove novo crescimento. Restaura e repara estruturas ou tecidos. Coentro, *immortelle*.

Regenerativo (pele). Alecrim, benjoim, capim-limão, cedro, eucalipto, gerânio, *grapefruit*, ilangue-ilangue, *immortelle*, jasmim, lavanda, mirra, néroli, *niaouli*, olíbano, *palmarosa*, *patchouli*, pau-rosa, rosa, sálvia esclareia.

Rejuvenescedor. Restaura a juventude. Benjoim, gerânio, ilangue-ilangue, *immortelle*, mirra, olíbano.

Relaxante. Promove o alívio do estresse e da tensão; relaxa. Ilangue-ilangue, mirra, nardo, néroli, pimenta-da-jamaica, sálvia esclareia, sândalo.

Resolutivo. Reduz a inflamação ou o inchaço. Funcho, *grapefruit*, hissopo.

Restaurador. Restaura a força e a energia; revitaliza. *Grapefruit*, lavanda, *niaouli*, pinho.

Restaurativo. Renova a saúde e a força. Gerânio, *grapefruit*, hortelã-pimenta, lavanda, limão-galego, manjericão, manjerona, palo santo, pinho.

Revigorante. Aumenta a energia, a força e a boa saúde. Abeto, alecrim, eucalipto, hortelã-pimenta, limão-galego, mirra.

Revitalizante. Promove a vitalidade, reenergiza e regenera. Angélica, coentro, funcho, mirra (casca), olíbano, tangerina, *tea tree*, *vetiver*.

Rubefaciente. Irritante que avermelha a pele. Abeto, alecrim, baga de zimbro, bergamota, bétula, eucalipto, gengibre, gualtéria, limão-siciliano, orégano, pimenta-da-jamaica, pimenta-do-reino, pinho, tomilho, *vetiver*.

Sangramento, estanca. Ver hemostático. Abeto, baga de zimbro, canela, eucalipto, gerânio, *grapefruit*, gualtéria, laranja, limão-galego, limão-siciliano, mirra, sálvia.

Secante. Endurecimento pela exposição ao ar. Benjoim, mirra.

Secreção de leite. Ver galactagogo. Capim-limão, funcho, gualtéria, jasmim, manjericão, manjerona, melissa, semente de anis.

Sedativo. Promove a calma, reduz a ansiedade e induz o sono. Abeto, baga de zimbro, benjoim, bergamota, camomila, capim-limão, cedro, cipreste azul, funcho, gerânio, ilangue-ilangue, *immortelle*, jacinto, jasmim, laranja, lavanda, limão-galego, manjericão, manjerona, melissa, mirra, nardo, néroli, olíbano, *palmarosa*, *patchouli*, pau-rosa, *petitgrain*, pimenta-da-jamaica, pimenta-do-reino, *ravensara*, sálvia esclareia, sândalo, semente de aipo, semente de anis, tangerina, tomilho, *vetiver*.

Sono, induz. Ver narcótico e sedativo. Bergamota, camomila, funcho, jasmim, laranja, lavanda, limão-siciliano, manjerona, melissa, nardo, néroli, *palmarosa*, *patchouli*, pau-rosa, *petitgrain*, sândalo, sálvia esclareia, semente de anis, tangerina, *vetiver*.

Suavizante. Favorece a calma. Benjoim, lavanda.

Sudorífero. Induz a transpiração. Alecrim, angélica, baga de zimbro, camomila, hissopo, hortelã-pimenta, lavanda, manjericão, mirra, orégano, *palmarosa*, pinho, *tea tree*, tomilho.

Sudação. Ver transpiração. Alecrim, angélica, benjoim, canela, cipreste azul, cravo-da-índia, elemi, eucalipto, hissopo, hortelã-pimenta, *immortelle*, jasmim, laranja, lavanda, limão-galego, manjerona, melissa, orégano, *palmarosa*, *patchouli*, pau-rosa, pinho, *ravensara*, sálvia, sândalo, *tea tree*, tomilho.

Tônico. Substância restauradora e estimulante que aumenta a vitalidade e o bem-estar. Abeto, alecrim, angélica, benjoim, bergamota, bétula, camomila, canela, cardamomo, coentro, cravo-da-índia, elemi, eucalipto, funcho, gualtéria, hortelã-pimenta, ilangue-ilangue, *immortelle*, laranja, manjericão, manjerona, nardo, néroli, *niaouli*, orégano, *palmarosa*, *patchouli*, pau-rosa, *petitgrain*, pimenta-da-jamaica, pimenta-do-reino, pinho, *ravensara*, rosa, sálvia, sálvia esclareia, sândalo, semente de aipo, tomilho, *vetiver*.

Tonificante. Aumenta a energia de um órgão ou de um sistema do corpo. Baga de zimbro, gengibre, gerânio, *grapefruit*, olíbano, pimenta-do-reino, sálvia, mirra.

Tosse, alivia. Ver antitussígeno. Abeto, alecrim, angélica, baga de zimbro, benjoim, bergamota, canela, cardamomo, cedro, cravo-da-índia, elemi, eucalipto, funcho, gengibre, gualtéria, hissopo, hortelã-pimenta, jasmim, laranja, lavanda, limão-siciliano, manjericão, manjerona, mirra, *niaouli*, olíbano, orégano, pimenta-do-reino, pinho, *ravensara*, sálvia, sândalo, semente de anis, tangerina, *tea tree*, tomilho.

Transpiração, aumenta. Ver diaforético e sudoríparo. Alecrim, angélica, baga de zimbro, camomila, hissopo, hortelã-pimenta, lavanda, manjericão, mirra, orégano, *palmarosa*, pinho, tomilho.

Vasoconstritor. Constringe ou estreita vasos sanguíneos, aumentando a pressão sanguínea. Gerânio, laranja, hortelã-pimenta.

Vasodilatador. Dilata ou alarga os vasos sanguíneos, diminuindo a pressão sanguínea. Manjerona, pimenta-do-reino, rosa.

Veneno, neutraliza e combate. Ver antitóxico. Alecrim, bergamota, baga de zimbro, bétula, camomila, funcho, gengibre, *grapefruit*, hortelã-pimenta, laranja, lavanda, limão-galego, limão-siciliano, orégano, *patchouli*, pimenta-do-reino, *ravensara*, tomilho.

Vírus, remove e protege de. Ver antiviral. Alecrim, angélica, benjoim, canela, cipreste azul, cravo-da-índia, elemi, eucalipto, hissopo, hortelã-pimenta, *immortelle*, jasmim, laranja, lavanda, limão-galego, manjerona, orégano, *palmarosa*, *patchouli*, pau-rosa, pinho, *ravensara*, sálvia, sândalo, *tea tree*, tomilho.

Vitalidade, restaura. Ver estimulante e tônico. Angélica, baga de zimbro, benjoim, bétula, canela, cardamomo, coentro, cravo-da-índia, elemi, eucalipto, funcho, gengibre, gerânio, *grapefruit*, gualtéria, hissopo, hortelã-pimenta, ilangue-ilangue, jasmim, laranja, lavanda, limão-galego, limão-siciliano, manjericão, mirra, *niaouli*, olíbano, orégano, *palmarosa*, *patchouli*, *petitgrain*, pimenta-da-jamaica, pimenta-do-reino, pinho, *ravensara*, sálvia, sândalo, semente de aipo, semente de anis, *tea tree*, tomilho, *vetiver*.

Vivificante. Melhora o humor; inspira; estimula a felicidade. Alecrim, benjoim, bergamota, coentro, cravo-da-índia, eucalipto, gerânio, hortelã-pimenta, jasmim, limão-galego, limão-siciliano, melissa, néroli, olíbano, *palmarosa*, *patchouli*, pau-rosa, *petitgrain*, sálvia esclareia, tangerina, tomilho.

Vômito, diminui ou previne. Ver antiemético. Camomila, canela, cravo-da-índia, funcho, gengibre, pimenta-do-reino, laranja, *patchouli*, tangerina.

Vômito, induz. Ver emético. *Vetiver*.

Vulnerário. Cura feridas. Abeto, alecrim, baga de zimbro, benjoim, bergamota, camomila, elemi, eucalipto, gerânio, gualtéria, hissopo, laranja, lavanda, manjerona, melissa, mirra, *niaouli*, olíbano, orégano, pinho, sálvia, semente de aipo, *tea tree*.

Leituras Recomendadas

Animal-Speak, Ted Andrews. Llewellyn Publications, 1993.

Animal-Wise, Ted Andrews. Dragonhawk, 1999.

Astrology, Isabel Hickey. Isabel Hickey, 1970.

Bach Flower Therapy Theory and Practice, Mechthild Scheffer. Healing Arts Press, 1988.

Chakra Awakening, Margaret Ann Lembo. Llewellyn Publications, 2011.

The Directory of Essential Oils, Wanda Sellar. The C. W. Daniel Company Limited, 1992.

Energy Healing for Animals, Joan Ranquet. Sounds True, 2015.

Essential Aromatherapy, Susan Worwood. New World Library, Affirmative Books, Ltd., 1995.

The Essential Guide to Crystals, Minerals, and Stones, Margaret Ann Lembo. Llewellyn Publications, 2013.

The Fragrant Mind, Valerie Ann Worwood. New World Library, 1996.

Heal Your Body, Louise Hay. Hay House, 1984.

The Magic of Findhorn, Paul Hawken. Harper & Row, 1975.

Numerology and the Divine Triangle, Faith Javane e Dusty Bunker. Schiffer, 1979.

Bibliografia

Ackerman, Diane. *A Natural History of the Senses.* Vintage, 1991.

Alexander, Jane. *The Smudging and Blessings Book: Inspirational Rituals to Cleanse and Heal.* Sterling, 2009.

Andrews, Ted. *Animal-Speak: The Spiritual and Magical Powers of Creatures Great and Small.* Llewellyn Publications, 1993.

_____. *Animal-Wise: The Spirit Language and Signs of Nature.* Dragonhawk, 1999.

Aversano, Laura. *The Divine Nature of Plants: Wisdom of the Earth Keepers.* Granite Publishing, 2002.

Bach, Edward e F. J. Wheeler. *The Bach Flower Remedies Including Heal Thyself; The Twelve Healers; The Bach Flowers Repertory.* Keats Publishing, 1997. [*Os Remédios Florais do Dr. Bach – Incluindo Cura-te a Ti Mesmo – Uma Explicação Sobre a Causa Real e a Cura das Doenças e os Doze Remédios*, publicado pela Editora Pensamento, São Paulo, 1990.]

Burnett, Frances Hodgson. *The Secret Garden*. David R. Godine, 1986.

Caddy, Eileen. *The Spirit of Findhorn*. Findhorn Press, 1994.

Cunningham, Scott. *Magical Aromatherapy: The Power of Scent*. Llewellyn Publications, 1989.

Cunningham, Scott e David Harrington. *The Magical Household: Empower Your Home with Love, Protection, Health, and Happiness*. Llewellyn Publications, 1998.

Davis, Patricia. *Aromatherapy: An A-Z*. The C. W. Daniel Company Limited, 1999.

Gumbel, Dietrich. *Principles of Holistic Therapy with Herbal Essences*. Haug International, 1993.

Hawken, Paul. *The Magic of Findhorn*. Harper & Row, 1975.

Hay, Louise. *Heal Your Body*. Hay House, 1984.

Hickey, Isabel M. *Astrology: A Cosmic Science*. Isabel Hickey, 1970.

Holland, Rob W., Merel Hendriks e Henk Aarts. "Smells Like Clean Spirit: Nonconscious Effects of Scent on Cognition and Behavior." *Psychological Science* 16, pp. 689-93.

Javane, Faith e Dusty Bunker. *Numerology and the Divine Triangle*. Schiffer, 1979. [*A Numerologia e o Triângulo Divino*, publicado pela Editora Pensamento, São Paulo, 1993.]

Lawless, Julia. *The Encyclopedia of Essential Oils: The Complete Guide to the Use of Aromatic Oils in Aromatherapy, Herbalism, Health, and Well Being*. Conari Press, 2013.

Mahmut, M. K. e R. J. Stevenson. "Olfactory Abilities and Psychopathy: Higher Psychopathy Scores are Associated with Poorer Odor Discrimination and Odor Identification." *Chemosensory Perception*. doi: 10.1007/s12078-012-9135-7.

Melchizedek, Drunvalo. *Serpent of Light: Beyond 2012 – The Movement of the Earth's Kundalini and the Rise of the Female Ligth, 1949 to 2013*. Weiser Books, 2008.

Milanovich, Dra. Norma e Dra. Shirley McCune. *The Light Shall Set You Free*. Athena Publishing, 1996.

Miller, Richard Alan e Iona Miller. *The Magical and Ritual Use of Perfumes*. Destiny Books, 1988.

Nelson Bach. *The Bach Flower Essences® Questionnaire & Guide to Your Own Personal Formula*. Nelson Bach USA Ltd., 1995.

Ouspensky, P. D. *In Search of the Miraculous: Fragments of an Unknown Teaching*. Harcourt Brace Jovanovich, 1949.

Ranquet, Joan. *Energy Healing for Animals*. Sounds True, 2015.

Raven, Hazel. *The Secrets of Angel Healing: Therapies for Mind, Body, and Spirit*. Godsfield Press, 2006.

Rhind, Jennifer Peace. *Fragrance and Wellbeing: Plant Aromatics and Their Influence on the Psyche*. Singing Dragon, 2014.

Sams, Jamie. *The Thirteen Original Clan Mothers: Your Sacred Path to Discovering the Gifts, Talents, and Abilities of the Feminine Through the Ancient Teaching of the Sisterhood*. Harper San Francisco, 1993.

Scheffer, Mechthild. *Bach Flower Therapy Theory and Practice*. Healing Arts Press, 1988. [*Terapia Floral do Dr. Bach – Teoria e Prática*, publicado pela Editora Pensamento, São Paulo, 1991.]

Schiller, Carol e David Schiller. *The Aromatherapy Encyclopedia: A Concise Guide to Over 395 Plant Oils*. Basic Health Publications, 2008.

Sellar, Wanda. *The Directory of Essential Oils*. The C. W. Daniel Company Limited, 1992.

Taylor, Terry Lynn. *Messengers of Light: The Angels' Guide to Spiritual Growth.* H. J. Kramer, 1989. [*Anjos Mensageiros da Luz – Guia para o Crescimento Espiritual*, publicado pela Editora Pensamento, São Paulo, 1991.]

Tisserand, Maggie. *Aromatherapy for Women: A Practical Guide to Essential Oils for Health and Beauty.* Healing Arts Press, 1996.

Tisserand, Robert e Rodney Young. *Essential Oil Safety*, Segunda Edição. Churchill Livinstone Elsevier, 2014.

University of Chicago Press. *The Chicago Manual of Style, 16th Edition.* University of Chicago Press, 2010.

Vennells, David. *Bach Flower Remedies for Beginners: A Comprehensive Guide to 38 Essences that Heal.* Llewellyn, 2001.

Virtue, Doreen e Lynnette Brown. *Angel Numbers: The Angels Explain the Meaning of 111, 444 and Other Numbers in Your Life.* Hay House, 2005.

Webster, Richard. *Spirit & Dream Animals: Decipher Their Messages, Discover Your Totem.* Llewellyn Publications, 2011.

Worwood, Susan. *Essential Aromatherapy: A Pocket Guide to Essential Oils & Aromatherapy.* New World Library, 1995.

Worwood, Valerie Ann. *The Complete Book of Essential Oils and Aromatherapy.* New World Library, 1991.

_____. *The Fragrant Mind: Aromatherapy for Personality, Mind, Mood, and Emotion.* New World Library, 1996.

Wright, Machaelle Small. *Perelandra Garden Workbook: A Complete Guide to Gardening with Nature Intelligences.* Perelandra Ltd., 1987.

_____. *MAP: The Co-Creative White Brotherhood Medical Assistance Program.* Perelandra Ltd., 1990.

Índice Remissivo

A

Abeto, 42, 73-74, 325-27, 330-49, 351, 353, 356-61, 365, 367, 368-76

Abundância/inúmeros/numerosos, 100, 102, 155, 156, 184, 232, 266, 268, 317, 346

Ação de Graças, 232

Adocicada, 266

Alecrim, 76-9, 184, 175, 251, 286, 326-37, 338-52, 353-76

Almiscarada, 100, 220, 223, 276

Altas/desconfortável/pesada, 24, 166, 199, 214, 252, 313

Amadeirada, 73, 83, 93, 109, 112, 115, 133, 172, 195, 214, 220, 226, 242, 248, 256 Amêndoa/noz, 38, 252

Angélica, 80-2, 325-29, 331-36, 338-42, 343-44, 345-50, 352, 354-70, 371-76

Anjo(s) da guarda, 61-2, 267, 169, 318, 326

Anjos/angélico(s), 61-2, 104, 142, 165, 166, 169, 193, 201, 246, 267, 268, 318, 319, 326, 329, 348

Anti-inflamatório(ria), 75, 82, 85, 88, 95, 98, 102, 108, 114, 117, 120, 127, 135, 139, 147, 150, 153, 160, 166, 170, 174, 193, 197, 201, 212, 216, 222, 225, 250, 254, 258, 271, 274, 278, 357-58, 364

Apimentada, 125, 235

Arte culinária/cozinha, 64, 250-51, 265

Artrite, 82, 94, 101, 110, 113, 116, 146, 212, 261, 339, 361

Atlântida, 91, 134, 142, 165, 169, 173, 188, 200, 204, 230, 236, 246, 267, 273, 348

Autoconfiança/autoconfiante, 63, 84, 90, 103, 104, 119, 141, 165, 168, 169, 180, 187, 203, 224, 226, 227, 229, 231, 263, 297, 316

Autoestima, 63, 98, 101, 156, 162, 177, 180, 181, 184, 224, 226, 227, 236, 308

B

Baga de zimbro, 45, 83, 84, 326, 327-36, 337-49, 351, 353, 354, 356-76

Balsâmico(ca), 73, 111, 112, 124, 150, 210, 216, 252, 254, 274, 361, 371

Benjoim, 40, 86-9, 326-49, 350-60, 361-76

Bergamota, 23, 44, 45, 90-2, 139, 192, 211, 224, 227, 325, 326, 327-48, 350, 354-76

Bétula, 24, 28, 93-5, 120, 326, 327-32, 333-44, 346, 349-52, 353-59, 361-68, 370-76

Bloqueios/obstáculos, 100, 101, 122, 123, 125, 126, 130, 146, 156, 176, 179, 274

Brilhante(s)/forte/luminoso, 118, 177, 179, 236

Buda, 257, 326

C

Camomila, 45, 96-9, 139, 285, 325-49, 354-76

Canela, 24, 45, 100-02, 198, 232, 327-29, 330-35, 336-47, 349-76

Canforada, 206, 214, 242, 248

Capim-limão, 42, 45, 91, 103-05, 219, 285, 325, 327-29, 336-50, 353-60, 362, 364, 365, 368-74

Cardamomo, 45, 106-08, 232, 327, 328, 331-34, 336-40, 342-48, 351, 352, 354, 357-60, 362, 365-69, 371, 374-76

Clarividência, 101, 113, 159, 227, 236, 326

Cedro, 43, 109-11, 198, 221, 285, 327-51, 353-54, 357, 359-61, 363-75

Cipreste azul, 112-14, 328-43, 345-47, 349, 351-52, 354-55, 357, 360-61, 366, 368, 370, 374-75

Cítrica, 103, 112, 115, 133
Cítricos(ca), 38, 40, 42, 44, 45, 90, 92, 124, 266, 267,
Clareza/origem/clara/descobrir, 63, 71, 73, 74, 76, 78, 87, 91, 94, 105, 107-08, 116, 119-21, 126, 142-43, 152, 169, 173, 176-79, 184, 207, 211, 212, 236, 260, 264, 269, 271, 287-88, 317, 341, 347
Claricognição/claricognoscência, 101, 159, 227,
Clariaudiência, 101, 227, 236, 270
Clarigustação, 101
Clariolfação, 101
Clarissenciência, 101, 227
Coentro, 115-17, 237, 327-31, 334, 337-44, 346-48, 351-76
Concentrar/concentra/concentração/concentrar-se/concentrando-se/concentro-me/concentrada/foco/concentrar-se/concentre-se/concentram/enfoquem, 48, 52, 53-4, 56, 70-1, 77-8, 81, 86-8, 103, 109-11, 116, 129, 138, 142-43, 152, 160, 169, 176, 178, 180-83, 195, 198, 207, 210-11, 221, 223, 233, 235, 237, 240, 242-43, 263-64, 266, 273, 277, 294, 302, 306, 317, 319, 321, 322
Conífera, 238
Cravo-da-índia, 44, 118-21, 232, 235, 244, 290, 327-33, 335-62, 366-71, 374-76
Criança(s), 27, 28, 37, 108, 124, 127, 159, 169, 171, 205, 267, 268, 340
Cura/curativo(s)/curativa(s)/curam/curativos/curar/curador/combate/tratar/ reparador/curar-se 21-4, 31, 33, 38-9, 43, 48, 49, 52, 56, 77, 83, 92, 97, 111, 114-17, 129, 137, 139, 146, 152, 156, 159, 161, 163, 169, 174, 177, 178, 189, 191, 192, 196, 197, 199, 201, 210, 212, 216, 238, 249, 254, 256, 258, 264, 269, 270, 276-77, 293, 306, 322, 325, 356, 364, 368, 376

D

Desértica/seco(a), 53, 55, 59, 175, 210, 211, 235
Dietas, 312
Doce, 38, 73, 86, 90, 93, 95, 100, 103, 106, 112, 115, 129, 130, 137, 141, 144, 148, 155, 158, 161-63, 164, 168, 171, 172,

176, 191, 203, 210, 223, 226, 229, 245, 248, 252, 263, 266
Dor/tristeza/luto, 23, 112-14, 142, 161-63, 166, 204, 212, 278, 331, 347-48

E

Elemi, 122-24, 222, 326-31, 333-35, 337-38, 340-42, 344-45, 347-50, 353-55, 357, 359-62, 366-69, 371, 374-76
Especiarias, 44, 80, 100, 106, 107, 115, 118, 119, 122, 133, 134, 187, 214, 232, 235, 237, 259, 269, 272
Estimulam/estimulante/estimula/estimulando, 45, 113, 119-20, 125, 267
Eucalipto, 45, 125-28, 139, 192, 224, 244, 285, 288, 290, 291, 325, 327, 329-30, 332-76
Exótico(a), 161, 203, 229, 231, 256

F

Floral(rais), 22, 44-5, 137, 141, 155, 158, 161, 163, 164, 168, 172, 203, 226, 229, 245, 287
Floresta, 109, 238
Forte(s)/poderosas/robustos/sólida, 57, 59, 62, 76, 78, 82, 85, 87, 93, 96, 102, 118, 120, 127, 129, 137, 145, 151, 160, 181, 197, 206, 208, 214, 215, 220, 223, 225, 227, 232, 233, 240, 244, 248, 250, 252, 254, 256, 269-75, 289-90, 297, 303, 305, 308, 310, 317
Fresco(a), 76, 183, 270
Fresco/fresca(s)/novas, 42, 80, 83, 90, 91, 100, 103, 115, 123, 137, 141, 151, 169, 172, 176, 179, 217, 220, 235, 238, 248, 259, 343
Frutada, 96, 103, 112, 118, 137, 217
Fumaça/esfumaçado(a), 60, 80, 83, 86, 100, 112, 122, 183, 188, 196, 248
Funcho, 45, 129-32, 288, 327, 328, 329, 332-33, 338-44, 346, 350, 353-76

G

Gengibre, 46, 106, 133-36, 326-29, 333-49, 350, 353-63, 364-69, 371-76
Gerânio(s), 45, 137-40, 156, 192, 285, 326-36, 337-49, 353-69, 370-76
Grandes Mestres, 71, 91, 156, 317, 318

Grapefruit, 38-9, 45, 134, 141-44, 286, 287, 325-35, 336-37, 340-57, 359-67, 369, 372, 373, 375-76

Gualtéria, 28, 93, 120, 145-47, 326-29, 332-44, 350, 352, 353-55, 357-64, 366-70, 373-76

H

Harmonização/harmonia/alinhamento/consonância/sintonização, 59, 62, 144, 218, 273, 294, 318, 322, 325

Herbáceos/herbácea, 44-5, 76, 96, 129, 172, 187, 269, 206, 214, 242, 252, 264, 272

Hippy, 223

Hissopo, 28, 148-50, 328-30, 332, 334, 335-44, 347-51, 353-54, 355, 357-76

Hortelã-pimenta, 28, 45, 151-54, 289, 325, 327, 328, 329, 332, 335-45, 346-50, 352, 353-76

I

Ilangue-ilangue, 37, 46, 155-57, 264, 285, 325-29, 331-33, 336-38, 340-48, 353-54, 356, 359, 361-64, 366-74, 376

Immortelle, 158-60, 327-29, 331-34, 336-37, 349, 351-52, 354-60, 362-75

Inebriante, 161

Integração, 41, 43, 57, 106, 177, 263

Intensa/opressivos, 151, 322

Intensa/profundamente/profundo(s)/profunda(s)/firmemente, 74, 93, 94, 99, 123, 152, 161, 189, 211, 243, 245, 253, 278, 319

Intenso(s)/intensas/grande/fortes, 98, 112, 126, 155, 161, 187, 272, 294-95, 309

Intestinal/intestinais, 107, 208, 216, 218, 271

J

Jacinto, 23, 113, 161-63, 286-87, 327-32, 334, 336-38, 341, 344-48, 350-51, 354, 356, 359, 364, 370, 374

Jasmim, 43, 46, 59, 164-67, 325-29, 331-34, 336-38, 340-50, 352, 354-64, 366-69, 371-72, 374-76

L

Laranja, 39, 44, 45, 63, 91, 93, 100, 115, 118, 122, 133, 137, 145,

148, 168-71, 203, 206, 217, 229, 259, 263, 266, 269, 284, 287, 290, 319, 325-29, 332-37, 339-48, 350-51, 353-75

Lavanda, 23, 34, 45, 61, 138, 139, 172-75, 192, 196, 221, 248-49, 285, 287-90, 325-30, 332-51, 353-76

Lembranças, 22, 63, 77, 129, 130, 134, 142, 162, 165, 169, 173, 184, 188, 204, 208, 230, 233, 236, 244, 249, 254, 263, 288, 347, 348

Lembrando a da maçã, 96

Lembrando o tabaco, 252

Lembrando o vinho, 223

Limão-comum, 45, 176-78, 286, 327, 329-32, 334-35, 337, 339-43, 345-48, 350, 352-61, 364-65, 367-70, 372-76

Limão-siciliano, 23, 44, 45, 179-82, 184, 211, 224, 286, 288-90, 327, 329, 332-37, 339, 341-50, 352-62, 364-76

Limites, 184, 260, 118, 119, 305, 316

Limpo(s)/puro(a)/leve/limpo(ar), 58, 74, 76, 91, 93, 115, 130, 150, 151, 172, 173, 179, 183, 238, 269, 307, 321

M

Maha Chohan, 134

Manjericão, 45, 183-86, 325-27, 329-34, 336-42, 344-51, 353-76

Manjerona, 37, 187-90, 211, 286-88, 325, 327-31, 333-50, 352-55, 357-76

Masculino, 233, 235, 321, 325

Maternidade, 264

Medicinal(ais), 44, 45, 71, 93, 117, 125, 145, 187, 206, 215, 269, 272

Melissa, 45, 191-94, 327, 329, 330-31, 332, 337-38, 340-51, 353-71, 374, 376

Memória(s)/lembrança(s)/recordação, 22-4, 77, 79, 116, 119, 134, 142, 184, 192, 204, 236, 254, 273, 286, 342, 346, 347

Mentolada, 151, 220

Mestres Ascensionados, 59-62, 81, 91, 162, 204, 324, 348

Metálico(a), 203, 220, 242

Mirra, 43, 46, 60, 195-98, 222, 326-27, 329-30, 332, 334, 336-38, 340-50, 353-54, 356-70, 372-76

N

Narcótica, 155, 371, 374

Nardo, 45, 199-202, 288-89, 326-49, 351, 353-74

Néroli, 42, 45, 203-05, 325-29, 333-35, 337-38, 340-48, 350-51, 353-57, 359-70, 372-74, 376

Niaouli, 45, 206-09, 288, 290, 325, 327-29, 331-35, 337-44, 346-47, 349, 351-52, 354-55, 357-68, 370-71, 373-76

O

Olíbano, 42, 46, 60-1, 134, 196, 210-13, 222, 284-85, 287-89, 326, 328-31, 333-48, 351, 353-69, 371-76

Opulenta, 195

Orégano, 181, 214-16, 326-29, 331-32, 334-35, 337-45, 351, 354-71, 373-76

P

Palmarosa, 217-19, 325, 327, 329, 331, 333, 335, 337-51, 353-55, 357-58, 360-62, 364-69, 371-76

Palo santo, 61, 220-22, 326, 328-29, 331, 334-35, 337-38, 342, 344, 346-51, 354, 358, 366, 370-71, 373

Patchouli, 40, 42, 46, 223-25, 285, 286-87, 328-30, 334-47, 349, 351, 353-71, 373-76

Pau-rosa, 46, 224, 226-28, 286, 288, 327-32, 334-38, 340-43, 345-48, 351, 354-66, 368-71, 373-76

Penetrante, 76, 125, 143, 187, 206

Perda de peso/perder peso, 180, 261

Persistente, 256

Perspectiva/pontos de vista, 74, 130, 143, 146, 159, 180, 183, 219, 224, 257, 267, 271, 317

Petitgrain, 45, 91, 229-31, 287, 288, 327, 328, 329-31, 333-38, 340, 342-48, 352-57, 359-61, 364-65, 367-68, 371-72, 374, 376

Pimenta-da-jamaica, 232-34, 325, 327-29, 335-40, 342, 344-49, 352-56, 358-59, 361-62, 364-67, 369, 373-74, 376

Pimenta-do-reino, 235-37, 325, 326-27, 329-30, 332, 334, 336-39, 341-52, 354-57, 359-76

Pinho/pinheiro, 42, 45, 238-41, 289, 328-30, 332-34, 336, 338-43, 345-49, 352, 354-61, 363-76

Poder pessoal, 62-3, 141, 181, 183-85, 230

Poderoso(s)/poderosa(s)/potenciais/forte, 35, 87, 118, 125, 181, 208, 244, 249, 272, 296, 305, 320

Pratos italianos, 241, 263

Pressão sanguínea, 37, 81, 95, 104, 108, 110, 127, 146, 147, 150, 156, 157, 189, 247, 250, 254, 255, 261, 274, 275, 313, 343, 370, 372, 375

Profunda/aguda, 93, 100, 217

Proteção/proteger/protege, 42, 58, 61, 78-9, 87, 96, 109, 111, 118-19, 126, 137-38, 149, 175, 184, 186, 187-88, 196, 217, 221, 239, 248-49, 264, 272, 286-88, 312, 316, 323, 325

Pulverulenta, 129

Pungente, 106, 133, 248

Q

Quente/morna, 58, 106, 118, 119, 126, 133, 148, 172, 187, 195, 235, 259, 263

R

Raiva, 73, 97, 112, 113, 125, 137, 161, 163, 201, 253, 259, 278, 289, 305, 310, 321, 325

Ravensara, 45, 192, 242-44, 288, 290, 327-29, 332-41, 343-46, 348-49, 351-52, 354-55, 357, 359-63, 366-70, 374-76

Recapitular, 264

Resinosos/resinosa, 40, 76, 83, 87, 112, 195, 210, 214, 220

Revigorante, 73, 78, 127, 153, 181, 197, 373

Rico(a), 38, 39, 195, 210

Rosa(s), 43, 46, 59, 63, 80, 86, 93, 112, 134, 138, 141-42, 155, 158, 161-62, 164, 191, 203, 217, 229, 245-47, 266, 325-37, 340, 342-43, 345-50, 352-54, 361, 363, 365-66, 368, 370, 372-73, 375

Rósea, 217, 226

S

Sálvia, 28, 37, 45, 60-1, 110, 138, 221, 248-51, 252-55, 277, 285-88, 290, 328-50, 352-76

Sálvia esclareia, 37, 45, 138, 252-55, 287, 325, 327-29, 331-33, 336-37, 339-50, 353-76

Sândalo, 42, 46, 60-1, 256-58, 326, 328-29, 331, 333-34, 336-71, 373-76

Seguro(a)/são/sãos/segurança, 27, 114, 141, 148, 181, 183, 186,

187, 196, 204, 217, 224, 248, 274, 294-96, 307, 309, 311, 321-22, 323, 347
Semelhante à baunilha/semelhante ao da baunilha, 86, 87
Semelhante à do alcaçuz, 112, 129, 263
Semelhante à do cogumelo, 195
Semente de aipo, 43, 236, 259-62, 325-29, 331, 333-34, 337, 339-41, 343-50, 353-72, 374-76
Semente(s) de anis, 263-65, 327-29, 331, 334-37, 339-51, 354-57, 359-62, 365-70, 374-76
Sensual, 223
Sonhos, 81, 86, 87, 94, 95, 120, 172, 192, 208, 243, 264, 267, 299, 317, 319, 325, 349
St. Germain, 320
Suave, 38, 86, 161, 226
Suave, 172
Sutil, 63, 70, 71, 256

T

Tangerina(s), 266-68, 325, 327-29, 331-32, 334-35, 337, 339-42, 344-57, 359-76
Tea tree, 42, 45, 244, 269-71, 290-91, 325-26, 328-30, 332-35, 337-45, 351, 354-55, 357-76

Terroso(s)/terrosa, 44-5, 103, 109, 115, 158, 199, 223, 224, 259, 276
Tomilho, 45, 175, 251, 272-75, 325, 327, 329, 331-35, 337-51, 353-76
Tranquilizador/reconfortante/reconforta, 86, 173 233
Transformação, 49, 83, 87, 112, 138, 146, 158, 172, 196, 264, 294, 316, 320, 326
Turfosa, 199

V

Verde(s)/esverdeada, 39, 63, 73, 74, 75, 81, 83, 84, 90, 96, 97, 100, 109, 112, 113, 115, 116, 125, 126, 129, 130, 141, 145, 146, 151, 152, 157, 158, 161-63, 164, 168, 169, 172, 176, 179, 183, 188, 196, 199, 206, 210, 214, 215, 217, 221, 223, 229, 232, 236, 238, 239, 242, 248, 249, 259, 260, 263, 269, 273, 276, 316-17, 319, 321, 323
Vetiver, 42, 43, 45, 46, 134, 276-79, 285, 326-34, 338-49, 351, 353-55, 357-59, 361-62, 364-71, 373-76

Impresso por :

gráfica e editora
Tel.:11 2769-9056